oddi wrth

Siân a Pete

ar ei 43 penblwydd.

Teulu'r Cilie

Jon Meirion Jones

Argraffiad cyntaf—1999

ISBN 1 900437 32 5

Y mae Cyhoeddiadau Barddas yn gweithio gyda chefnogaeth ariannol Cyngor Celfyddydau Cymru, a chyhoeddwyd y gyfrol hon gyda chymorth y Cyngor.

Cyhoeddwyd gan Gyhoeddiadau Barddas
Argraffwyd gan Wasg Gomer, Llandysul, Ceredigion SA44 4QL

Mynnaf nad fferm mohoni,—ei hawen
Yw'r cynhaeaf ynddi;
A blaenffrwyth ei thylwyth hi
Yw y grawn geir ohoni.

Gerallt Lloyd Owen

Cynnwys

Diolchiadau ix

Rhagair gan T. Llew Jones xi

Fferm y Cilie 1

Jeremiah Jones 33

Mary Jones 51

Frederick Cadwaladr 59

Margaret (Williams) 89

Thomas (Tom) 97

David (Dafydd Isfoel) 117

John (Tydu, Ceredigion, Cyrus) 151

Pedwarawd o Ferched y Cilie

- Ann (Boleyn) 181
- Esther 185
- Myfanwy 193
- Mary Hannah 203

Evan George (Sioronwy, Siors) 211

Simon Bartholomew 225

Alun Jeremiah 251

Rhyfeddod 279

Cerddi i'r Cilie 285

Llyfrau a Chyhoeddiadau Eraill 288

Aelodau o deulu'r Cilie a fu'n feirniaid yn yr Eisteddfod Genedlaethol 289

Aelodau o deulu'r Cilie a fu'n llwyddiannus mewn cystadlaethau llenyddol yn yr Eisteddfod Genedlaethol 290

Beddargraffiadau Barddonol Teulu'r Cilie 290

Achlysuron Arbennig i Goffáu'r Bois 293

Rhaglenni Radio a Theledu 294

Diolch

i'r Prifardd Alan Llwyd am fy ngwahodd i ysgrifennu'r gyfrol ac am ei hynawsedd a'i gefnogaeth wrth ei pharatoi;

i'r Prifardd T. Llew Jones am bob cyngor ac awgrym;

i bawb yn y 'Tyl' ac eraill am eu cydweithrediad a'u cwrteisi;

i fy ngwraig, Aures, am deipio'r gwaith, ac am ei hamynedd hi a'r teulu, pan oeddwn dan glefyd ymchwil ac ysgrifennu;

i Wasg Gomer am lendid a graen ei gwaith argraffu;

i'r Llyfrgell Genedlaethol am ganiatâd i ddefnyddio lluniau—Yr Athro Henry Lewis, Fred Jones a Syr John Morris-Jones; Fred Jones yn eistedd yng nghadair Eisteddfod is-genedlaethol Gwent 1912; a llun o John Tydu a dynnwyd gan yr Heddlu;

i Amgueddfa Werin Genedlaethol Cymru, Sain Ffagan, am ganiatâd i ddefnyddio lluniau Coron Eisteddfod Genedlaethol Wrecsam 1933, Cadair Eisteddfod Genedlaethol Abergwaun 1936, a llun y 'Welsh Not';

i'r *Western Mail* am gael defnyddio cartŵn 'Illingworth'.

i Frank Cross a'i ferch Barbara (Woodthorpe, Nottingham) am ganiatâd i ddefnyddio lluniau o'r hen Gilie.

Rhagair

Mae'r gyfrol yma'n rhoi i ni hanes un o'r teuluoedd mwyaf nodedig a fu'n byw yn y Gymru Gymraeg erioed, sef Teulu'r Cilie. Roedd e'n deulu mawr o ddeuddeg o blant—pump o ferched a saith o fechgyn—i gyd yn epil y gof a'r bardd Jeremiah Jones a'i wraig Mary.

Etifeddodd y bechgyn, a rhai o'r merched i raddau llai, ddawn barddoni Jeremiah'r Gof, a chawsant i gyd dyfu yn sŵn 'Cynghanedd cân ac englyn' ar aelwyd tŷ'r efail ym Mlaencelyn i ddechrau, ac yna ar aelwyd ac ar gaeau helaeth fferm y Cilie.

Aeth dau o'r bechgyn i'r Weinidogaeth a dod yn bregethwyr mwyaf amlwg a phoblogaidd eu dydd. Enillodd un mab Gadair a Choron yr Eisteddfod Genedlaethol a dyrchafwyd tri ohonynt i Urdd y wisg wen yng Ngorsedd y Beirdd am eu cyfraniad i farddoniaeth Gymraeg. Enillodd un arall Wobr yr 'Academi' am gyfrol o farddoniaeth orau'r flwyddyn. Cyhoeddodd y brodyr rhyngddynt ryw ddeg o gyfrolau o farddoniaeth a rhyddiaith, a'r rheini i gyd bron allan o brint erbyn hyn. Dyna rai o orchestion 'Bois y Cilie'.

Ond am y tro cyntaf, yn y gyfrol hon, fe geir hanes nid yn unig y 'Bois' ond y merched hefyd, a gallaf sicrhau'r darllenydd nad annifyr mo hanes y rheini chwaith!

Bu beirdd y Cilie yn canu am ganrif gyfan—o Jeremiah hyd at Alun, y cyw melyn olaf, gan gyfoethogi barddoniaeth ein gwlad yn helaeth. Daeth y saga i ben gyda marwolaeth Alun ar 1 Mawrth, 1975. Fe fydd eu cerddi byw tra bo'r iaith Gymraeg, ond diolch i Jon Meirion (sy'n or-ŵyr i Jeremiah'r Gof) am fynd ati mewn pryd i groniclo hanes y Teulu *cyfan* cyn i amser ddileu'r cof amdanynt. Bydd croeso mawr i'r gyfrol rwy'n siŵr.

T. Llew Jones

Fferm y Cilie

Yn Hydref 1889 cymerodd Jeremiah Jones denantiaeth ar y 'continent'—sef fferm dri chan erw y Cilie a oedd yn rhan o elusen Doctor John Jones. Yr oedd yr elusen yn cynnwys tir—'15 miles from the town of Cardigan and at Manorbier in the County of Pembroke'—ac mae'n dyddio'n ôl i ddiwedd yr ail ganrif ar bymtheg.

Ganwyd Dr John Jones ar gyffiniau Tyddewi ym 1650, ddwy flynedd ar ôl gwarchae Oliver Cromwell ar gastell Penfro. Roedd ei dad, y Parchedig William Jones M.A., yn Rheithor ar blwyf Lawrenny (1663-1688) hyd ei farwolaeth yn 71 oed ym 1688, ac fe'i claddwyd yng nghangell yr eglwys, gydag aelodau o'i deulu. Gwelir hefyd fur-golofn y tu fewn i'r adeilad. Roedd hefyd yn dirfeddiannwr ac etifeddodd ei fab, John, ei eiddo ar farwolaeth ei dad.

Magwyd John Jones yn Lawrenny ond wedi ennill trwydded meddygaeth bu'n gwasanaethu fel meddyg ym mwrdeistref Caerfyrddin. Bu farw yn 47 oed ar 10 Ionawr, 1698, ychydig wedi iddo wneud ei ewyllys, gan adael ei holl eiddo i ymddiriedolwyr ar gyfer achosion elusengar. Nid oedd Doctor Jones wedi enwi'r holl elusennau yn ei ewyllys. Gwnaethpwyd hynny gan ei frawd, y Parchedig William Jones.

Yn ystod y blynyddoedd 1832-33, penodwyd comisiynwyr i gasglu gwybodaeth ynglŷn ag elusennau, a chyhoeddwyd adroddiad ym 1834: '. . . it appears that certain moneys became due prior to 1700 to one William Jones as the executor of one Dr Jones, and the said William Jones by deed poll dated the 30th July had declared that the yearly interest of £440 should be received by the Mayor and the Common Council of the Town and Borough of Pembroke to be applied for the apprenticing of such poor children and the maintenance of such poor families in the various parishes mentioned therein, as should be agreed upon by the majority of such Council. And the said William Jones appointed Sir Arthur Owen of Orielton Bart., John Laugharne Esq. and John Meyrick Esq. trustees thereof, pursuant to the will of Dr Jones.

Yn adroddiad 1834 rhestrir y ffermydd a'r tiroedd canlynol:

1. Fferm o'r enw Pendderw Fach yn cynnwys 15 erw a hanner. Un arall o'r enw Kilie Ucha ('otherwise Issa') yn cynnwys 141 o aceri (1 'rood' 36 'perches') a thŷ byw. Fferm arall o'r enw Kilie Ganol yn cynnwys 127 a hanner o aceri a thŷ byw. Rhoddwyd y tair fferm yma ar rent i John Owen ers Gŵyl Fair (25 Mawrth) 1807 am gyfnod o dair einioes am rent o £85 y flwyddyn. (Mae'r cyfanswm yn 285 o aceri—cymharol i faint y Cilie heddiw. John Owen oedd rhagflaenydd Jeremiah Jones.)
2. Fferm o'r enw Kilie Isaf.
3. Melin o'r enw Millin Cwm Tidy, neu Kilie Mill.
4. Fferm o'r enw Rhydywhiad Ucha.
5. Fferm o'r enw Rhydywhiad Issa.

Aeth y cyn-denant, John Owen, yn fethdalwr, ac oherwydd cyflwr gwael amaethyddiaeth yn wythdegau'r ganrif ddiwethaf, roedd fferm y Cilie wedi bod yn wag a didenant am ddwy flynedd. Oherwydd maint a natur y tirwedd ni ddangosodd nemor neb ddiddordeb ynddi. Roedd llygad Jeremiah Jones arni ers tipyn, ac yn wir cymerodd un o gaeau'r Cilie ar rent cyn symud o efail Blaencelyn.

Y llechen gerfiedig ar fur yr hen storws. Adeiladwyd y tŷ newydd ym 1936.

Daeth i gytundeb â'r ymddiriedolwyr, sef rhent o wyth deg pump punt y flwyddyn, ond roedd deg punt o'r cyfanswm yn ddyledus oddi wrth ddeiliaid y cwm.

Gwelir yn gerfiedig ar lechen ar fur yr hen storws y wybodaeth ganlynol: 'Cilie House was built in 1811. And this House in 1817 at the Expence of John Owen'.

Dymchwelwyd hanner yr hen dŷ oddeutu 1935 ac roedd y tŷ newydd presennol yn barod i'w feddiannu ym 1936.

CHWALU (y Cilie 1936)

Curwch ei furiau i lawr â byllt a gordd,
Dinoethwch ef, y trawstiau derw a'r to;
Bwriwch bob drws ac astell rywle o'r ffordd,
Datodwch heddiw ei gadernid o.
Chwelwch bentanau pridd y Lwfer Fawr,
A rhofiwch gyda nerth yr huddygl trwch,
Dymchwelwch ystafelloedd llofft a llawr,
A chwerddwch chwithau yng nghymylau'r llwch.
Mae pawb yn ddigon pell—ni chyfyd un
O'r byw ei law, ac ni ddaw llais o'r Llan
I'ch atal nac i ddannod i chwi lun
Yr annibendod sy'n gorchuddio'r fan:
Mynnwch yn llawen gyda'r hwyr eich tâl,
A'r lloer yn edrych ar domennydd chwâl.

A dewch yfory'n nerthol gyda'r wawr
Â holl fedrusrwydd crefft ar goed a maen;
Rhowch seiliau dyfnach, sicrach yn y llawr
Ac ystafelloedd lletach nag o'r blaen.
Cydiwch briddfeini'n rhesi syth wrth drefn
A chlymau haearn rhwng y muriau main;
Cuddiwch yr wyneb brych â haenen lefn
A rhowch forteisi dur i'r cyplau cain;
A phan orffennoch eich celfyddyd lwyr,
A tharo chwiban cerddi'r newydd fyd
Wrth gefnu ar eich gorchest gyda'r hwyr
Tros Lôn y Banc a'r Foel a Phont y Rhyd;
Cynlluniaf innau i'r hen (na ddaw i lawr!)
Y cylch Nadolig dan y Lwfer Fawr.

S. B. Jones

Teulu'r Cilie ar ddiwrnod talu rhent.

Tŷ newydd ffermdy'r Cilie. Ar y dde y mae rhan o'r hen dŷ, a rhannau o'r gweithdy, y 'coach-house', y llofft uwchben lle cysgai'r bechgyn a'r gweision, a'r sta'r i fynd i'r storws.

Yn ôl Isfoel, yn ei nodiadau hunangofiannol: 'Prynai fy nhad wartheg a cheffylau, defaid a moch yn yr ocsiynau yn y wlad ac yn fuan iawn fe lanwodd yr ystabl, y beudy a'r tylcau, ac yn fuan iawn yr oedd angen cant a mil o bethau eraill i wneud y stoc yn gyflawn . . . Cyflogwyd gwas a morwyn; yr oedd chwech o ddeiliaid i ni yn byw yn y cwm, ac un o'r rhai hynny oedd Siencyn Lewis, a fu yn gweithio gennym bob dydd, gŵr doeth, pwyllog, call a charedig, ac efe a fu yn ein harwain a'n cyfarwyddo trwy'r blynyddoedd, a chyfrifem ef fel tad i ni . . . Gŵr doeth a phrofiadol oedd Siencyn Lewis a oedd yn adnabod daear y Cilie yn dda, ac yn gwybod am y ffordd orau i'w thrin. Yr oedd yn gryno a darbodus, ond collodd ei holl gyfoeth, sef can punt, pan roddodd hwy ar log i'w feistr John Owen, y Cilie. Torrodd hwnnw yn fethdalwr, ac arian llawer o'r 'bobl fach' aethant i 'ddiawl' yn y chwalfa. Roedd gan Siencyn goes stiff a chyn dod ar bwys y clos ar bwys ei ffon, taflai hi i'r llwyn drain er mwyn dangos llawenydd mewn gwaith. Dilynai'r ceffylau aredig yn saith deg oed, hefyd fyddin y fedel'. Lluniodd Isfoel gân, 'Shincyn Lewis', i'w chanu ar yr alaw 'Hob y Deri Dando':

SHINCYN LEWIS

Un o blant dau corn yr arad—
  Dyna'i radd aruchel,
Dyna'i ymffrost ef yn wastad
  Trwy ei einioes dawel.
Trwy ei chwys y câi ei fara
  Gwan ei liw.
Ni feddyliodd am gardota;
Cristion gwiw tra fu byw,
Dyna Shincyn Lewis Troed-y-rhiw.

Unwaith, wrth grynhoi adeg cynhaeaf, roedd Siencyn yn methu cerdded yn dda iawn. Ar ôl cael hwe a'i syched yn codi, meddai Jeremiah Jones wrtho:

'Aros di fan'na, ddo' i draw â'r macsu iti.'

'Na, ddo' i at honna petawn i yn gorfod rowlio ati!'

Y Fedel

Meddai Isfoel: 'Fel 'tae ddoe rwy'n cofio'r hen gewri crefftus a'u pladuriau ar eu hysgwyddau yn cyrraedd yn y bore i dorri'r llafur a minnau yn eu dilyn i fyny i'r Parc Mawr, ac yn cario'r corn swnd . . . Trawai'r fforman yr ergyd gyntaf a dilynai rhyw dri ar ddeg. Jeremiah oedd y fforman pan oedd yn ei anterth ac arferai'r gofaint fynd allan i'r ffermydd yr adeg honno fel arwydd o ewyllys da am y gwaith a ddeuai'r ffermwyr i'r efail. Roedd yn dorrwr dethau iawn a chyn bo hir dysgodd Fred i dorri. Yn wir, er mai un gweddol fyr ydoedd, torrai letach lled na'r un o'r lleill, a chofiaf am y menywod yn tuchan wrth rwymo ei ystodau. Buan y daeth Twm, yr ail fab, i'w ddilyn, ac un gwydn ydoedd, ac yna minnau yn drydydd yn y rhes. Nid anghofiaf byth am y sgrwb a oedd yn fy nghymalau ar ôl y diwrnod cyntaf bob tymor. Yr oedd yr hen fechgyn yn grefftwyr aeddfed a medrus, diffwdan, hamddenol ac yn trafod y bladur fel petai'n bladur'.

Meddai Isfoel eto:

Atgofion hyfryd iawn sydd gennyf am y cynaeafu yn yr hen amser a'r gwaith yn cael ei wneud i gyd â dwylo—torri'r llafur, ei rwymo, ei sopynno, ac yn y gaeaf ei ddyrnu er nad oes gof gennyf am ddyrnu â'r 'ffust' fy hunan . . . Byddent yn codi yn y bore bach i ddyrnu er cael gwellt i'r da cyn godro. Rhaid oedd dyrnu drefa (24) neu ddwy yr un cyn brecwast. Yr oedd y llawr dyrnu yn gyfan pan aethom i'r Cilie, sef llawr ystyllod yn cyrraedd o ddrws wyneb yr ysgubor yn groes i ddrws y cefen ac oddeutu chwe throedfedd o led. Safai dau ŵr yn wynebu ei gilydd a bobo ffust ganddynt yn pwnio ar yr ysgub ar lawr, un wyneb yn gyntaf, yna'r llall, nes roedd pob gronyn yn cwympo ymaith. Yna byddai'r trydydd gwas yn eu cario o flaen y da.

Gwaith peryglus iawn oedd dyrnu â llaw, ac roedd handl fel coes pige, a dolen o waith gof ar ei phen. Roedd y pren bwrw o ddraenen wen, pren trwm a marw, a chysylltid y ddau â charrai o groen ceffyl wedi ei iro yn dda.

Llun unigryw o deulu'r Cilie. Crogai'r llun ar fur y Cilie hyd at ymadawiad Dylan, mab Alun, â'r fferm. Nid oedd llun teuluol a gynhwysai Alun, felly gludwyd ei lun i mewn gan grefftwr rhwng Ann a Tom yn y rhes gefn, y trydydd o'r chwith. Yn y rhes gefn (o'r chwith i'r dde) gwelir John Tydu, Ann, [Alun], Tom, Myfanwy, Fred ac Isfoel. Yn y rhes flaen (eto o'r chwith i'r dde): Mary Jones, y fam, Simon yn faban ar lin ei fam, Jeremiah Jones, Sioronwy (yn eistedd ar y stôl), Esther, Marged a Mary Hannah.

Pan aeth Jeremiah a'i deulu i'r Cilie, y ceffyl oedd prif ffynhonnell ynni. Er hynny roedd yno fen (cert) ychain a ddefnyddid gan John Owen yn y Cilie cyn teyrnasiad Jeremiah —un hirgul â dwy olwyn drom a phawl a allai droi yn ei soced. Arferent bedoli eidionnau, eu cwympo ar eu cefnau, a'u clymu yno, yna hoelio dau hanner pedol ar bob troed. Byddai'r ych yn dychryn wrth glywed ei sŵn ei hun yn cerdded. Cafodd Jeremiah hyd i ddwsinau o draed gwartheg yn yr hen gartws, a'r lowsedi (agennau) yn y muriau yn llawn o garnau da—o'r benlin i lawr. Yn hongian o'r nenfwd yn y cartws roedd hen ysgerbwd o aradr pren. Yr oedd yn offeryn clogyrnaidd i'r eithaf, a'i swch dwp yn bopeth ond awchus . . . 'Rhaid fod tyn ofnadwy ar y fath anghenfil yn y ddaear,' meddai Isfoel eto.

Roedd y Gaseg Fedi neu'r Gaseg Ben Fedi yn rhan o hen chwarae'r medelwyr wrth ddod at y tusw olaf o'r ŷd yn y cae olaf oll, a dyma ddisgrifiad o'r traddodiad yn y Cilie yn ôl Fred Jones mewn ysgrif ar y testun 'Llên Gwerin Canolbarth Ceredigion', a gyhoeddwyd yn rhifyn Hydref 1915 o'r *Geninen*: 'Fe adewid rhyw droedfedd ysgwâr o'r cae diweddaf oll heb ei dorri. Wedyn fe blethid pen y tusw hwn, ar ei sefyll fel yr ydoedd, yn 'bleth dair'. Safai pawb wedyn rhyw ddeg llath neu fwy oddiwrtho, a thaflai pob medelwr yn ei dro ei gryman ato, a'r sawl a'i torrai'n llwyr fyddai raid cario'r tusw i'r tŷ. Y gamp oedd taflu'r tusw hwnnw i'r ford swper heb i neb o'r merched oedd o gylch y tŷ ei weled; waeth os doi'r merched i wybod gan bwy yr ydoedd, hanner boddid ef â dŵr'.

'Un arall o'r fedel oedd Siencyn Griffiths—crydd wrth ei alwedigaeth yn byw yng Nghwmsgôg yn y cwm uchaf 'da Sarah ei wraig ac wedi magu teulu o bump neu chwech. Dyn tal, tenau oedd ef, ystwyth fel y walbon yn cordeddu trwy'r llwybrau fel cwningen—ond un ffyddlon iawn pan elwid arno,' meddai Isfoel. 'Bu farw Siencyn Crydd yng Nghwmsgôg ym 1916 ac roedd fy nhad (Joshua Jones, Gaerwen) yn ei wyliad. Cludwyd ei arch mewn gambo gan Dafydd (Isfoel) o waelod y cwm hyd ben uchaf lôn Cwmsgôg ac yno fe'i trosglwyddwyd i'r elor, ac Ifan Siôr (Siors) a'i cludodd wedyn i fynwent Capel-y-Wig. Yr oeddwn yno yn llygad-dyst ac yn wyth oed,' meddai'r Capten Jac Alun.

'Crefftwr caboledig arall oedd Dafydd Glyndŵr—ei saethau bob un yn drefnus ac yn cadw ei glacwyddi mewn perffaith order, dyrnau ei bladur o'r gwneuthuriad gorau, wedi eu tyrnio a'u caboli a'i rip bob amser yn bleser ei gweld. Yr oedd ei bladur fel y raser, ac ni hogai fawr iawn arni. Pan waeddai'r fforman 'Hogi', cymerai ef ei amser i danio'i bibell neu i roi joien yn ei geg—mor ddidrafferth ydoedd. Yr oedd graen ar ei led ac ar ei ystod, pob blewyn yn ei le ac yn taro ei ergydion yn gyson ac wrth fesur. Yn awr ac yn y man gwaeddai gan ddynwared rhyw hen forwr yn gweiddi ar ei griw, 'Rhagor o ganfas arni, bois,' er dangos rhwydded oedd dilyn. Roedd yntau tua thrigain oed yn yr amser y soniais amdano . . . Ymffrostiai yn wastad y fath ymladdwr a fu yn ei amser, ac wedi bwrw hwn ac arall nes 'ei fod yn 'redig y ddaear'. Tyfai rhyw lwmpyn mawr fel bwlyn drâr ar gefn ei law, a dwedai ei fod yn ffitio yn llygad ei wrthwynebydd. Yn Sir Forgannwg y cyflawnasai y gwyrthiau hyn pan oedd yn gweithio yn y glo yn Nhreharris a Merthyr. Yr oedd ganddo focs baco ym mhoced ei wasgod ac yn brintiedig neu yn gerfiedig arno—David Evans P.A.V.—y bocs yn dweud pwy oedd ei berchennog' (Dyddiadur Isfoel).

Bythynnod deiliaid y Cilie (Cwm Bothe a Chwm Dewi). O'r chwith: Dôl-y-Mêl, Aberdauddwr (töwr a dadlwythwr y llongau), Cwm-sŵn-y-gog (Cwmsgôg). Roedd Cwm Coch i fyny ar y dde.

Roedd y deiliaid yn byw mewn bythynnod unllawr deupen ar waelod cymoedd Bothe a Dewi—yn grefftwyr cytûn—töwr, dadlwythwr llongau, teiliwr, cowper, crydd, saer, gwehydd a gweision ffermydd. Ond rhyngddynt a Jeremiah Jones roedd perthynas glòs iawn. Y Cilie oedd canolbwynt y gymdeithas glòs, wledig, gydweithredol, ac roedd y ddwy elfen yn dibynnu ar ei gilydd. Ac meddai Isfoel eto: 'Yn eu hanheddau roedd un gwely yn y gegin yn ddieithriad, un ffenestr, a honno tua deunaw modfedd sgwâr fel rheol. Llawr wedi ei wneud o bridd a chalch, seld yn llawn o blatiau a siwgiau hen ffasiwn, cloc tad-cu wyth-niwrnod yn ambell fan, neu gloc diwrnod o'r un patrwm. Sgiw, ffwrn hir wrth erchwyn y gwely, stôl deircoes neu ddwy a phlocyn i wasanaethu fel stôl, ac efallai stôl freichiau.

Ei gyrn mwg fel utgyrn mawr—a'u gyddfau
Yn y gwyddfid persawr;
A thrwy yr ynn llithra'r wawr
A'i thanlli i'r bwth unllawr.

Cwmgwybed, Glanmorllyn, Drewynt, Nyth-y-gwynt, Hen-felin, Pen-plas, Plas-bach, Troed-y-rhiw, Dôl-fêl, Cwm-coch, Aberdauddwr, Dolfelin . . . yr oedd y gwely arall yn y 'penisha', neu y siambr, ac yno byddai'r merched yn cysgu, ac ystafell uwch ei ben i'r crytiaid. Nid âi gwraig y tŷ byth o olwg y tân, na'r tân o'i golwg hithau. Y peth diwethaf a wnâi bob nos oedd stwmo'r tân (enhuddo). Tân cwlwm a gadwai'r gegin, a'r tŷ i gyd yn wir, yn gras a chynnes, ac yn y bore cyntaf fe godai o'r gwâl, brathu'r pocer i ganol y stwmyn a gosod y tegell ar ben y twll. Hyhi fyddai yn yr erchwyn er mwyn hwylustod felly, a châi'r gŵr ei roi yn ddiseremoni yn y pared . . . Byddai tua phump ar hugain yn tramwyo dros y llwybrau igam-ogam bob Sabath o'r cymoedd hyn i fyny i Gapel-y-Wig . . . Pan fyddai'r sgweier yn gloddesta gyda'i gwmni uwch potiau gwin, byddai tenant y bwthyn yn plethu ei wyntell neu lunio llwy neu letwad. A phan fyddai'r sgweier yn methu cysgu oherwydd ei drachwant, byddai'r gwerinwr ar ôl swper syml o gawl eildwym yn chwyrnu'n hyfryd â'i drwyn yn dynn yn y pared' (Dyddiadur Isfoel).

Roedd perthynas arbennig rhwng deiliaid y bythynnod a theulu'r Cilie, ac yn batrwm nodweddiadol o ffermio y pryd hwnnw—sef un fferm fawr a chlwstwr o weithwyr parod o'i hamgylch. Byddai'r tyddynwyr yn talu degwm, ond byddent hefyd yn gosod eu tair neu bedair rhych o datws, a chael bwrn neu ddau o wellt, sopyn neu ddau a mochyn bach gan yr hwch fagu i'w osod yn y twlc wrth fur talcen y bwthyn. Mae Isfoel yn disgrifio'r cyfnod fel: 'oes aur y canrifoedd . . . yn gymdeithasol, crefyddol a chyfalafol! Dyma'r cyfnod pan oedd dynion yn gwneud defnydd o'r cyfryngau a'r breintiau a oedd eiddynt wrth natur, pan barchent amcan a gwasanaeth traed i dramwyo a dwylo i ennill eu tamaid a chalon i helpu ei gilydd ymhob agwedd ar fywyd'.

Fferm Cilie Hwnt Isaf: cymdogion y Cilie i'r de-orllewin, ar ddiwrnod ymweliad yr ymddiriedolwyr.

William ac Elen Lloyd,
Felin Huw, a'u plant,
un o ddeiliaid y Cilie.

Rhyw stacyn byr yw William
  A chadarn ar ei draed,
Ac ynni a diwydrwydd
  Yn berwi yn ei waed.
Nid ildia i'r dwyreinwynt
  Ond gwasga'n nes i'r claw',
Cans ar y storm ffyrnica'
  Saif William gyda'i raw.

Un o hoff ddarnau Isfoel o'i waith ei hunan oedd 'Fy Nymuniad', cân sy'n llawn o ddiffuantrwydd, cellwair a hiraeth:

Os af i byth i'r nefoedd
  Fel rwyf yn sicr y caf,
Cans yno mae 'nghyfeillion,
  I mewn i'w plith yr af:
Mwynhau yr hen amgylchoedd
  A'r hyfryd olygfeydd,
A chwilio lle i eistedd
  Yn ymyl Beti'r Gwëydd.

Bydd Shincyn Lewis yno
  I'm tywys ar fy hynt,
A'i gyngor a'i orchymyn
  Fel yn y dyddiau gynt,
Y crydd a Shincyn Penplas,
  Plas-bach a phawb ynghyd:
Y darlun eto'n gyfan
  A'r fedel yno i gyd.

Wrth agosáu at glos a ffermdy'r Cilie gwelir y llyn ar y chwith wrth ymyl y ffordd. Dyma gartref yr hwyaid a'r gwyddau, lle i dorri syched y gwartheg, argae o ddŵr i'r binfarch a'r rhod . . . a'r man cysegredig lle boddwyd Moss. Mae Mary Hannah Phillips, merch Myfanwy, yn cofio 'Moss', y ci defaid mawr, yn dda: 'Wedd e'n un diogel o seis ac o flewyn byr, yn fwy na'r cyffredin. Un o liw tywyll, 'black and tan' oedd e, a gwasgod fach wen dwt'. Dyma sut y disgrifia T. Llew Jones ddyddiau olaf Moss: 'Gyda Moss yn fusgrell, yn ddall, yn fyddar, ac yn y diwedd eitha', roedd e wedi colli'r rhan fwyaf o'i ddannedd—gorchmynnwyd i'r gwas, Jâms Morgan, gyflawni 'euthanasia' trwy foddi'r hen Foss yn y llyn.

Llyn y Cilie, y tu ôl i'r efail.

Aeth Alun i ffwrdd am y dydd i rywle rhag ofn y byddai'n newid ei feddwl . . . Ac os oes lle ym mharadwys i ambell hen gi defaid wedi oes galed o waith (ac fe ddylai fod) rwy'n siwr na ddymunai Alun un cyfarch gwell na chyfarthiad croesawgar Moss wrth borth y Gwynfyd'.

Ar ochr y llyn, ac ar y chwith i'r brif fynedfa, mae adfail yr efail, a pheth anghyffredin iawn oedd gweld efail ar glos fferm yn y man hynny. Yn ôl Isfoel: 'Dygwyd yr offer gof drosodd o Flaencelyn i'r Cilie wrth gwrs, a bu hynny yn gaffaeliad sylweddol er paratoi offer amaeth . . . Bu farw fy nhad ar Chwefror 2, 1902, yn 47 oed, o fewn deufis o salwch a minnau'n ŵr ifanc ugain oed . . . wedi meistroli cyfran dda o grefft y gof ac yn abl i gyweirio offer y tir a phedoli'r ceffylau a'r dynion'. Ac oddi ar gof Rhiannon Markey, merch Fred Jones, 'Rwy'n cofio'r bechgyn yn taro yn yr efail a rhwng gofyniadau'r gorchwyl yn cyfansoddi englynion ac yn eu hysgrifennu ar y pared, y bîmau neu'r drws. Ymhen yr awr, neu ddiwrnod wedi i arall weld yr englynion, ymddangosai ateb ar ffurf englyn arall neu hyd yn oed gywydd weithiau. Cofiaf weld englynion ar y storws, y sgubor, yr efail, y cartws, y stabl . . . yn wir, pob adeilad posib—hyd yn oed ar gaead mashîn hau'. Roedd Isfoel ac Alun yn aelodau o'r tîm ymryson hwnnw a luniodd yr englyn enwog i'r 'Hen Efail' ac Ifan Jenkins a T. Llew Jones oedd y ddau arall:

Efail y Cilie, ar y chwith ger y fynedfa. Fe'i defnyddiwyd gan sawl cenhedlaeth, hyd at ymddeoliad Alun.

Y gêr dan rẉd seguryd—a'r taw hir
Lle bu'r taro diwyd;
A wêl fwth ac efail fud
A wêl fedd hen gelfyddyd.

Hen Dŷ Fferm y Cilie

I'r dde o'r tŷ byw roedd y storws lle cysgai'r bechgyn. Roedd y grisiau a arweiniai i'r llofft (y stâr i fynd i'r storws) rhwng y storws a'r 'stafell fach ar y pen. Roedd y cwrt o flaen y tŷ wedi ei balmantu â phopls (graean mawr) o lan môr Cwmtydu. Y tu allan i'r cwrt gwelid yr 'horse-block' (hersblog) a'r glocsen haearn a ddefnyddid i arafu'r ceirt ar y rhiwiau serth.

I'r chwith o'r tŷ roedd y 'gegin fach'. Yma y treuliai'r bechgyn nosweithiau o flaen tân coed. Yma roedd y fudde fenyn, y pair, y pres caws, twba golchi, sgiw, ffwrn hongian, mainc a lle i ymolchi.

I'r dde o'r tŷ roedd gweithdy'r saer lle cedwid yr holl offer angenrheidiol a mainc bwrpasol. Roedd y bechgyn ifainc yn seiri penigamp. Y tu allan i'r gweithdy roedd stondin hogi. Roedd cwtsh y cŵn dan yr hersblog, ond roedd Moss yn cael rhyddid i gysgu yng ngwellt y sgubor.

Gelwid y llain o dir y tu allan i dalcen y gegin fach y 'part mâs'. I'r chwith eithaf o'r gegin fach roedd cwrt a arferai fod yn gysgodfan i foch, gwyddau neu gŵn. Ac yna ar y pen ar dalcen y tŷ—dwy ffenest dalcen y 'rŵm ford' ('stafell fwyta'r bechgyn a'r gweithwyr) ac uwchben roedd llofft fechan yng nghefn y tŷ. Cofiai Alun am 'Yr Hen Gegin Fach' yn hiraethus:

I'r drws daw Annie yn ei ffedog sach
   Nos Sadwrn eto a'i gwaedd,—'Ewch â'ch clocs
A'ch sgidie i'r pistyll, brysiwch 'nawr, bois bach,
   Mae'r gresh yn toddi'n grychias yn y bocs.'

Mi welaf yno'r sgiw, a'r hen lamp ma's
   Yn hongian ar y bîm, a'r plocyn tew
Tu ôl i'r tân, a gwysgon o goed cras
   Wrth law'n y gornel erbyn tywydd rhew.

Mor hyfryd cofio'r nosau llawen gynt
   Ninnau yn gylch dan fwa'r lwfer lwyd
Yn gwrando ar gampau yr ystormus wynt
   Yn ysgwyd a chnocio'r sheter yn ei nwyd.

A heno, pe bai hi, a'r cwmni'n llawn,
O bobman ar y ddaear yno'r awn.

Ffermdy'r Cilie (1936), y pedwerydd ar y safle. Tynnwyd y llun o safle murddunod yr adeilad cyntaf a'r ail.

O fynd i fyny'r grisiau a thros y pengrisiau yr oedd dwy ystafell gul. Ar y chwith roedd y rŵm caws a pheth cyffredin fyddai gweld ugeiniau o gosynnau yno yn yr haf. Gosodid torthau yn fflat ar lawr a chaent eu troi yn aml yn ôl yr angen. Ar y dde roedd ystafell ychydig yn llai—y rŵm tywyll. Yno roedd hen greiriau o'r oes gyntefig a hefyd gasgliadau o hen lyfrau—pamffledi a rhifynnau o'r *Celt*, *Tywysyddion*, a *Thrysorfeydd* yn yfflon ac yn fawlyd a'r llygod wedi bwyta llawer ohonynt—'ar ôl gorffen eu darllen'. Os oedd y plant yn ddrwg caent eu cloi yn yr ystafell dywyll, ond byddai rhai wrth eu bodd yno, oherwydd, gyda channwyll guddiedig, caent ddarllen y llyfrau diddorol.

Rhan o ddiwylliant cudd y Cilie oedd y 'graffiti' barddonol a ymddangosai'n achlysurol ar fur a phalis. 'Rwy'n cofio gweld englynion a phenillion,' meddai Elfan Jones, mab Esther, a oedd yn was yn y Cilie, 'yn blastar ar y beinder a'r mashîn hou, cambrenni, palis y storws lafur, drysau di-ben-draw ac yn enwedig yn y tŷ newydd, lle byddai'r gweision yn dychlyn tato. Cofiaf weld y pennill yma ar furiau'r stabal, o waith Isfoel:

Aeth y ceffyl i'r anialwch
Yn ei ôl yn llesg a blin,
Teimla'n rhydd ei draed a'i anadl
Wrth foliannu'r paraffîn.

Defnyddid petrol i gychwyn y tractor cyn troi wedyn i'w redeg ar baraffîn (TVO).'

Bu John George, brawd Mary Jones, yn gweithio ar fferm y Cilie a byddai, wrth tsiaffo ar storws y ceffylau, yn cyflawni camp â rhaff o un tulath yn groes i dulath arall. Y gamp oedd sefyll neu eistedd arni a churo'r traed â phric. Gelwid hyn yn bedoli'r gaseg wen a gwelwyd y pennill hwn, o waith John George, ym 1908, ar balis y stabl:

Dywedwch wrth Fois y Cilie
Am beidio â thorri'u breiche,
Cans yn yr act rhwng d'aer a nen
Geisio pedoli'r gaseg wen.

Ar 14 Chwefror, 1902, sef diwrnod angladd Jeremiah Jones, dyma oedd sylwadau Isfoel: 'Minnau, Mam a deuddeg o blant yn wynebu ein dyfodol yn alarus a braidd yn ofnus efallai'. Ond er y tro ar fyd, roedd pethau yn well na'r disgwyl: 'aethom yn gynefin â'n hamgylchoedd, ac anghofiwyd y trybini yn fuan iawn. Mewn un ystyr, yr oedd yr awyrgylch yn gliriach, yn iachach a gobaith a ieuengrwydd yn dawnsio o'n cylch ym mhob man . . . Daeth yn ysgafnach ar fy mam, a daeth mwy o ryddid ac anturiaeth i minnau . . . Cynlluniai fy mam a minnau'r modd i wneud hyn ac arall, pa gaeau i'w torri, pa geffylau i'w gwerthu, pa loi i'w cadw at wair, pa gae i'w ddiogelu erbyn fod y da allan y nos, a phle i droi'r da bach i'w pesgi erbyn gwerthu, p'un o'r perchyll i'w cadw i fagu, o ble y caem hwrdd i'r defaid, pa farch i'r cesyg'.

Wrth ddarllen dyddiadur a nodiadau Isfoel, fe welir ei fod wedi mwynhau cyfrifoldeb, a deuai hyn oll yn naturiol iddo. Ni ddaeth ton o ddiflastod i lesteirio Mary Jones, ac os bu iddi bryderu ar brydiau, gofalai wneud hynny heb ddangos un arwydd i'w phlant.

'Y trustees a ninnau' a ysgrifennwyd ar waelod y llun hwn. Mae Mary Jones y Cilie yn eistedd yn y rhes flaen, y trydydd o'r chwith. Y tu ôl iddi mae Fred, Maude (gwraig gyntaf Fred) ar y chwith iddo, ac Isfoel ar y pen. Yn y rhes flaen hefyd mae Mary Hannah (cyntaf ar y chwith), a Sue, nith Jeremiah, rhwng Mary Hannah a Mary Jones. Ar y pen ar y dde mae Ann.

Dechreuwyd o ddifri ar dorri tir glas yn fuan iawn, a chafodd Isfoel gymorth parod gan Tom ei frawd a Rhys ei frawd-yng-nghyfraith ac eraill, gan fod y Cilie heb was yn y cyfnod cynnar hwnnw. 'Yr oeddym yn dri phâr, Jack fy mrawd, Jack Owen a minnau. Yr oeddym yn hollol ddibryder, ac yn canu a phregethu wrth ddilyn y ceffylau ar y meysydd,' meddai Isfoel. Arferai'r cymdogion ddweud, wrth eu clywed o hirbell: 'Mae Bois y Cilie'n blaen iawn heddi eto.' Gosodwyd yr had i lawr yn ei amser, a daeth i fyny ar ei ganfed y flwyddyn gyntaf. Roedd popeth yn obeithiol, yn gysurlawn ac yn addawol ym mhob cyfeiriad. Roedd y gwanwyn a'i dwf gogoneddus yn dygyfor ym mhob man. Rhoddodd y llwyddiant cynnar, annisgwyl hwn hyder i'r teulu, a bu hyn yn sail gadarn i sefydlogrwydd a hapusrwydd y cartref. Bu hyn yn ei dro yn sail pellach i fwynhau diwylliant, ac i greu diwylliant ar eu haelwyd eu hunain. Yn wir, wrth i ddulliau amaethu newid y dechreuwyd gweld trai ar y gymdeithas hunan-gynhaliol. Wrth i'r peiriannau gynyddu yng ngwaith beunyddiol y fferm, dirywiodd y gymdeithas glòs a darfu'r hwyl ar feysydd y cynhaeaf.

Meddai Isfoel eto: 'Pwrcaswyd peiriant clymu (*binder*) ar ocsiwn Pantrynn yn Hydref 1902 am £21—a dyna ddechrau cael ein cefnau atom. Ar ôl clymu'r llafur trwy'r blynyddoedd, onid oedd yn amheuthun i gael peiriant i wneud y gwaith blin hwnnw . . . Yr oedd dau neu dri beindar yn yr ardal yn barod, a rhaid i mi gael dweud yma, fel y dywedais gannoedd o weithiau, mai'r beindar yw'r peiriant mwyaf bendithiol a ddaeth i fferm erioed yn fy oes i. Cafodd hen bobol y cwm waredigaeth anhraethol. Yr hen 'ddeiladon' fel y galwem hwynt, a fu yn ffyddlon trwy'r blynyddoedd yn crafu i'r lan dros y llwybrau serth, igam-ogam i rwymo'r ŷd, druain ohonynt, bron i gyd rhwng yr hanner cant a thrigain oed, ac ambell un dros ei saith deg, ac yn dal ati o dan yr haul crasboeth o naw yn y bore hyd nos, ac yna, teisio yn y tywyllwch yn fodlon, heb geintach, ac yn brydlon bob bore.

Gwellhaodd y gyfundrefn fasnach, cafwyd gwell prisiau a mwy o werthiant. Credai Isfoel i brynwyr ddod yn onestach ond ni ddaeth cyfleusterau cludo a theithio yn well am gyfnod hir. Dirywiodd y ffeiriau a daeth prynwyr i'r clos: 'Cefais fargeinio a dal pris ar 'nifel yn fore iawn ac roedd mam yn torri mewn yn aml gan ddweud, 'Rhaid i chwi godi tipyn bach a rhaid i tithau, Dafi, ddod lawr ychydig.' . . . Hebryngem y da, y defaid, y ceffylau i gwrdd ag eraill a gyrrid hwy, llond yr heol o glawdd i glawdd, am Henllan, Llandysul, Castellnewydd ac weithiau Aberteifi i'w gosod ar y trên . . . Wrth i fargeinio ddod yn fwy cyfeillgar a brawdol . . . daethai elw rhesymol o bob cyfeiriad . . . Talai'r defaid yn dda, gwerthid ambell i geffyl go lew, a thuag ugain o dda bach yn y gwanwyn a'r haf, a byddai'r gambo ar y ffordd i Landysul neu Henllan yn gyson drwy gydol y flwyddyn. Pesgid tua dwsin o foch i'w lladd a chludid hwy i Bwll-gwair rhwng Nadolig a Chwefror i'w lladd yno a chaem siec go dda i fynd adre,' meddai Isfoel.

Un o wyliau mwyaf poblogaidd calendr y Cilie oedd dathlu blwyddyn newydd, a hen arferiad ar ddydd Calan oedd gwadd y deiliaid i fyny i ginio. 'Cof da gennyf,' meddai Isfoel eto, 'weld yr hen bererinion blin yn agosáu yn swil tua deuddeg o'r gloch i gyfranogi o'u pryd haeddiannol. Ni allaf ddisgrifio ein llawenydd ninnau o'u croesawu. Yr arferiad oedd twrci ddydd Nadolig, a gŵydd gyda dau neu dri o geiliogod ar y Calan . . .' Nhad a Mam, deuddeg o blant gwancus, stumogus, gwas a morwyn, a rhyw chwech neu wyth o ddeiliaid—digon o dato, swêts, cabetsh, garetsh, a phopeth o'r ardd, grefi coch blasus i'w arwain lawr. Padellaid fawr neu ddwy o bwdin reis wedi browno'n fendigedig dros nos yn y ffwrn. Cyflawnder o gaws a bara gwenith, a fai'n amheuthun i ffermwr hyd yn oed heddiw. Dyna oes aur y rŵm ford yn ddiamheuol. Arhosai rhai o'r bobl i de eto, a chawsent weld rhai o'n campau ninnau ar y clos, fel saethu at y ceiliog gwynt, gosod y cŵn ar ôl y cathod, pwyso ein gilydd yn y dafol, codi 56 pwys—dau ohonynt. Gafael codwm, tynnu codwm tin, adrodd penillion, canu. Pethau ffôl o edrych arnynt yn y pellter draw. Ond pethau na fyddant feirw byth'.

Chwaraeai'r ceffyl ran bwysig iawn yng nghynhaliaeth a hwsmonaeth fferm y Cilie nes i'r peiriannau ddod i'w disodli. Dyma sylwadau Isfoel am rai o geffylau enwog y Cilie: 'Bowler: Ceffyl o asgwrn trwm cymharol, corff lluniaidd, diwastraff, dwfn ei faril; coes lân, olau, heb fawr o'r tyfiant segur yn cuddio ei egwyd i gasglu baw, coch ei liw, a bal wen lydan hyd y gwaelod; model cydnerth, cymesur, a chel siafft delfrydol, tebyg i'w fam, ac yn feistr ar ei waith ple bynnag y gosodid ef. Ni fu trwch o gig arno erioed. Yr oedd yn yr harnais mor gyson fel na châi cig a braster gyfle i aros arno. Efe oedd grym y gwaith, gyda chymorth 'prentisiaid'.' Trigodd ym 1904 yn 15 oed o'r clefyd melys a lluniodd Isfoel yr englyn hwn iddo:

Cel, bal Cilie yw Bowler,—cawr torrog
Cart, aradr neu rowler;
Un penigamp yn y gêr
O geffyl, ef yw'r gaffer.

Pedwar o geffylau'r Cilie ar y clos gwaelod.

Darbi, ceffyl olaf y Gaerwen (cartref Sioronwy a Tydfor), a hefyd y Cilie, yn sefyll ar glogwyn uwchben Cwmbwrddwch.

Y llun a saif mor llonydd—yn goffa
I'r hen geffyl ufudd;
Am oes, llawforwyn meysydd
Yng ngwyrddlas deyrnas y dydd.

Tydfor

Rhestr cesyg y Cilie, 1913-14, ac ymweliadau'r meirch teithiol.

Meddai Isfoel ymhellach: 'Arno ef y disgynnai'r dasg o gario popeth i'r lle, fel glo, clai, cwlwm, maniwer . . . cywain moch a defaid a phopeth yn bell ac agos . . . Teithiau pell oedd yn ei aros yn y gwaith hwn. Mae Aberteifi, Castellnewydd, Henllan, Llandysul, Aberaeron, yn hanner cylch o'n cwmpas ni, a thua thair ar ddeg o filltiroedd iddynt, a'r daith yn cymryd pedair awr un ffordd â chart a cheffyl . . . Druan â'r ceffylau yn yr oes gyntefig honno. Mae'r daith i Landysul â llwyth o foch yn gwasgu ar fy enaid byth a hefyd a rhiw Tyrhos fel darn o *Dante's Inferno*, rhiw ar ôl rhiw yn ymddangos, un ar ôl y llall, am tuag awr o amser, a'r moch yn llithro i ben ôl y gambo ar bennau ei gilydd, a'r hen Fowler yn crafu arni yn ddisymach o'r ysgwyd a'r sgrechfeydd'.

Dyma'r ceffylau eraill a enwir gan Isfoel—Top: 'Un arbennig iawn yn rhes ein ceffylau gwaith oedd Top. Hen gel crwn gwydn . . . colier bach . . . un egnïol a phenderfynol. Un ufudd, hawdd ei drin. Cerddai yn esmwyth a bonheddig fel iâr â'r clefyd arni. Deuai gennym i unrhyw fan—cul, cyfyng, eang—i dŷ'r hwyaid pe bai angen'. Clara: 'Caseg gref, facsog ond yn ddiawledig o benstiff ac ystyfnig. Cysglyd wrth ei phedoli gan bwyso arnoch yn enbyd'. Star: 'Swden a brynais adeg y Rhyfel Byd Cyntaf. Stagen fach gref, ddymunol dros ben wedi datblygu. Cefais gynnig pedwar ugain punt amdani, ond nid oedd ar werth'. Ruth: 'Caseg o fodel da, o faril dwfn. Yr oedd coes flaen gam ganddi a'i bwa tuag allan. Patrick y ffarier a gludodd ei hysgerbwd i'w hir gartref—Gwaelod y Nant—Macpela teulu pedair troediog y Cilie'. Lluniodd Isfoel englynion i foli'r tractor, ond galarai am oes y ceffylau ar yr un pryd:

Gwyrth y lle, ac wrth y llyw—sedd esmwyth
Sydd i'w hwsmon heddyw;
I'w draed gwaredwr ydyw
A phŵer mawr y fferm yw.

Pŵer fferm a'r paraffîn,—a'i gyrrwr
Ar ei gwar fel brenin;
Caiff fyd tra da ar ei din
A'i geffyl yn ei goffin.

Roedd gan Jeremiah Jones syniadau arloesol a dywedwyd ei fod yn byw ymhell o flaen ei oes, a bod y 'Siarter Gymdeithasol' yn rhan o'i weledigaeth yn y 1890au. Creodd dipyn o gynnwrf ymhlith ffermwyr pan gododd gyflog benyw (ddeunaw ceiniog y dydd) i fod yn gyfartal â chyflog gwryw.

Yn fuan wedi cymryd tenantiaeth y Cilie prynodd Jeremiah Jones a Tomos Griffiths, Pantfeillionen, beiriant lladd gwair, y 'Cambrian Mower', ar y cyd, 'Hen beiriant trwm, swnfawr ydoedd—a lladdfa i geffylau,' meddai Isfoel. 'Cawsom brynhawn bant gan y 'sgwlyn bach' i weld y peiriant yn gweithio yn y cae gwair, a daeth ein meistr gyda ni. Fy nhad oedd yn hogi a Tomos ar y peiriant a daeth torf fawr i weld y glorwth, gyda rhagfarn ofnadwy. Yr oedd Genesis yn y wlad, dyfeisiadau a mecanyddiaeth fel corwynt yn dwyn peiriannau newydd gan ysgubo hen offer parchus yr oesoedd dros ddibyn difancoll. Daeth peiriant llwytho gwair, a mast i bob ydlan, peiriannau hau ac i hau gwano, peiriant i hau hadau porfa, ac un i hau mangls a swêts. Daeth y peiriant mawr i ddyrnu cyhoeddus ag injan fawr i'w gludo o fferm i fferm ac i ddyrnu allan yn yr ydlan ac i'n gwaredu o fwrllwch afiach yr ysguboriau tywyll a myglyd'.

Ymhen tair neu bedair blynedd roedd y peiriannau newydd wedi amlhau yn gyflym ar hyd a lled y wlad yn enwedig ar ôl iddynt ddechrau cael eu mewnforio o'r Unol Daleithiau. Roedd yr hen ffordd Gymreig o fyw yn dirywio'n gyflym gyda dyfodiad y peiriannau, er mai ceffylau a ddefnyddid i'w tynnu ar ddechrau'r ganrif. Cyn hir byddai'r tractor yn gweddnewid cefn-gwlad, yn amaethyddol, yn gymdeithasol, ac yn ddiwylliannol.

Roedd chwech o geffylau yn y Cilie ar ddechrau'r tridegau ac un tractor, a ddefnyddid i falu'n unig. Cyflawnid holl waith arall y fferm, aredig, llyfnu, rowlio, hau a halio coed i fyny dros lethrau'r cwm, trwy rym y ceffylau gwedd. Dôi diwrnodau arbennig yn y flwyddyn amaethyddol â thrymlwyth o waith ychwanegol—diwrnod dyrnu hydref a gwanwyn (byddai teulu'r Cilie yn dyrnu eu hunain), lladd moch, gosod tato (6 erw), cynhaeaf gwair, cynhaeaf ŷd a thynnu tato. Alun oedd yr helmwr gorau. Roedd ei greadigaethau fel pagodas y dwyrain ac yn uwch na'r cyffredin. Dywedai'r gweision lleol: 'Helmi Cilie am y pedwar diwrnod nesaf—slafdod o waith'. Teflid ysgubau i fyny o'r wagenni i ris yn yr helem, fe'u derbynnid gan weithiwr arall, hwnnw wedyn yn eu taflu at Alun fry ar lefel uwch. Ac ar y diwrnodau hyn, roedd eisiau diwydrwydd, trefn ac amynedd yn y gegin, heb sôn am fwyd blasus i lanw'r stumogau gwancus. Lluniodd T. Llew Jones englynion i 'Helem Alun Cilie':

Adeilad euraid Alun,—a diddos
Dŷ o haidd amheuthun,
Yn gwarchod dan y to tynn
Ei gynhaeaf—rhag newyn.

Di, oer wynt, mor arw dy drem,—hen chwalwr,
Ni ddymchweli'r helem;
Deil hi er dy ddyrnod lem
Ar ei sail fel Caersalem.

Dôi marchnatwyr i'r clos i brynu wyau a menyn ac i werthu nwyddau. Doent hefyd â bwyd arbennig i'r anifeiliaid mewn pynnau hesian ac un o'r cymeriadau oedd Defi Tom Jones, St. David's Villa, Pontgarreg. Meddai Isfoel amdano:

Crwt ffein mewn cart a phoni—yn chwerthin
A charthu a phoeri
Yw Dai Twm—bydded i ti
Dy 'Ringers' neu fe drengi.

Roedd tua 180 erw o'r 300 erw yn dir coch a llawer o'r tir serthaf yn fwy addas, efallai, ar gyfer tyfu coed. Mae'r tir gorau yn ysgafn ac yn garegog ac yn ardderchog i dyfu llafur. 'Po fwyaf caregog, mwyaf y llafur' oedd arwyddair Alun â'i lygaid cellweirus, a'r ymadroddi diarhebol yn cyfeirio at arwyddocâd y wyrth ysgrythurol o droi'r cerrig yn fara. Un o'r gorchwylion mwyaf torcalonnus oedd casglu cerrig oddi ar wyneb tir ar ôl llyfnu. Sail tai cyngor Pontgarreg oedd cerrig o'r Cilie. Yn ystod rhyfel 1939-45 arddwyd 85 erw ond disgynnodd y cyfanswm i 60 erw—ceirch a barlys am dair blynedd a chnwd glas am y bedwaredd flwyddyn gyda hadau a barlys am y bumed, oedd y drefn arferol. Tyfwyd mwy o siprys tua diwedd y cyfnod, ac, wrth gwrs, tair neu bedair erw o wenith. Ni ddefnyddiai Alun a Dylan lawer o gemegau powdwr—yn hytrach achles organig naturiol ar wyneb y tir, ac felly, wrth dderbyn ffrwythau'r ddaear nid oedd silwair ond gwair. Roedd y fferm yn hunan-gynhaliol ac ni phrynid llafur o'r tu allan. Gwell oedd ganddynt falu'r grawn yn Felin Synod a Llanrhystud cyn cael melin yn y Cilie a magu 'da tew' i gynhyrchu llaeth, er eu bod yn godro pedair *Shorthorn* ar hugain ar un cyfnod. Cyfnewidiwyd y rheiny am *Friesians*, rhai *Ayrshires* a thair neu bedair *Jersey*. Hoffent feithrin yr eidionnau i'w llawn dwf eu hunain gan gynhyrchu rhwng deuddeg a phymtheg yn flynyddol. Bwydid y lloi o fwced am y ddau fis cyntaf, yna ar laeth-ddŵr a grual (ceirch). Troid hwy i'r meysydd trwy'r flwyddyn er nad oedd llawer o gysgod rhag y môr a'i wyntoedd. Cedwid praidd o ddefaid pen-ddu, ond oherwydd diffyg dwylo a'r pla cwningod, gorffennwyd â'r arbrawf. Amcangyfrifai Dylan, mab Alun, y daliwyd 1500 o gwningod ar ymgyrch drapio a bu'r pum mil a ddaliwyd, am hanner coron y pen, yn gyson, yn talu rhent y Cilie yn flynyddol a pheth swm sylweddol dros ben. Cedwid hychod, pedwar cant o ieir, hwyaid, twrcïod, ac roedd tewhau ceiliogod yn rhan bwysig o'r economi. Er hynny roedd ambell flwyddyn yn drychinebus fel haf 1954, a gofnodwyd gan Alun:

Rhyw fôr o haf ar ei hyd,—a di-haul,
Un dilyw dychrynllyd;
'Stodau gwair y stad i gyd
Yn ofer, a'r grawn hefyd.

Pen Foel Gilie a Chwmtydu

Mi af i Ben Foel Gilie yfory gyda'r wawr,
I edrych hynt fy nefaid o'r Wyddfa i'r Frenni Fawr.
Corlennais hwy'n fy mebyd ac nis gollyngaf mwy,
Ni fu erioed hyfrydwch fel eu bugeilio hwy.

Felly y canodd S.B. am Ben Foel Gilie. Saif Pen Foel Gilie rhwng Llangrannog a Chwmtydu, yn warchodfryn saith gan troedfedd uwchben berw'r don, ac wrth ei droed ac yn ei gysgod y saif fferm y Cilie. Dyma gynefin y cadno, y gwningen, y curyll, yr hebog glas a'r ehedydd ymysg yr eithin a'r grug. Dros aflonyddwch y bae ac ymchwydd y don clywir sgrechen y gwylanod; dros Gwmbwrddwch ac ymhell islaw mae dyfnder Pwll Mwyn 'ym mharlwr y morloi'. Mae Pen Foel Gilie yn rhan adnabyddus o'r tirwedd ar arfordir gorllewin Cymru a medrwch ei weld yn glir o Wynedd ar ddiwrnod braf. Yr oedd iddo le annwyl a phwysig ym mywydau beirdd y Cilie. Ar ei gopa dathlwyd rhyddhad Mafeking ac adeiladwyd coelcerth anferth o goed eithin a phob rhyw 'shindris' ynghyd â chasgenni 'pitch' a gwrec o draethau Glan-graig, Pwll Mwyn a Chwmtydu. Daeth pobl yr ardal i'r copa i ddawnsio, canu a gwledda o gylch y fflamau. Ar ben y Foel y dathlwyd y 'Diamond Jubilee'. Dywedodd John Tydu, yn un o'i lythyrau, 'Bu Dafi fy mrawd a minnau yn brysur iawn yn cludo eithin a choed o'r hen gwm er mwyn gwneuthur coelcerth odidog . . . Yr oedd coelcerthi dros yr holl dir y nos honno, ac fel y dywedodd gŵr o Gaernarfon wrthyf, coelcerthi Pen Foel Gilie oedd y mwyaf ardderchog o'r oll ohonynt'.

Penderfynodd Isfoel ddathlu diwedd Rhyfel 1914-18 cyn y cadoediad swyddogol trwy gynnau tân mawr a gollwng ffrwydradau. Cludwyd llwythi o wellt o ydlan y Cilie, a choed preiffion o Fanc-y-ci, a chwifiwyd baner anferth (tair llathen o hyd) ar bolyn anferth. Bu'n chwifio am fisoedd a gwelwyd hi mor bell ag Aberaeron ac ardal Aberteifi.

Ceir llawer o gyfeiriadau at Ben Foel Gilie mewn dyddiaduron, rhyddiaith a barddoniaeth, er enghraifft, o ddyddiadur Isfoel: 'Alun yn ein hebrwng adre' o'r Cilie a

Pen Foel Gilie: gwarchodfryn saith gan troedfedd a fu'n atyniad i bobloedd drwy'r oesoedd fel darn o dir uchel i adeiladu caer amddiffynnol arno. Ond heddiw, 'bugeiliaid newydd sydd . . .' Lle poblogaidd gan deulu'r Cilie i ddathlu digwyddiadau hanesyddol drwy gynnau coelcerthi.

mynd â ni i ben y Foel i weld y borfa lle'r arferai grug ac eithin guddio'r holl le o bum erw ar hugain . . . a chafwyd mwynhad mawr iawn ar yr hen lwybrau a rodiais gynt yn yr hen, hen ddyddiau'. Ac yna darn o gywydd a luniwyd gan Alun wedi iddo dreulio cyfnod yn wael iawn yn ysbyty Aberystwyth:

Yma'n nôl—nid mewn elor,
I sawr y maes a su'r môr,
Ac i olwg Foel Gilie
A'i thrwyn noeth yn brathu'r ne'.

Dyma gyfeiriadau eraill at Foel Gilie:

PEN FOEL GILIE
Minnau sydd ym mynwes hon—yn fugail
Fagwyd ar ei dwyfron;
A mwynhau o'i llethrau llon
Aur degwch Ceredigion.

Isfoel

HWYR O FAI
Dwysâ'r dud, y si o'r de;—yr wylan
A'r haul yn mynd adre'
I'w gwely dros Foel Gilie
A daw'r nos i ordoi'r ne'.

Alun

YN ANGLADD ISFOEL
Roedd Pen Foel Gilie'n 'i gwyn—awr rhoddi
Y derwyddol ffefryn
O'i gronglwyd, sgweier englyn
A bardd gwlad, i bridd y glyn.

Alun

Bu'r prydferthwch naturiol a gwyllt oddeutu'r draethell yng Nghwmtydu yn gatalydd i greu rhamant a hwnnw yn ei dro yn destun awen i lawer o'r beirdd lleol:

Cwm cul, cam, cartre' rhamant—a chwmwd
Dychymyg a moliant;
Hen gwm pert ac 'important'
A'i wyrthiau coeth wrth y cant.

Llannerch ddwyfol ei lluniad,—ôl llaw Duw
Pell o dwrw gwareiddiad;
Ni ddaeth rhysedd i'w thrwsiad
Ond ffresni a glesni gwlad.

Isfoel

Cilfach Cwmtydu o ben Banc Caerllan—'Yma'n solas Parnasws'. Yn y pellter gwelir Ynys Lochtyn ac Ynys Aberteifi. Adeiledid llongau yma a bu'n ganolfan fasnachol calch a chwlwm. Digwyddodd ambell longddrylliad yma.

Er bod llawer o hiraeth yng nghanu'r beirdd roedd rhyferthwy Natur yn cyffroi'r awen:

Anniddig donnau brigwyn—Iwerydd
I'w gwr yn ymestyn;
A lle bu'r golch yn llwybr gwyn
Hyd ei ro, oeda'r ewyn.

Fred Williams

Disgrifiodd Sarnicol ardal Cwmtydu fel cwm 'sguthanod, brithyllod a beirdd:

Fy nghyfaill hoff, os ydy
Dy hen Gymraeg yn rhydu,
Mae'n bryd, pan ddelo'r tywydd teg,
It hedeg i Gwmtydu.

Dywedodd hefyd: 'Diamau y gwelir y tylwyth teg yn dawnsio yno o hyd ar noson olau leuad gan rai o'r trigolion sydd heb eu gorddiwes gan ddallineb ysbrydol'.

Y fan i'r neb a fynno
Dafodiaith lân a chryno,
Cymraeg mae pob aderyn llon
A'r don yn siarad yno.

Am hudol fyw ramadeg
Ni chwennych neb ychwaneg;
Mae sŵn cynghanedd rhwng pob dau
A'r Ciliau ydyw'r coleg.

Mae'r smyglwyr a'r môr-ladron wedi diflannu ond deil o hyd ar lafar gwlad y chwedlau cynhyrfus . . . am Ogof Pen-parc a'r casgis 'rum', brandi a gwin a gaed yno yn amser rhyfel y Ffrancod.

Y gasgen fach o frandi
A ddaeth o'r Eil o' Man,
A lawr yn Nhraeth y Crowgal
Y golchwyd hi i'r lan:
  A whiw, whaw,
  Dros y claw'
Agorwyd y gasgen â chaib a rhaw.

SIÔN CWILT

Hen Gelt a'i got yn gwiltog—a'i annedd
  Unnos ar fanc grugog;
Herwr hy, smyglwr a rôg
Ddoe'n hynod, heddiw'n enwog.

J. Ll. Jones

Traeth Cwmtydu, yr odyn a'r morllyn, gan edrych i gyfeiriad Banc Penparc.

Cwmtydu o Fanc Penparc. Gwelir yr odyn a'r morglawdd newydd yn y llun.

Y 'Graig' dan Ben Moffat uwchben Cwm-bwrddwch a pharhad yr Hirallt tuag at draethau'r de, ardal y cadno, adar y môr a 'Llwybr Jâms', 'Lawr ym mharlwr y morloi', i Bwll Mwyn. Crewyd yr enwau rhamantus gan Isfoel a'i frodyr. Erbyn heddiw maent yn rhan o lafar gwlad.

Y Ddalfa Fawr a'r Hirallt dan Fanc Llywelyn, yn edrych i'r de-orllewin tuag at Ynys Lochtyn a thraethau Cefn-cwrt, y Garclwyd a'r Ynys.

Tua diwedd y ganrif ddiwethaf daeth Cwmtydu yn enwog fel lle i adeiladu llongau a daeth tipyn o fasnach môr yn sgîl hynny. Ym Mehefin 1897 drylliwyd y llong *Antelope* ar greigiau Cafan Glas wedi iddi fethu mynd allan i afael y gwynt ar ôl pob ymdrech i'w thacio yn ôl ac ymlaen. Ymysg y dyrfa fawr ar y lan yr oedd Jeremiah Jones, y Cilie, ac yntau'n cyfansoddi a chanu'r penillion yn ddifyfyr:

LLONGDDRYLLIAD YR *ANTELOPE*
(Tôn: Robin yn Swil)

Yr *Antelope* druan, enillodd ei chlod
Wrth ddwyn marsiandïaeth i hafan ddi-nod;
Gorffennodd ei gyrfa mewn storom go gas,
Aeth hithau yn yfflon ar drwyn Cafan Glas.

Cytgan:
Ar drwyn Cafan Glas, ar drwyn Cafan Glas,
Yr 'Anti' a foddodd ym medd Cafan Glas.

Dihangodd y morwyr o ddannedd yr aig
Gan ddringo fel cathod dros gribyn y graig—
Os methodd morwriaeth ni chollwyd y criw,
Aeth pawb yn ddihangol a'r capten yn fyw.

Bydd effaith y storom ar drêd Mali Fach,
A chyll y gwerinwr ei 'gwlwm du bach';
Daw'r gaeaf cynddeiriog i fwthyn a phlas
A'r 'Anti' yn huno ym medd Cafan Glas.

Yr arfordir i'r gogledd o Gwmtydu. Gwelir Trwyn Cafan Glas lle drylliwyd yr Antelope ac ysgogi Jeremiah i lunio baled fyrfyfyr. Dyma gynefin y morlo, y bilidowcar ac adar y môr, yn llawn o ogofâu a chilfachau bychain.

Daeth Cwmtydu yn fan cyfarfod cymdeithasol a pheth cyffredin fyddai gweld torf o frodorion ar ben yr odyn ym mis Awst yn nyddiau olaf y ganrif ddiwethaf hyd at dridegau'r ganrif hon. Rhwng dau gynhaeaf teithiai'r teuluoedd mewn ugain o gamboau ac ymdaenai pob teulu ei liain ei hun ar fan dewisol a glân. Roedd rhai ar y morfa ger yr odyn, rhai ar y gerddi glas, rhai ar lechwedd Craig Caerllan ac eraill ar y cerrig graean dan gysgod y graig. Cawsai'r gwragedd benrhyddid ond byddent mor brysur yn cynnau'r tân i ferwi'r tegil ac yn paratoi'r danteithion. Ond os oedd rhai am fynd i nofio neu ymolchi rhaid oedd gwneud hynny cyn bwyd rhag ofn cael cramp. Byddai'r tad yn golchi ei blant ei hun: 'Mae cof gennyf,' meddai Isfoel, 'am fy nhad yn ein golchi pan oeddem yn ieuanc. Aethom ato un ar ôl y llall, gafaelai yn ein breichiau gan ein gosod o dan y dŵr. Rwy'n clywed y dŵr yn fy nghlustiau (o hyd) er pan ddaliai fi i lawr. Gwisgai bais bob amser pan ymolchai yn nŵr y môr ac wedi gorffen aethai am nofiad fach. Ar ôl mynd trwy oruchwyliaeth ymolchi a phawb wedi gwisgo yr oedd yn arferiad gan fy nhad i'n gorfodi i yfed peint o ddŵr y môr. Daethai â llestr peint o dafarn Glanmorllyn. Aethai rhai ohonom trwy yr 'acid test' (ych a fi!) yn well na'r lleill ond nid oedd dewis, rhaid oedd ei yfed.' Clywid canu afieithus: alawon gwerin, emynau a phenillion o waith y 'Bois', rhai ohonynt yn chwedloniaeth bro a rhai yn fyrfyfyr. Un o'r henebau y gellir ei gweld ar erchwyn y traeth yw odyn galch Cwmtydu. 'Yr wyf yn cofio am dân yn yr odyn pan oeddwn tua saith oed, a ninnau yn ymdwymo uwch ei phen ar ôl dod allan o'r dŵr, ac yr wyf yn cofio am lawer o longau yn dwyn cwlwm i mewn yn y blynyddoedd dilynol, a gallaf enwi llawer ohonynt, 'Martha Jane', 'Gwendolen', 'Antilop'. Rhai bychain oeddynt, yn cario tua phedwar ugain tunnell, a braint fawr oedd cael mynd ar y bwrdd . . . a chael cacen galed gan y capten . . . a honno cyn galeted ag ystyllen,' meddai Isfoel yn *Hen Ŷd y Wlad*.

Odyn galch Cwmtydu. Bu Isfoel yn ymdwymo uwch ei phen, a bu'r teulu yn mwynhau hafau hirfelyn tesog ar y morfa. Bu eraill yn gwrando ar Waldo a llawer o feirdd a llenorion Cymru yn darlithio o'i phulpud.

Ond swyn nid oes yno, nac annedd deg yno,
  Aeth gwres yr hen groeso ar ffo dros y ffin.

Alun

Fel hyn y canodd Alun am Gwmtydu:

Y llathrwyn feirch llithrig yn weddoedd anniddig
  Dan drymlwyth crynedig cerrig y calch
Yn ei ddwyn yn gadwynog, a'u gwarrau'n gyhyrog,
  I'w riniog ddihafog yn ddifalch . . .

Odynwyr â'u doniau, y tân â'i daranau,
  A hud ei fflachiadau yn olau'n y nos;
Y morwyr a'u miri yn adrodd gwrhydri
  Yr heli i'n diddori'n ddiaros.

Yng nghysgod banc Pen-parc, mae llyn y morllyn, ac aber afon Dewi wedi ei gau gan fur o gerrig mân a fu unwaith yn arian byw o frithyllod. Meddai Alun eto:

. . . Nid oes fan dewisol im heno'n ddymunol,
Na chwmni egnïol na rhigol ar ro,
Na nwyfiant cynefin yn nhangnef Mehefin
Na gwerin a'i chwerthin iach wrtho.

Na disgwyl am hwyliau tros orwel y tonnau,
Huodledd na chwedlau na golau'n y gwyll;
Diramant yw'r rhimyn, a mwrllwch yw'r morllyn,
A phenrhyn yr odyn yn rhidyll.

Llyn y morllyn. Mae'r argae gerrig yn newid ei ffurf yn ôl tymer y môr. Hyd y tridegau roedd yn fyw o frithyllod.

I'm hannwyl gwm unig, â'i hoenus afonig
Yn gyrru tros gerrig â'i miwsig i'r môr,
Lle'm ganwyd i gynnau, yw'r fan yr af innau
Tros lethrau hyd gyrrau'r deg oror.

Alun

Ar ochr ogleddol y draethell ac yng nghesail Banc Caer-llan, a chyferbyn â Banc Pen-parc, saif carreg hanesyddol Craig yr Enwau. Roedd y beirdd, yn ifanc, yn feiddgar ac yn anturus. Ond eu pennaf gorchest oedd nofio ar fan uchaf y llanw, o Fanc Pen-parc a chroesi'r traeth trwy donnau mawrion i Graig Caer-llan. John Tydu, mae'n debyg, oedd arloeswr y gamp. Wedi cwblhau'r gorchwyl a'r her a chyrraedd glan yr ochr draw, ysgythrwyd enwau'r gwroniaid ar Graig yr Enwau. Dyma 'Fur Mebyd' Bois y Cilie, eu perthnasau a llawer o wroniaid y fro:

CRAIG YR ENWAU
(Cwmtydu, Ceredigion)

Seiadau ar bwys odyn,—a'i chochliw
Yn arlliw tros forllyn;
Her i'r dewr, gwrhydri dyn
I'w roi gerbron yr ewyn.

Y dewraf o'r brodorion—a nofiai
Yn nwyfus trwy'r eigion;
Naddu taer yn nannedd ton
Yn bwyllog o'i ebillion.

Arhosol trwy'r hir oesoedd,—yn wrol
Er cynddaredd gwyntoedd;
Rhag berw yr aig a'i braw, roedd
Yn rym heriol i'r moroedd.

Heddiw rhag colli'r gwreiddiau—a'r enaid
Olrheiniwn yr holltau;
I'r werin brin hir barhau
'Wna rhin hen Graig yr Enwau.

Curo'r lli ar graig Caer-llan—'erydodd
Eiriau hud bedyddfan;
Yn nwylo'r môr, moel yw'r man;
Yn hen, mae'n rhan o'n hanian.

Jon Meirion Jones

Y dyddiau pwysicaf a phrysuraf ar draeth Cwmtydu oedd dydd Iau Mawr, y trydydd Iau wedi'r Llun cyntaf yn Awst, a dydd Iau Bach, yr wythnos ganlynol.

Merched siriol o Nanternis,
Meibion glew o Synod Inn,
Welwn ar y traeth yn siprys,
Yn cymysgu'n weddol dynn.
Gwelwn rai o Gapel Cynon
Ac o'r Plwmp a'r hen Bost Bach;
Rhoddwn iddynt groeso calon—
Nhw sy'n cadw'r wlad yn iach.

Ymgasglai teuluoedd y fro ar y morfa a byddai teulu'r Cilie yn anad yr un teulu wedi dod â digon o fwyd blasus i bawb mewn sawl gambo. O gylch yr odyn cynhelid gornestau plygu braich a choitiau, a'r pedolau arbennig wedi eu gwneuthur gan Isfoel ar eingion y Cilie. Ond ymolchi yn y môr a fyddai'n apelio at y rhelyw.

Prynodd Isfoel hen gwch achub rhwyfo o'r enw 'Brandon Barrow' yng Ngheinewydd ym 1920 am bunt. Fe'i golchwyd i'r lan ar ôl storm heb rwyfau na helm ond wedi treulio llawer o amser yn ailglytio a cholcio'r tyllau a gwneud helm newydd a'i atgyfnerthu, âi â'r llestr deunaw troedfedd a'i waelod fflat allan am fordeithiau, er nad oedd mor ddiogel â hynny. Yng ngwaelod y cwch roedd hen sosban i daflu peth o'r dŵr dros yr ochr pe byddai yn bygwth suddo. Roedd peth dŵr parhaol ar yr estyll gwaelod yn angenrheidiol er mwyn chwyddo'r pren a chadw'r 'Brandon' ar yr wyneb. Unwaith wedi i'r cwch, yn llawn o drigolion Cwmtydu, daro craig bigfain ger Castell Bach, llifai'r dŵr i mewn yn ffrwd, ac er i'r hetiau fwrw peth o'r dŵr allan dim ond pen ôl Isaac Newton yn gywir yn y twll a arbedodd lanast cymharol i'r *Titanic*. Nid aeth y merched allan ynddo ar ôl hynny a chollodd y cwch lawer o'i fri. Ond y gorchwyl mwyaf bendithiol, er lles y glowyr a ddeuai i dafarn Glanmorllyn i'w drachtio'n sych, oedd i'r bechgyn fynd â'r heddgeidwad lleol, P.C. Moses Lloyd, allan i'r 'Atlantig' am y dydd yn y 'Brandon Barrow' i bysgota. Rhoddai hyn rwydd hynt i'r tafarnwr ychwanegu at yr oriau cyfreithiol.

Y 'Brandon Barrow', cwch Isfoel.

I fyny'r cwm o draeth Cwmtydu, tua Llwyndafydd, ac ar bwys Felin Huw, roedd dôl fechan a ffynnon yn ei chanol a'r dŵr yn llifo'n risialaidd haf a gaeaf. Bob gwanwyn arferai'r bechgyn a weithiai ar ffyrdd y plwyf gasglu cerrig oddi ar wyneb y tir yng nghaeau'r ffermydd cyfagos a byddai'r ffermwyr yn cludo i'r 'ddolen' yma. Yna byddai'r ffermwyr yn eu darnio i'w rhoi ar yr heolydd. Mae'n debyg mai'r gwŷr hyn a oedd gan Alun mewn golwg pan ganodd ei delyneg brydferth, 'Codi Cefn':

O ffos y sarn a'r dydd ar drai
Fe gwyd o'i sach o wellt
Gan daflu'i lygaid dros y twr
O gerrig dellt.

A chwyd y chwys o'i rychiog dâl
Â chefn ei gorniog law,
A thery'i forthwyl yn y gwrych
Ynghyd â'i raw.

Mae seren bellach yn y nen,
A thry tan ganu'n iach,
Gan fwrw dros luddedig war
Ei gwd a'i sach.

Mae'r garn ar hanner, a pha waeth
Os ydyw yn ddi-drefn;
Mae 'fory cyd â heddiw'n siwr,
Rhaid codi cefn.

CLAWDD
I ffinio maes, rheffyn main—o gerrig,
Gwaith gŵr â llaw gywrain,
Ac iddo rhoed gwe o ddrain
I dorri gwynt y dwyrain.
Alun

Yr oedd gan y Capten Dafydd Jeremiah Williams atgofion cyfoethog a hiraethus am yr hen gwm, a chan fod yr anheddau a'r llwybrau o'r golwg, dychwelai'r dyddiau gynt i'w gynnal trwy farddoniaeth, fel yr englynion canlynol o waith ei frawd Fred Williams. Golygfa ryfeddol, ond gwefreiddiol, fyddai gweld D.J.W., yn ôl ei gyd-forwyr, yn adrodd gwaith ei frawd a'i ewythrod ac yntau â chyfrifoldeb llywio'i long yng nghanol tymestl neu wrth angor gyda'r hwyr mewn porthladd pell.

YR HEN GWM

Drwy y cwm ar droeog hynt—ni welaf
Ond olion lle'r oeddynt;
Anheddau â'u pen iddynt
Lle bu'r crydd a'r gwehydd gynt.

Hen gwmwd gynt oedd gymen,—dŷ a gardd
Yn dw gwyllt i'w deupen;
I'w ddolydd ni thraidd heulwen,
Yn ei byrth y drain sy'n ben.

Yn golofn dan Foel Gilie—nawr i maes
Ni ddaw'r mwg ben bore;
Aeth i'r Llan dylwythau'r lle,
Hir ddiwydrwydd o'i odre.

Â'i newydd wyrth, Awst, pan ddêl,—ei olud
A eilw ar yr awel,
Ond i'r pant nid â'r apêl,
O'i herw fud ni ddaw'r fedel.

Fred Williams

Mae barddoniaeth Isfoel, Siors, Seimon, ac yn enwedig Alun, yn frith o hiraeth am y tir, yr anheddau bychain a'r cymeriadau gwreiddiol a geid yn y gymdeithas werinol glòs o gylch y Cilie gynt:

Yn lle'r hen Gymry a'u cymhendod hwy,
A'r llwybrau a ddôi i glwm wrth deml yr Iôr,
Nid oes na chrefftwr na medelwr mwy
O frigau pell y cwm i lan y môr:
Llwon tylluanod o goed y Llan,
A Sais wrth ochr y Foel â charafán.

S. B. Jones

E ddaw gwaedd o'r dyddiau gynt
Eto i'm tynnu atynt;
Er na ddaw gwerin ddiwyd,
A'r hen gwm yn ddrain i gyd . . .

S. B. Jones

Y MURDDUN

Gwâl y niwt lle bu'r piwter,—bwganod
Lle bu gwên a hoffter:
Y llwch lle bu'r gannwyll wêr,
A drysi lle bu'r dreser.

Yr hen ddrws dan glo'r iorwg,—anialwch
Lle bu Nel a'r bilwg;
Dim tân mawn, dim to na mwg,
A'r gwaliau pridd o'r golwg.

Alun

Jeremiah Jones

(9.4.1855–10.2.1902)

Patriarch y teulu

Rhin y dur yn ei waed oedd
A chadarn ei fraich ydoedd.
Fred Williams

Roedd amryw o aelodau cymdeithas y beirdd a ddôi ynghyd mor naturiol yn ne Ceredigion wedi clywed Isfoel, yn enwedig, yn ymfalchïo yn ei achau.

Yn ei erthygl yn rhifyn Rhagfyr 1976 o *Barn*, 'Chwedl a Choel', mae Dic Jones yn dyst i honiadau Isfoel. 'Clywais Isfoel,' meddai Dic, 'â'i dafod yn ei foch o bosib, yn honni'r union ffaith, fod cysylltiad rhwng Lloyd George a'r Cilie.' 'O ran mater o ddiddordeb,' meddai eto, 'clywais ef yn arfer yr un ddawn olrheinio i arddel perthynas rhyngddo a Dafydd ap Gwilym. Roedd Beirdd Cwmdu hefyd, meddid, yn hanu o linach hwnnw (oni bu'n trigo yn ardal Castell Newydd . . . a'i gariadon yn dra niferus?). Medrai Isfoel yn ei dro ddangos cyswllt teuluol rhwng beirdd Cwmdu a Beirdd y Cilie, ac ipso facto Q.E.D. dyna hi! Ac erbyn meddwl, a fu rhywun erioed yn debycach ei ymarweddiad i'r hyn a wyddom am Dafydd ap na Dafydd y Cilie? Oni bai am y gwallt efallai'.

Dywed Elin Williams (merch y Parchedig F. M. a Miranda Jones) yn ei thraethawd M.A., *Teulu'r Cilie—Nythaid o Feirdd Gwlad* (1982): 'Mae'n berthnasol iawn crybwyll y llinach y tyfodd Jeremiah Jones ohoni . . . Mae gwreiddiau ei deulu yng ngogledd Sir Benfro, ond hanai ei dad-cu (Jeremiah Jones arall) o Gwm Du, plwyf Brongwyn, ger Castellnewydd-Emlyn. Ganwyd Jeremiah'r Cilie ym 1855, felly mi fyddai'n deg dyfalu bod dyddiad geni ei daid ar draws troad y ganrif honno, y bedwaredd ganrif ar bymtheg. Byddai mynd yn ôl un genhedlaeth felly, at hen daid Jeremiah, yn gosod hwnnw yn un o gyfoeswyr Ioan Siencyn, y crydd o Gwm Du, a'i frawd Nathaniel, meibion Siencyn Tomos, a oedd i gyd yn feirdd enwog yn eu dydd ac wedi hynny. Roedd mab Ioan Siencyn hefyd yn fardd'.

Ond o'r Llyfrgell Genedlaethol ceir tystiolaeth John Emlynydd Jones, Ysgolfeistr Abergorlech, brawd Jeremiah Jones, y Cilie, a Thomas Jones, gof Bryndulais, Glynarthen, mewn llythyr at 'Brythonydd', Brongest, ynglŷn â Beirdd Cwmdu: 'Credaf mai ar ochr ddeheuol, ochr y Betws a'r Ceri, y trigent. Penpompren y'i gelwid a gwelir y tŷ ar yr ochr arall. Nid oes ond yr un tŷ o'r enw Cwmdu. Y ddau dŷ arall yw Penffynnon a Thanffynnon. Adeiladwyd y cyntaf gan fy nhaid, Jeremiah Jones, a'r olaf gan ei frawd Joseph. GWIR FY MOD O WEHELYTH SIENCYN TOMOS A'I ACHAU. Nis gallaf eu tresio. Clywais fy nhad a'i gefnder John—wedi hynny y Parch. John Jones, Felinfoel—pan oeddwn yn grwt, yn olrhain yr achau o'r ddwy ochr, sef Tanydderwen a Ffynnon-oer, yn ôl i'r Tomosiaid a thrwyddynt ymhell yn ôl. Dewi Emlyn, nis gwn sut y mae yn disgyn o feirdd Cwmdu'.

Ymdrechodd Gerallt Jones i ddod o hyd i gysylltiad dogfennol rhwng beirdd Cwm Du a'r Cilie. Roedd ganddo ddiddordeb arbennig yn hanes Jenkin S. Jenkins ap Samuel ap Siencyn Tomos, oherwydd derbyniwyd Jenkin yn aelod yn eglwys Annibynnol

Tre-wen ym 1871. Dechreuodd bregethu ond ymfudodd i Philadelphia lle cafodd alwad i weinidogaethu ar Eglwys y Cymry yn Utica. Roedd yn brydydd dawnus yn ei ddyddiau cynnar pan oedd yn fugail yng Nghwm Du.

Ond wedi'r cyfan, efallai nad perthynas waed sydd yn bwysig ond parhad yr ymwybyddiaeth lenyddol. Rhedai gwythïen y traddodiad barddol Cymreig trwy feirdd Cwm Du a llinach Jeremiah Jones. Meddai Elin Williams ymhellach: 'Trosglwyddwyd yr ymwybyddiaeth hon â llenyddiaeth a thraddodiad llenyddol gan Jenkin i'w blant. Anogwyd hwy, gan esiampl, i fwynhau llenyddiaeth, i ddarllen ac i fagu annibyniaeth barn. Roedd efail y gof yn lle delfrydol i dyfu gyda'r arferiad o seiadau a thrin a thrafod llenyddiaeth, diwinyddiaeth, a syniadaeth yn gyffredinol. Er iddynt symud i'r Cilie, roeddent eisoes wedi dechrau gwneud enw iddynt eu hunain, a datblygodd cegin y Cilie yn ystafell gwrdd ac yn feithrinfa barddas'.

Jeremiah Jones yw'r cymeriad allweddol yn hanes llenyddol teulu'r Cilie. Rydym yn ddyledus i Isfoel yn bennaf am gofnodi bywgraffiad o'i dad: 'Ganwyd fy nhad ar Ebrill 9fed, 1855, yn efail y gof Penybryn, Sir Benfro, ar dueddau Cilgerran, yn fab i Frederick ac Ann Jones. Gof oedd ei dad a gof oedd yntau y rhan gyntaf o'i oes. Roedd ganddo ddau frawd—John Emlyn a Thomas, a phum chwaer—Elizabeth, Rachel, Esther, Sarah a Mari. Gyda'i dad y dysgodd fy nhad ei grefft, fel ei ddau frawd hŷn. Clywais ef yn dweud droeon amdano yn 'rifeto boileri' yn Landŵr, Abertawe. Tybiwn ei fod oddeutu deunaw oed y pryd hwnnw. Clywais gefnder i mi yn dweud iddo fod yn gweithio ym Mhonthirwaun ac yng Nghaerdydd hefyd am ysbeidiau byrion. Roedd 'nôl yn gweithio gyda Titus y Go' ym Mlaenannerch tua 1875'. Hyd heddiw, ar dir fferm 'Trip' ger Rhoshill, ar bwys Cilgerran, mae cae a elwir yn 'Gae Frederick'.

Carreg fedd Frederick Jones, tad Jeremiah Jones, ym mynwent Capel yr Annibynwyr, Tŷ Rhos, ger Cilgerran.

Hen efail Penybryn, lle credir y ganwyd Jeremiah Jones.

'Cae Frederick', ar fferm Trip ger Penybryn, Sir Benfro.

Oddi yno yr aeth Jeremiah i Felin Wynt a'r Ferwig gan agor efail ar ei liwt ei hun. Yno y cyfarfu â Mary George. Seliwyd y fargen a phriodwyd y ddau ar 26 Hydref, 1876. Sefydlwyd eu cartref cyntaf yn y Green Dragon, Blaencelyn, fel y'i cofnodir gan Jeremiah Jones yn ei 'lyfr cownts'.

Roedd gan fy nhad, y Capten Jac Alun, stori am dafarnwr y Green Dragon, sef rhan isaf y tŷ hir a elwid yn Blaencelyn ar Fanc Elusendy. Cofnodid y peintiau cwrw a yfid ar glawr mewnol y Beibl Mawr gan y tafarnwr a chadwai hwnnw dan y cownter. Adwaenid ef fel 'Dai Genesis'. Caewyd y dafarn gan ymgyrch o blaid llwyr-ymwrthod yn yr ardal.

Meddai Isfoel am dŷ'r Efail: 'Tŷ bychan deupen oedd ein cartref ni, a gwely fy rhieni yn y penisha, a dau wely rhebel ar y llofft, a'r nenfwd, fel yr ystafelloedd, yn gyfyng ac yn isel enbydus, ac erbyn hyn yr oedd y teulu wedi chwyddo i wyth o blant. Yno y bwytaem, ac yno y gorffwysem yn gymysg, a'n trwynau yn cyffwrdd â'r to yn llythrennol, dau yn y pen, a dau yn y traed'.

Trwy ddyddiaduron Isfoel cawn olwg liwgar ar drefn yr efail: 'Byddai'r lle yn llawn ceffylau ar ddiwrnod gwlyb, dau neu dri o'r tu mewn a llawer o'r tu allan yn aros eu stem, fel y dywedid. Chwys yr wyneb yn llythrennol a enillai ei fara. Meddylier am bedoli wyth neu ddeg o geffylau mewn diwrnod. Pwy bynnag a arweiniai geffyl i'r efail i'w bedoli rhaid oedd iddo helpu'r gof i droi'r pedolau—eu plygu, eu rhigoli a'u tyllu. Cawsom ni y plant ein cyfle i ddod yn darawyr medrus ac unwaith tasgodd y morthwyl yn ôl i'm dannedd. Byddai gweithio hoelion yn cryfhau gewynnau'r fraich. Yr oedd

Efail Blaencelyn ar Fanc Elusendy, cartref Jeremiah a Mary Jones a'r wyth plentyn cyntaf.
O'r chwith (yn wreiddiol): Tafarn y 'Green Dragon', bwthyn Jeremiah, a'r efail i'r dde.

Efail y gof, Blaenannerch, y pentan gwreiddiol, lle bu Jeremiah Jones yn gweithio dan oruchwyliaeth Titus y Gof.

gwialenni cyfaddas at y pwrpas—haearn tua chwarter ysgwâr, gwydn a meddal a hawdd ei drin. Cadwai fy nhad y cyfryw wialenni wrth gefn drws penisha a byddai'n pwtio'r llofft ag un o'r rheiny os deuai sŵn oddi wrth y plant. Gweithiai o leiaf ddwy hoelen ar un twymad, cochai fel y'i curai ar yr ail a disgynnai yn berffaith las ar y llawr i brofi fod ei thymer yn iawn. Daethai'r amaethwyr â'u hoffer wedi nos yn y gaeaf—sychod a chylltyrau, cambrenni, picasau ac ati. Caem ninnau ambell geiniog am bedoli clocs'.

Dyn gweddol dal oedd ei dad, yn ôl Isfoel, 'cydnerth ac ystwyth, yn tyfu barf lawn o wawr goch, a gwallt du cyrliog, yn sefyll yn unionsyth fel ffon, o ysbryd cydnaws a charedig, nad ofnai undyn byw, yn hawlio chwarae teg iddo ei hun ac i bawb arall, yn ddigyfaddawd gan unrhyw un a dueddai fod yn ormeswr, ac yr oedd yn wrthrych eiddigedd i'r rhai a geisient gadw'r tlawd o dan draed . . . Nid oedd yn llwyrymwrthodwr, er i mi glywed mam yn dweud iddo ardystio dirwest unwaith . . .

Ymhyfrydai mewn cwmpeini cydnaws, rhywun â thalent i ganu, areithio neu farddoni ynddo'. Yn ei wylltineb, weithiau byddai'n bygwth llawer ac yn rhwysgo yn y trasis, a 'byddai chwiw ar ôl chwiw yn taro i'w ben'. Fe eilliodd ei farf unwaith a chafodd bregeth go hallt gan ei briod. Nid oedd neb yn ei adnabod mewn darlith yn y Wig nes iddo borthi'r darlithydd ac ar hynny trodd ei gyfaill ato a dweud yn hyglyw, 'Jawl, Jeri wyt ti!', 'ac aeth si trwy'r gynulleidfa fel tân', meddai Isfoel eto am y 'bachan dierth'. Chwiw arall a ddaeth i'w ran oedd ymfudo i Ganada. Cyrhaeddodd Gaerdydd ac yno ei chwaer a'i darbwyllodd i ddychwelyd at ei deulu ym Mlaencelyn. Mae Isfoel yn adrodd stori arall: 'Daeth gŵr a gyfrifid yn frenin yn yr ardal i'r efail gan hawlio'r flaenoriaeth ar bawb arall fel y cawsai gan y gofaint a fu yno gynt. Yr oedd bocs pren mawr yn perthyn i bob ffermwr yn sefyll o dan y nenfwd ar ddau fîm, lle y teflid rhyw fân bethau i ddisgwyl taro yn y dyfodol. Fel yr oedd y gŵr mawr hwn yn dadlau ei hawliau a dweud fel y cawsai y flaenoriaeth bob amser yn y gorffennol, dyma'r gof yn gafael yn ei focs ac yn ei hyrddio allan i ganol yr heol . . . Ni pheidiodd y dyn â dwyn gwaith i'r efail chwaith, a buont yn gyfeillion byth wedyn'.

Cyhoeddai Jeremiah Jones ei faledi ar daflenni a argreffid ym Machynlleth gan John Crannog Evans, brodor o Langrannog, a oedd yn adnabyddus i Jeremiah. Ar y dudalen gefn gwelid: 'Ar werth yn unig gan yr awdur, Jeremiah Jones, Blaencelyn, Cross Inn, Llandysul'. Un tro cytunodd â rhyw löwr a oedd ar ei wyliau i werthu'r faled 'Tair Erw a Buwch' mewn ffeiriau yng nghymoedd De Cymru. Ni welwyd y glöwr, y baledi na'r arian byth wedyn.

Gwobrwywyd Jeremiah Jones am y faled a enwyd a chanodd y penillion buddugol o'r llwyfan yn Eisteddfod Llanarth y noson honno. Dywedwyd mai'r Dr Pan Jones a gynigiasai'r wobr a'i fod yn defnyddio'r gân pan âi â'i fen o gwmpas y wlad ar ei ymgyrch 'Y ddaear i'r bobl'. Dyma ddau o'r pymtheg pennill, ac ar y dôn 'Mae Robin yn Swil' y cenid y faled:

Mae'r utgorn yn bloeddio, cyfodwn i'r gad,
Dewch dlodion anghennus a gweithwyr y wlad
Ynghyd i San Steffan, dewch weithian; O! Clywch,
Ein hachos ddadleuir, 'Tair Erw a Buwch'.

Cytgan:
Tair erw a buwch, tair erw a buwch,
Y ddaear i'r bobol, tair erw a buwch.

Anwylion hen Walia, nawr rhuthrwn yn rhydd
I'r frwydyr, ymladdwn a mynnwn y dydd;
Cydfloeddiwn fel taran yn uwch ac yn uwch:
'Y ddaear i'r bobol, tair erw a buwch!'

Byddai Jeremiah Jones yn llunio areithiau ar gyfer pobl eraill. Un o'i ffrindiau pennaf oedd Tomos Dafis, Llwyncelyn, ac oherwydd ei fod yn addoli Jeremiah, 'gwnâi bob peth a ofynnai ganddo, adrodd, canu, areithio, barddoni, neu unrhyw beth cysylltiedig â llwyfan,' meddai Isfoel. Un testun oedd y 'Light Railway i'r Ceinewydd'.

Jeremiah Jones.

Pwy ddygodd yr Wydd
"Ton Robin yn swil"
Mae gwyliau Nadolig
Fel gwyddoch chwi gyd
Yn wyliau nodedig
Yn hanes y byd,
Ac ar yr wyl yma
Caiff brasder pob gwlad
Pob 'nofael frasgedig
I ollwng ei waed
Rawr fewn i'r fan yma
Fy nhestyn sy'n dod
Yn ddigon naturiol
Ond erchyll ei nod.
Ef hanes dihirun
Gynalloddd Mor rhwydd
Ei wleddwedd Nadolig
Ar ladrad yr Wydd.
Pwy ddygodd yr Wydd,
Pwy ddygodd yr Wydd,
Os gwyddoch atebwch
Pwy ddygodd yr Wydd ?

"Pwy ddygodd yr Wydd"
Roedd gwerth y creadur
Ond chwe swllt rhi brin,
Ond nid y ffordd yna
Mae prisio'r gwaith hyn;
Na, na, fe addefir ~~y golled~~
Y golled yn rhwydd,
Ond dyna yw'r cwestiwn
Pwy ddygodd yr Wydd.
Pwy ddygodd yr Wydd &c

O gwmpas tair milltir
Yw pellder y daith
O fewn i'r cylch yna
Cyflawnwyd y gwaith
Ar hanes dyweddaf
Or derbyniad a gawn
I fod wedi bacio
O Gwmowen yn iawn.
Pwy ddygodd yr Wydd &c

'Pwy Ddygodd yr Ŵydd' yn llawysgrifen Jeremiah Jones ei hun.

Roedd Jeremiah'r Gof yn prydyddu'n ifanc iawn ac yn ei arddegau roedd yn llunio cyfarchion ar enedigaethau a phriodasau ar ffurf penillion. Enillodd lawryf Ebenezer Dyfed ar y Sulgwyn, 1875, â chân i'r 'Heuwr'. Canodd i 'Fawredd Dyn', 'Goleuni', 'Balchder', 'Y Degwm', 'Dameg', 'Yr Amaethwr', 'Trên' a 'Golygfa ar Lan y Môr'. Medrai gynganeddu. Gwelir ar lyfryn pan oedd yn of ieuanc yn y Ferwig:

Nid eisin wedi'i asio—na chwyddiaeth
A chwaeth wedi brolio
Geir ar y llen 'rwy'n mentro
Ond awen gymen y go'.

Yn Eisteddfod Capel-y-Wig, nos Galan, tua 1898, cafodd y wobr am ei englyn i'r 'Milwr'. Mae ganddo ddau englyn i'r 'Milwr', ac mae'n rhaid mai un o'r rhain a wobrwywyd gan Dafydd Thomas, Rhydlewis, y beirniad:

Gŵr ieuanc, hawddgar a hoyw—a gwisg
O liw gwaed am hwnnw,
A dyn i ladd o dan lw
Y gelyn pan fo galw.

Y milwr, gŵr didrugaredd—â'r dryll
Trwy drais myn anrhydedd;
Hwn geidw â gloyw gledd
Arswyd a pharch yr orsedd.

'Rwy'n ei weld yn awr yn ymostwng ar ei ben-glin i Miss Jones, Ivy House, i roi cwdyn am ei wddf. *George White* oedd ei ffugenw a hynny yn dangos mai amser rhyfel y Transvaal ydoedd,' cofiai Isfoel am yr eisteddfod. Enillodd wobr yn Horeb am englyn i'r 'Elor':

Yr olaf gerbyd yw'r elor—o'r byd,
Gyrr i'r bedd ei drysor;
A'i ddüwch, och! a ddeor
Ing a braw pan ddaw i'r ddôr.

Cranogwen oedd yn beirniadu cystadleuaeth yr englyn yn Eisteddfod Pontgarreg, a'r testun oedd 'Dinas Lochtyn', sef yr hen gaer o Oes yr Haearn y ceir ei holion ar Ben y Badell ger Llangrannog:

Dinas a sôn amdani—a'i seiliau'n
Iselach na'r heli;
Ar ei thrwyn gwna'r sionc wyni
Brancio'n llon ger brinc y lli.

Ac efallai mai'r englyn mwyaf adnabyddus sydd ar gof a chadw o waith y gof yw'r englyn canlynol i'r 'Asyn', â'r llinell olaf drawiadol!

Â llais croch, hyll y sgrecha—y bwystfil,
A'r bastwn ni hidia;
Er pannu a'i ddyrnu'n dda
Yr asyn a arhosa.

Yn y papur lleol, y *Tivy Side*, ar 19 Gorffennaf, 1878, argraffwyd 'Cân o Ddiolchgarwch'. Roedd 'Jeremi' o Gapel-y-Wig yn diolch i'w gyfaill Owen Jones o Langrannog am lyfr a gawsai o'r enw *Gwinllan y Bardd* (Gwaith Daniel Ddu o Geredigion).

O! Awen wen lwyswedd, o'th lesgedd diosga,
Dos allan â'th delyn, rho gynnydd i'r gân.
I'r hen gyfaill Owen, dos, cana yn llawen,
Ac eled y gynnen i Ganaan!
Rhyw rodd o'r radd flaenaf, y gyfrol ragoraf,
A'r rhodd werthfawrocaf o'r mwyaf i mi,
Rhyw nerthol ddanteithion a bwydydd angylion
Yw'r mwyn gynganeddion o'u nyddu.

Yn *Cyfoeth Awen Isfoel*, dywed T. Llew Jones fod John Owens, rhagflaenydd Jeremiah Jones ar y 'continent' yn y Cilie, 'yn uchel ei barch a mawr ei ddylanwad yn yr ardal ar un cyfnod. Byddai'n gyfrifol am y rhan fwyaf o'r fasnach fôr yng Nghwmtydu ac yn berchen neu'n rhannol berchen ar rai o'r llongau bach a ddeuai i mewn yno'. Carient galch, glo a nwyddau eraill. Roedd gan John Owens gytundeb busnes rhyngddo ef a masnachwyr yn Abertawe a Chaerdydd a hyd yn oed cyn belled â Lerpwl. Honnid iddo orlwytho ei longau a suddodd dwy ohonynt dan gapteniaeth Capten David Griffiths (y prif gymeriad yn saga John Tydu). Cafodd golledion mawr wrth hawlio yswiriant. Yn ôl yr hanes bu i rai o'i bartneriaid yn Lerpwl 'renegio' arno a buan iawn yr aeth yn fethdalwr. John Owens oedd yr *entrepreneur* lleol, y barnwr lleol, y sgweier, yn wir gellid dweud mai ef a reolai'r economi lleol. Mae cof amdano yn cyrraedd Capel Pen-sarn, lle'r oedd yn aelod, â'i geffyl a'i 'gig', mewn gwisg drwsiadus a het silc. Ymgrymai'r bobl o'i flaen wrth iddo agosáu at y capel. Canodd Jeremiah Jones i'w ragflaenydd fel hyn:

NEBUCHODONOSOR (John Owens)

Mae Nebuchodonosor,
Sef Brenin Cilie Fawr,
A lluoedd o Israeliaid
O'i flaen yn plygu lawr,
Sef Siencyn mawr y Penplas
A 'Luther' o'r Tŷ Main,
A Dafydd o Glendower,
Plant caethion Neb yw'r rhain!
Pan gân y corn cynhaeaf
Yn glir o flaen y wawr
Bydd seiliau'r cwm yn siglo
I fyny ac i lawr.
Daw'r crydd i'r maes i ddawnsio
Yn ofnus ac ar frys,
Ac yntau Siencyn Lewis,
Ei fforman yn y llys;
A phan ddaw y Nadolig
Bydd Israel oll mewn hwyl
A Nebuchodonosor
Yn gwadd y saint i'r Ŵyl.
Daw Siencyn lan o'r Penplas
A 'Luther' o'r Tŷ Main,
A Dafydd o Glendower,
A'r crydd yng nghwmni'r rhain.
Bydd chwarter eidon dwyflwydd
Rhostedig ar y ford!
A phawb yn maddau pechod—
A gorfoleddu'r 'lord'.

Lluniodd englynion i'r 'Gath', 'Glaw', 'Y Llogell', 'Y Gwydriad Cyntaf':

Y glasied hwn ogleisia,—hwn eilw
Am yr ail, ac yna—
Dri, pump, deg ychwanega—medd chwant;
Ie, tad y cant ydyw y cynta'.

Lluniodd englyn i'r 'Ddannodd' a phwt o gywydd i'r 'Chwannen'. Byddai'n rhigymu am y digwyddiadau mwyaf amheus yn ei fro. Er enghraifft, roedd cymeriad yn ardal y Ferwig, a lysenwyd yn 'Fox' am ei fod yn dwyn ieir yn y gymdogaeth, wedi marw:

Rhowd y 'fox' mewn bocs i orwedd
Obry'n isel wrth y llan,
Ac fe gana ffowls y cread
Byth na ddelo'r 'fox' i'r lan.

Canodd bennill bach pert iawn i 'wejen' iddo a dorrodd ei bys wrth dorri bara mewn cegin yn ardal Blaenannerch:

Mae bys y boben fach yn dost
A mawr yw'r gost i Sara,
Ac nid oes neb ond Jerry'r Go'
A wnaiff y tro i'w wella.
Ond os daw bys y boben fach
Yn iach o'r clwy sydd arno,
Bydd Jerry'r Go' yn un â'i air
I roi modrwy aur amdano.

Daeth amryw o'i englynion i'r brig mewn eisteddfodau lleol. Enillodd Jeremiah Jones ar gystadleuaeth yr englyn ym Mhisgah un tro a chafodd ganmoliaeth fawr gan Gynfelyn. 'Ffon ddraenen drom oedd y wobr ac yn fwy o rwystr nag o gymorth i neb,' meddai Isfoel. 'Wedi cyrraedd adre, gosodem y ffon â thua chwe modfedd o ruban gyda hi'.

Y WENNOL
Dyfais i ddwyn edefyn—yw'r wennol,
Chwaer annwyl wna'r brethyn,
A ffaith fel hed â'i phwythyn
Mesura daith amser dyn.

Os oedd anghyfiawnder o unrhyw fath cymerai Jeremiah Jones arno'i hunan i ysgrifennu ar ran yr anffortunus—heb flewyn ar ei dafod. Mae'r llythyr isod i'r Cyngor Sir ar gyflwr y ffyrdd yng nghyffiniau'r Cilie yn enghraifft o'i gydwybod gymdeithasol:

Cilie Farm
Tachwedd 13eg, 1899

Mr Cadeirydd a pharchus fwrdd,

Dymunaf am sylw caredig i'r llythyr hwn, pa un sydd ar ran fy hunan a'm cyd-blwyfolion, yn ceisio gosod ger eich bron ein cŵyn, a'n cais, mewn cysylltiad â'r mân ffyrdd a llwybrau yn y rhanbarth isaf o'r plwyf. Pa rai fel y gwyddoch, oedd yn cael eu hymgeleddu o dan nawdd y bwrdd, yn yr un modd â'r ffyrdd eraill, ond sydd er ys amser maith bellach, wedi eu taflu allan o sylw gennych, drwy eich gorchymyn i'r ffyrddwyr beidio gweithio arnynt, ac o ganlyniad maent yn rhy amhosibl i'w tramwyo. Carwn ofyn yn garedig i chwi, beth yw meddwl hyn? Nis gallaf gredu fod neb ohonoch yn ddigon amddifad o reswm i siarad nad oes angen ffordd i arwain tuag at bob tŷ ar y ddaear lle mae bod o ddyn yn gwneud ei breswyl a'i gartref ynddo. Ac mor sicr o hynny, ys truan o ddyn yw, mae yn gorfod talu ei gyfran tuag at gysylltiadau ffyrdd ei wlad. Yr ydych drwy anystyriaeth neu rywbeth gwaeth, yn gorfodi ein pobl i adael eu tai (fel pobl Ladysmith heddiw yn ffoi am ddiogelwch rhag magnelau'r

Boeriaid) drwy ganol eu ffyrdd a'u llwybrau, drwy ba rai iddynt ddwyn eu tân a'u tanwydd, a'u bara beunyddiol a'u holl angenrheidiau bywyd i'w bythynnod bach annwyl. Ac ai difater gennych ydyw caead heb lwybrau cysegredig pererinion Sion fel na allont fyned i fyny i'r Deml i addoli Duw eu tadau. Yr oedd cynnig eu taflu ar y plwyf, fel barnodd y Cyngor Plwyf, yn anghyfreithlon, a hefyd yn annheg. Eu taflu ar y plwyf yn wir! Pwy yw y Plwyf ond y Bwrdd. Taer ddymunwn arnoch am unioni y cam hwn, drwy roddi gorchymyn allan i weithio arnynt ar unwaith. Eto mewn cysylltiad â'r ffyrdd, sydd o'r brif-ffordd i'r môr, y rhai sydd mewn enw yn cael eu gweithio, yn wir, y maent yn rhy ddrwg ym mhob ystyr i'w tramwyo. Ac yn gwaethygu bob dydd, tan y dwylaw sydd yn gweithio arnynt mae yn amlwg fod yn rhaid cael cyfnewidiad yn hyn o beth, drwy gael ychwaneg o weithwyr arnynt, dynion mewn oed, yn meddu nerth ac ynni, ac yn gallu gwneud nerth eu hunain. Hen, hen, beth camwrus iawn yw rhoi dynion, hen bobl, pa rai sydd a cheiliog y rhedyn yn ormod baich iddynt, i weithio ar ein ffyrdd. Y mae lleoedd wedi eu trefnu ar eu cyfer yn y cyflwr a'r oed yma. Ac yntau, yr Arolygydd, rhaid iddo ef roddi ei bresenoldeb gwerthfawr dipyn yn fynychach, fel y gallo wybod lle maent yn gweithio, a pheth maent yn weithio a lle mae eisiau gweithio. Mae yn ddilys gennyf i fod y gŵr hwn wedi iawn sylweddoli y rhan flaenllaw mae ef yn chwarae yng nghwrs y wlad, sicr ddigon ei fod wedi gwrthod gwneud yr un sylw o'n ceisiadau am agor y ffordd sydd wedi cael ei chaead gan goedydd mawrion sydd yn gorwedd hyd iddi ger Penparc. Pa rai sydd yno er ys blynyddau wedi eu gwerthu ar yr 'Auction', yn wir, yn wir, meddaf i chwi, yr ym ni amaethwyr y rhanbarth hwn, yn haeddu eich sylw, ar gyfrif ein hanfanteision. Drwy fod yn byw mor bell o bob marchnad a ffair, rhaid i ni gerdded deuddeg milltir cyn y gallwn ddisgwyl y cyfle cyntaf i weled lliw yr un geiniog goch, yn gyfnewid am ein nwyddau, a gorfod gwneud y daith hyd y fath ffyrdd culion a'r coed mawrion hynny yn gorwedd yn ein ffosydd, fel meddwon i ddychrynu ein hanifeiliaid. Â'r drain a'r cloddiau o bob tu yn ysgwyd dwylaw, ac fel yn difyrru eu hunain wrth dynnu ein llygaid allan, a'r ffordd o dan draed, fel wedi ei phalmantu a phennau defaid, nes mae yr ysgwyddau yn dadgymalu yr oll sydd yn ceisio ymsymud ymlaen.

'Rattle his bones over the stones
He's only a farmer whom nobody owns.'

Dyma ein tynged ni heddiw. Ac yr ydym yn gorfod deall wrth lyfr y trethwr fod gwelliantau mewn ffyrdd a phontydd yn cael eu gwneud yn rhywle. Ond amdanom ni, pan ofynasom am bont, cilgwthiasoch ni, a deliasoch â ni yn waeth na Paul Kruger at ddeiliaid y Transvaal. Drwy ein hanwybyddu—ie, a chymeryd ein mwn i gyd; yn awr ni ddywedaf ragor wrthych a gobeithiaf yn hyderus mai nid yn ofer ac am ddim, yr ysgrifenwyd, yr hyn a ysgrifenwyd.

Yr eiddoch yn barchus,
Jeremiah Jones

Pan ddaeth y Parchedig Lewis Evans yn weinidog ar Gapel-y-Wig, ac yntau yn ŵr o Sir Benfro fel Jeremiah Jones, tynnodd y ddau ymlaen yn dda gyda'i gilydd. Newidiodd y gof ei ffordd o fyw a daeth yn aelod ffyddlon o gymdeithas y capel. Meddai Isfoel: 'Gwelais ef yn cymryd rhan lawer gwaith a dechrau yr Ysgol Sul neu'r Seiet gan ddarllen yn hyglyw a chlir, ac yn rhoi 'ffling' iddi ar ei liniau'. Hoffai ddadlau yn y dosbarth gan gymwyso'r adnodau at rywun neu rywbeth. Unwaith wrth drafod y pwnc a oedd yn seiliedig ar yr adnod 'y corff yn fwy na'r dillad', trodd at Dafi Dafis, teiliwr Pen-bont, a oedd yn eistedd ar ei bwys: 'Ai fan hyn gest ti, Dafi, fesurau fy nhrowser i?'

Y Parchedig Elfed Lewis yn ymweld â Chapel-y-Wig ar achlysur 'Cyrddau Mawr'. Yr ail o'r dde yn y cefn yw'r Parchedig Lewis Evans, gweinidog Capel-y-Wig, a gafodd ddylanwad mawr ar deulu'r Cilie.

Roedd patriarch y Cilie yn fariton da yn ei ddydd ac fe fyddai'n canu unawd yr anthem yn y côr. Canai unawd 'Teyrnasoedd y Ddaear' a gwneud hynny gyda graen. 'Buasai yn ymarfer a mynd drosti ar y maes, a minnau [Isfoel] yn porthi'r gwasanaeth'.

Bu helynt unwaith yng Nghapel-y-Wig pan oedd y gof yn aelod yno. Galwyd ef i gyfri yn y gyfeillach (fel roedd yr arferiad yn yr oes honno) a gofyn iddo sut y gallai gyfiawnhau mynd i 'Sioe Hewins'. Meddai'r gof, 'Gan mai Mr Evans, Cefn-cwrt, oedd arolygwr y sioe, yr oeddem yn falch iawn o'r cyfle i'w gynorthwyo a'i gefnogi. Ef yw ein harchoffeiriad ni yn y tabernacl hwn'. 'Mr Evans oedd prif golofn yr achos yn y Wig ac ni feiddiai neb godi cŵyn yn ei erbyn. Fe wnaeth y gosodiad hwn wedi ei lefeinio â thipyn o eironi syfrdanol yn ddiau,' meddai Isfoel.

Nid oes llawer o sôn am chwiorydd Jeremiah Jones. Roedd Rachel yn byw yn Stryd y Cei, Aberteifi, a phan oedd ei brawd mewn cystudd yn dioddef o glefyd y siwgr, cyrchwyd hi mewn trap a phoni i fyny i'r Cilie gan Tom (trydydd plentyn y Cilie) a bu yn ei wyliad tan ei farwolaeth. Bu'n deyrngar iawn i'r teulu ac yn gymorth arbennig i Mary Jones, ei chwaer-yng-nghyfraith.

Roedd Rosanna Jones, merch Rachel, yn ymfalchïo yn fawr yn ei thras. Pwy feddyliai mai ei mab hi (gor-nai Jeremiah), sef John James, Ficer Bladon a Woodstock, a fyddai'n trefnu seremoni gladdedigaeth Syr Winston Churchill. Wedi'r gwasanaeth gwahoddwyd ef i wledd angladdol yng nghwmni Dug Marlborough ac Iarll Blandford ym Mhalas Blenheim.

Rachel, chwaer Jeremiah Jones.

Rosie James, nith Jeremiah (merch Rachel ei chwaer), a'i meibion John a Dilwyn, llun a dynnwyd ym mis Medi 1918.

Dysgodd y tri brawd, John Emlynydd, Thomas a Jeremiah, grefft y gof yn efail eu tad ym Mhenybryn, a glynodd Thomas, y bachgen canol, wrth ei grefft drwy gydol ei oes. Yn ôl Isfoel, 'Deuai Wncwl Thomas, Bryndulais, Glynarthen, i fyny i Gilie yn aml yn ei gar poni. Dygai gydaid o hen bedolau hanner traul i'w gosod o dan draed y ceffylau ar y tir. Câi lond ei gart o wellt ceirch ac ysgubau ac ambell blet o wair i fynd 'nôl i'r fuwch a'r poni. Pan gychwynnai allan o'r clos nid oedd ond ei drwyn a'i farf i'w gweld gan ddweud, "Dyna Twm yn mynd adre at Mari"—neu un o'r lleill yn eu tro'. Bu yn briod dair gwaith, a lluniodd Isfoel yr englyn hwn iddo ar achlysur ei drydedd briodas:

Yr hen Dwm ar wan dymor—wedi rhoi
Dwy wraig dan y mynor—
Aeth ag arall i'r allor—
'Na i ti ffŵl—yn 'eighty four'.

Trwy gof a nodiadau Isfoel yn unig y medrwn greu bywgraffiad o frawd arall Jeremiah, John Emlynydd, ond roedd tebygrwydd amlwg rhwng y ddau frawd. 'Er i Jeremiah fod yn ŵr gosgeiddig, chwimwth ac ystwyth, nid oedd yn gadarn a pharhaol. Yn yr ystyr hynny, roedd ei frodyr John a Thomas yn ei guro o ddigon. Yr oedd John yn ddychryn bro yn ieuanc fel codymwr diguro. Ond goddiweddwyd John gan anap i'w fraich wedi ymladdfa yng Nghaerdydd pan oedd oddeutu ugain oed. Daeth adre i'r efail ym Mhenybryn â'i fraich ddehau mewn 'sling'. Nid oedd llawn ddefnydd o'i law ganddo drwy gydol ei ddyddiau. Aeth i ysgol Aberteifi i astudio ar gyfer gwaith athro . . . Y cof cyntaf sydd gennyf ohono yw fel 'Ewythr John' yn ysgolfeistr yn Abergorlech, cyn iddo symud i Genarth a Drewen. Cefais ei oriawr yn rhodd gan ei ferch Sue, ac ar honno wedi'i gerfio, 'Presented to Mr John Jones by his scholars and friends on his resignation of the mastership of Cayo Board School, Christmas 1882'. Arferai dreulio ei wyliau yn Aberporth yn aml, a deuai atom ni i Gilie am wythnos fel rheol . . . Yr oedd yn ddyn trwm, cyhyrog, cydnerth ac yn feistr ar y sefyllfa ple bynnag y byddai. Clywais amdano yn curo tri dyn yng Nghenarth a'i cyhuddai am bysgota yn y Teifi. Ni wn y manylion ond ei fod wedi bwrw dau ohonynt i'r afon—lle y cawsai'r trydydd fynd hefyd oni bai iddo roddi ei draed yn y tir . . . Cofiaf fynd gyda fy nhad ac yntau wrth ei hebrwng o orsaf Aberteifi (a minnau'n ddeg oed). Pwysodd ar y dafol ar y 'platform' ac yr oedd yn '245' (17 stôn 7 pwys). Yr oedd yn chwim ofnadwy ar ei draed, hyd yn oed yn y pryd hynny, ac yntau yn 47 oed, yn ei anterth. Bu yn ysgolfeistr hyd ei farw yn 1909 yn 65 oed. Tarawyd ef gan ddolur yn ei glun, ysbaid cyn ei farwolaeth, ond aethai i'r ysgol ar bwys ei ffon . . . Yr oedd 'F'ewythr John' yn cellwair â barddoni ond ni feistrolodd y cynganeddion yn llwyr. Mae gennyf rai englynion o'i waith ond digwyddiad fod llinell yn rheolaidd, er bod tinc cynghanedd yn y pellter (chwedl Cynfelyn). Ymddiddorai yn fawr yn y grefft a bu yn beirniadu mewn eisteddfodau lleol yn aml. Meddylid y byd ohono yn ardaloedd Llansawel, Farmers, Rhydcymerau a'r cylchoedd, ac ni fuasai 'steddfod yn llawn hebddo . . . Cyrchais ef o Aberporth i Gilie a'i hebrwng yn ôl amryw weithiau â cherbyd ceffyl. Un ofnus iawn o geffylau oedd. Cafodd godwm o gefn ceffyl rywbryd a byth er hynny ofnai farchogaeth a mynd mewn cerbyd. Yr oedd ei ofn ef arnaf innau hefyd . . . Yr oedd ei ddannedd yn ddi-fwlch ac fel ifori pan fu farw yn 65 oed. Cofiaf fel yr eiddigeddwn i wrtho ar ei wely angau—gweld rhes o ddannedd fel newydd yn ei ben a'm rhai innau mor fylchog . . .' Priododd ddwywaith a chladdwyd ef ym medd ei wraig gyntaf yng Nghaio ym mis Medi 1909. Daeth ei fab ieuengaf, John Newton, i amlygrwydd fel un o'r 'Big Five'—dewiswyr tîm Rygbi Cymru. Roedd yn gapten ar dîm rygbi Hwlffordd ac yn chwarae fel canolwr i Abertawe a Chymry Llundain.

Byddai Jeremiah yn ymhyfrydu ei fod o'r un enw â'i daid a chyfeiriai ato yn aml, yn wir yn fwy cyson, nag at ei dad ei hun. Mae Elin Williams yn ei thraethawd M.A. yn cyfeirio at lythyr Isfoel a ysgrifennwyd at ei thad, y Parchedig F. M. Jones, sy'n cyfeirio at 'strocen' fawr yr hen Jeremiah Jones, Cwm Du. 'Un tal, main, esgyrnog a bywiog ydoedd, hen filwr a fu'n ymladd yn y Crimea ac un o arwyr brwydr Waterloo'. Adwaenai Isfoel un o'i gyfoedion, a'i cofiai yn dda. Dywedir mai ef a saethodd y wiber fawr a ddisgynnodd ar dŵr y Castell yn Emlyn tua dechrau y ganrif flaenorol, a dyma'r unig strôc a wyddom o'i eiddo. Byddai Jeremiah Jones, wrth sôn am ei daid, wedi ymffrostio yn y stori hon. Roedd yn bwysig cael strôc wrth ei enw—dyna un ffordd o fesur cymeriad'. Gwisgodd Jeremiah Cwm Du hugan goch am ei war ac fe gerddodd allan i'r afon o dan y castell er mwyn rhoi ergyd farwol i'r wiber. Pe clwyfid hi yn unig, buasai perygl iddi ddisgyn ar y gelyn a'i ladd yn glec. Wedi iddo ei fodloni ei hun ei fod yn siŵr o'i sefyllfa, gollyngodd yr ergyd i'w chalon ac yn ddiymdroi suddodd i'r afon, a nofio o dan y dŵr gan adael yr hugan goch ar wyneb yr afon. Yn union deg neidiodd y wiber fel saeth gan ddisgyn ar yr hugan goch a'i malurio, er ei bod wedi cael ergyd farwol. Yn fuan iawn bu farw o'i doluriau a chariwyd hi i waered gan y cerrynt i un o'r dolydd. Anfonwyd cenhadon i rybuddio perchnogion anifeiliaid i gadw eu preiddiau rhag yfed dŵr o afon Teifi rhwng Emlyn a'r môr gan ei bod wedi ei gwenwyno gan y ddraig. Dywedid am y ddraig (neu'r wiber) pan oedd hi'n sefyll ar y castell fod ei chynffon yn chwifio yn ddiaros ac yn ysgubo'r llawr fel drysïen o flaen awel o wynt.

Adfail Castell Emlyn: oddi ar ei geyrydd y saethwyd y wiber gan Jeremiah Cwm Du (tad-cu Jeremiah Jones).

Dywedai Evan James (fferm Erwan, ger Llangrannog) fod hen wraig Dolgou (fferm ger Capel-y-Wig) yn y dref hwnnw, a dywedai fel y rhedent gan wau trwy ei gilydd i ymguddio. Diwrnod twym eithafol ydoedd, a chlywent sŵn y wiber yn yr awyr gryn amser cyn iddi ddisgyn . . . fel y clywn ni sŵn awyren cyn ei bod yn weledig. 'Bydded sylwedd, bydded chwedl,' meddai Isfoel.

Mae llawer o arbenigwyr sy'n ymddiddori mewn llên gwerin o'r un farn mai baner fawr yn cwhwfan o furiau'r castell oedd y wiber ddraig. Gweler erthygl yn *Y Cymrodor* (1923), 'History of Newcastle Emlyn to 1531' (Canon Griffith Evans).

Yn ei farddoniaeth, yn ei areithiau, yn ei ymarweddiad cyhoeddus, yn ei farn a'i weledigaeth, roedd Jeremiah Jones y Cilie yn adlewyrchu dyheadau a disgwyliadau ei gyndeidiau. Roedd yn gymeriad cryf a'i gyfraniad yn enfawr, a gwelir ei ddylanwad ar y drydedd a'r bedwaredd genhedlaeth.

Saith mlynedd o iechyd a gafodd Jeremiah Jones i ffermio'r Cilie oherwydd dechreuodd golli ei iechyd tua 1896. Trawyd ef gan y clefyd siwgr a bu mewn afiechyd am hir gan ychwanegu at orchwylion ei wraig yn ddirfawr. 'Gwnâi ei glefyd efe yn anfodlongar, magneithlyd a naturus yn wastad. Ni chawsai fwyta yr un math o fwyd â'r lleill, ac nid gwaith bach oedd gofalu fod gan ei briod fwyd yn y tŷ o hyd,' meddai Isfoel. Pan ddychwelai o'r cwrdd yng Nghapel-y-Wig âi'r merched yn eu tro i gyfarfod ag ef a rhoi basned o gawl iddo gan na fedrai fynd ymhellach na Phenlôn heb hoe a rhywbeth i'w yfed. Bu farw Jeremiah ar 10 Chwefror, 1902, ac yntau o fewn deufis i'w seithfed a deugain pen-blwydd. Roedd rhew ac eira mawr yn cuddio'r ddaear, a mi yn ugain oed yn wynebu gyda fy mam ar fyd newydd a dieithr—y tri boi bach yn ddeg, wyth a phump oed, a'm chwaer hynaf gartref yn 17 oed; a thair arall yn ei chanlyn. Cofiaf byth amdanaf yn mynd i Aberaeron y noson honno i gyfarfod â Fred fy mrawd — mewn cerbyd a cheffyl. Roedd yr heol yn llithrig a'r eira yn tywallt yn ddidor a boneddigaidd. Efe, Fred, yn cyrraedd Aberaeron am un o'r gloch y bore wedi talu rhywun yn arbennig o Aberystwyth am ei gludo i lawr. Ac roeddwn innau yn hanner cysgu ar y soffa pan gyrhaeddsom tua hanner awr wedi pedwar a'r hen Rachel (chwaer 'Nhad) yn serchog a mamaidd iawn,' meddai Isfoel eto.

Claddwyd ei weddillion ym mynwent Capel-y-Wig. Ar garreg ei fedd rhoddwyd y geiriau canlynol:

Er cof annwyl am Jeremiah Jones, Cilie, Llandysiliogogo

Gof, Amaethwr, Bardd.

'Fy neigr aeth o fewn y gro
Ar erchwynnau'r arch honno.'

Lluniodd Sioronwy soned er cof amdano:

Yn niniweidrwydd hogyn, bach yw'r co'
Amdano'n gawr yn dechrau colli tir;
Cyrchwn â'i stôl i'w ddilyn maes am dro
Tan wenau'r heulwen ambell nawnddydd clir.
Rhedwn i weld y defaid tros y lle
A bwydo yr ebolion gyda gra'n,
A brysio'n ôl â'r cronicl iddo fe
I'r parlwr lle'r eisteddai wrth y tân.
Bryd arall codai yntau gyda'i ffon
I edrych sut y rhedai'r fferm ei thaith,
A gweld ble'r oedd y bechgyn hyn ar hon—
A oeddynt hwy yn sticio gyda'u gwaith?
A'i gofio'n cau ei drem un bore Llun,
A chodi i'r angladd, fawr a bach, bob un.

Carreg fedd Jeremiah a Mary Jones, Mary Hannah, eu merch, a choffadwriaeth am John Tydu, eu mab, a gladdwyd yn Sultan, Ontario, Canada.

Mary Jones (George)

(8.9.1853–2.8.1930)

Noswyliai'n fodlon fel yr haul diffwdan.

Sioronwy

Ni welwyd ei henw gyferbyn ag un pennill, na chân nac englyn. Hi oedd y llaw a fu'n siglo'r crud, hi oedd yn cynghori yn awr yr argyfwng, hi a lywiai'r cwch yn y dymestl, hi oedd matriarch y teulu, hi oedd y fam i'w phlant ac yn fam i genedlaethau eraill; hi oedd yn fam i bawb.

Dywed Isfoel am ei fam: 'Gwraig araf, gall a chadarn yn ei mater, yn pwyso pob pwnc yn annibynnol ac yn canfod yn bell y tu hwnt i syniadau a gweledigaethau gwyllt ei chymar, a phan âi efe dros ben llestri weithiau, un gair o'i heiddo a'i lliniarai fel haul ar ymenyn, ac ni feiddiai ddadlau â hi ar unrhyw bwnc'. Fel y mae gwyn a du yn cyferbynnu â'i gilydd, felly roedd personoliaeth Mary Jones yn cyferbynnu â natur Jeremiah. Bu hithau fel catalydd i ddawn greadigol, os byrbwyll, ei gŵr ar brydiau, ac eto rhoddai sefydlogrwydd i'r berthynas. Roedd ei chadernid hi yn sail i'r bartneriaeth.

Ganwyd Mary Jones yn chweched plentyn i Thomas ac Ann Margaret George mewn bwthyn bychan o'r enw Parc-y-rhos, ger pentref Tre-main, Aberteifi. Ei thad-cu oedd y cerddor enwog Bartholomew 'Mathla' George, ar ochr ei thad. Etifeddodd nifer o blant y Cilie dipyn o dalent gerddorol y gŵr hwn. Trigai 'Mathla' mewn tŷ o'r enw y Wenlli ar dir Trefere ger Pen-parc, Aberteifi. Ar ddiwedd ei fywyd, aeth ei dŷ ar dân a llosgi'r cyfan a feddai, gan gynnwys ei lyfrau, 'y rhai a gasglasai trwy aberth dygn mewn prinder'. Dywed Mary George: 'Yr unig gof sydd gennyf am Mathla, fy nhad-cu, yw gweld dynion yn rhedeg trwy'r cae llafur i ddiffodd y tân. Roeddwn tua phedair oed pan fu Mathla farw'.

CERTIFIED COPY OF AN ENTRY OF BIRTH
COPI DILYS O GOFNOD GENEDIGAETH
WBCZ 000525

GIVEN AT THE GENERAL REGISTER OFFICE
FE'I RHODDWYD YN Y GENERAL REGISTER OFFICE

Application Number Y008180

REGISTRATION DISTRICT / DOSBARTH COFRESTRU: Cardigan

1853. BIRTH in the Sub-district of Llandygwidd in the Counties of Cardigan & Pembroke

No.	When and where born	Name if any	Sex	Name and surname of father	Name, surname and maiden surname of mother	Occupation of father	Signature, description and residence of informant	When registered	Signature of registrar	Name entered after registration
106	Twenty-sixth September 1853 Parkyrhos Tremain	Mary	Girl	Thomas George	Margaret George formerly Jones	Husbandman	x mark of Margaret George Mother Parkyrhos Tremain	First November 1853	George Devonald Registrar	

CERTIFIED to be a true copy of an entry in the certified copy of a Register of Births in the District above mentioned.
Given at the GENERAL REGISTER OFFICE, under the Seal of the said Office, the 22nd day of December 1993

Tystysgrif geni Mary (George) Jones, pumed plentyn Thomas a Margaret Ann Jones. Cofnodir dyddiad ei genediaeth ym Meibl mawr y teulu fel 8.9.1853, ond ar y dystysgrif geni fel 26.9.1853.

Dywedodd John Thomas, Blaenannerch (a Llanwrtyd), y cerddor a chyfansoddwr emyn-donau fel 'Blaencefn', 'Aberporth', ac eraill, fod arno ddyled fawr i Mathla, gyda pharchus goffadwriaeth. Siaradai'r Parchedig Thomas Jones, Llandysul, yn uchel amdano fel gweithiwr ac fel athro: 'Ar wahân i'w allu a'i dalent, y peth sydd yn fy synnu i yw ei sêl a'i ymroad eithriadol a'i frwdfrydedd llosgawl at y gwaith, a'i ddyfalbarhad trwy ei oes'. Mae'n debyg fod llais Mathla yn crynu'n enbyd iawn, y peth a eilw'r beirniaid yn 'tremolo'. Gellir dweud yr un peth am lawer o'r 'Georges' o fewn y teulu, meddai Isfoel, 'fel mae'n anodd penderfynu pa un ai canu neu chwerthin y maent'.

Nodwedd arall sydd yn perthyn i linach Mathla yw'r blewyn coch. 'Mae hwn yn go sicr o'i le fel pennau gwynion yr Herefords,' meddai Isfoel. (Gall llawer o'r 'Tyl' arddangos heddiw fwstás gochlyd a thyfiant ar hyd a lled y corff, gan gynnwys yr awdur!) Bedyddiwyd yr unfed plentyn ar ddeg yn y Cilie yn Simon Batholomew, er cof am yr hen Fathla, ac er mwyn dangos parch tuag ato.

Aeth Jeremiah Jones o Flaenannerch a Felin Wynt i'r Ferwig i ofalu am yr efail 'ar ei liwt ei hun', chwedl Isfoel. Lletyai yn fferm Heolgwyddil nid nepell o'r efail. Roedd Mary George ar y pryd yn forwyn yn Heol-las ar bwys, gyda'i hewythr a'i modryb (Capten Jones, brawd ei mam). Roedd y Capten yn ddyn defosiynol ac yn flaenor blaenllaw yng Nghapel Blaen-cefn. Yn Heol-las cyfarfu Mary George â'r pregethwyr teithiol, 'ac felly cafodd fy mam gyfle i sylwi ar arferion cenhadon y 'corff' yn fore. Cadwent ddyletswydd deuluaidd yn Heol-las bob bore, a phan fuasai cennad yn aros yno cawsai ef arwain y gwasanaeth . . . Yno, mi dybiaf, yr aeth fy nhad . . . yn llanc un ar hugain oed, o dan fantell y tywyllwch i ymarfer ei seiens fel carwr, ac â swyn ei delynegion a'i ffraethineb di-drai, yno y swynodd ac y denodd un o rianedd gorau'r wlad i gyfamod ag ef,' meddai Isfoel.

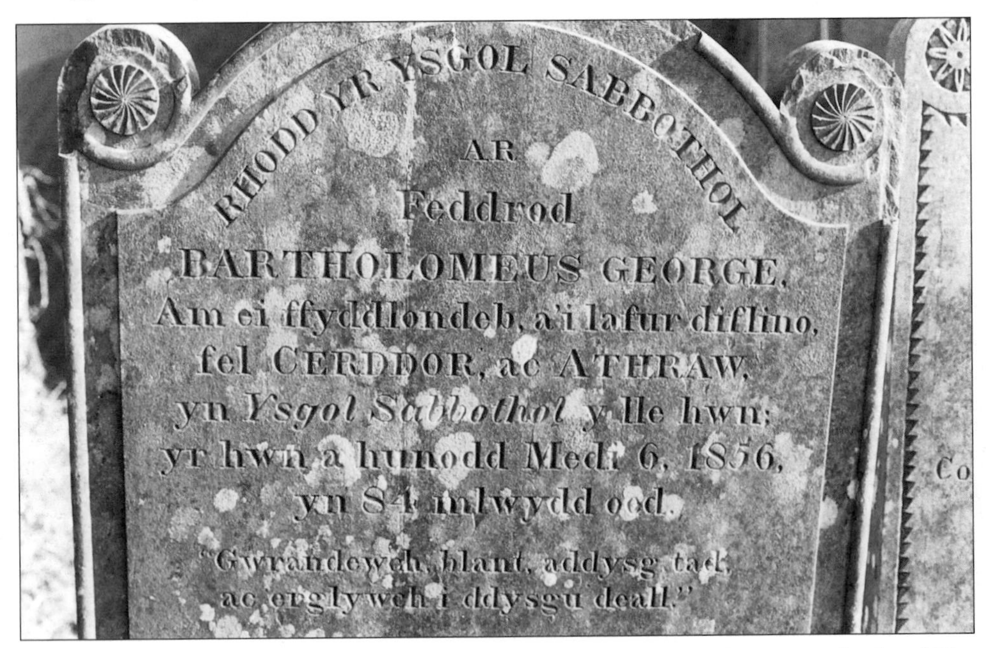

Carreg fedd Batholomew George ('Mathla'), tad-cu Mary (George) Jones, matriarch y Cilie. Fe'i claddwyd ym mynwent capel y Methodistiaid, Blaenannerch.

Fferm Heolgwyddil, Y Ferwig, llety Jeremiah Jones pan oedd yn of dibriod yn y pentref.

Cyflogid Mary (George) Jones fel morwyn am gyfnod gan ei hewythr, Capten John Jones, ar fferm Heol-las, Y Ferwig. Â Jeremiah Jones yn of yn y pentref, 'yma dan fantell y tywyllwch bu yn dangos ei seiens fel carwr'.

Priodwyd Jeremiah Jones a Mary George ar 26 Hydref, 1876, yn 'offis fach' Aberteifi. Cofia Isfoel am ei fam yn dweud fel y daeth bandyn yr olwyn ac yna'r olwyn ei hun yn rhydd wrth ddychwelyd o'r briodas. Bu'n rhaid i'r ddau gerdded dwy neu dair milltir ond beth oedd hynny yn yr adeg honno?

Ni fuont yn hir cyn cael tŷ ac efail—y 'Green Dragon' ym Mlaencelyn ar Fanc Elusendy rhwng Llangrannog a Chwmtydu. Dechreuasant eu bywyd priodasol ar Galan Mai 1877. 'Cawsant groeso mawr yn eu cymdogaeth newydd a phob cynhorthwy i osod eu pabell,' meddai Isfoel eto.

Ganwyd wyth o blant iddynt yn yr efail rhwng 1877 a 1888. Yr oedd buwch a mochyn ac ieir ganddynt a dau gae bychan a berthynai i dyddyn Brynhyfryd ar bwys, y cae lle saif Eglwys Dewi Sant yn awr, a'r cae y tu hwnt iddo. Yr oedd beudy bychan wrth dalcen yr efail a'r domen ar bwys a'r cyfan mewn lle cyfyng. Roedd Mary Jones wedi syrffedu ar y cyfyngder yma ac roedd yn ormod o waith iddi, felly symudodd y teulu i'r Cilie, a chael 'elbow-room diorwel'. '"Angen yw mam pob dyfais", a hwnnw a'n gwthiodd allan o'r diwedd . . . yn dorf gariadus,' meddai Isfoel yn ei hunangofiant, 'ynghyd â'n tipyn eiddo . . . Llwyth gambo o ddodrefn, dau wely, cwpwrdd, sgiw, nob, tair neu bedair o stolau, tegil a thebot, buddai gnoc, basgedaid o lestri a rhyw fân bethau eraill. Buwch a chaseg ac ebolyn, mochyn, hanner dwsin o ieir. Dyna ein holl arfogaeth i ddechrau stocio fferm fawr'.

Ar glos y Cilie, 1914-1915. Cefn (o'r chwith): Sue, Maude, Mary Hannah, Ann, Isfoel (a Siors yn sbïo drwy'r llwyni). Canol: Fred a Mary Jones. Blaen: Elfan, Enid, Rhiannon, Gerallt a John Alun.

Ychwanegwyd at y teulu yn nyfodiad y pedwar plentyn olaf i wneud nythaid o ddeuddeg. Trwy ddyddiadur Isfoel y dysgwn fwyaf am Mary Jones ac am ei nodweddion. Soniodd Fred hefyd am ei fam: 'Caem amser difyr iawn ar yr aelwyd wedi inni dyfu i fyny a dechrau gweithio i gyd: ac yr oedd Mam yn ymlawenhau ac yn ymloywi fel y deuai'r byd a'i bethau yn well a'r plant hynaf i gymryd tipyn o'r beichiau oddi arni. Ni fwynhâi neb yn well na hi pan fyddai 'steddfod fach wrth y tân ar hirnos gaeaf, ac yn aml iawn trawai hithau linell neu eidia i mewn gan chwerthin nes bod ei bol yn corco ar y sgiw'.

Lluniodd Sioronwy soned er cof am ei fam:

MAM

Cyntaf yn codi, ac 'rôl cynnau tân
Allan tan lofft y storws â'r coes brws:
'Dewch nawr, bois bach, mae hwn a hwn ymla'n
Yn 'redig ar y maes,' ond ni wnâi ffws;
Yna i'r 'sgubor gyda'i ffedog fawr
I gyrchu bwyd i'r ffowls oedd ar y clos;
'Rheini yn sgramio o'i hamgylch ar y llawr
Fel y taflai'r ymborth ledled mor jecôs.
Ac wedi cinio'n dirwyn yn brynhawn
Tynnai'r 'ford rownd' ymlaen i'r aelwyd glyd,
A chyda'i sbectol a'i gwniadur iawn
Pwythai i ffwrdd at reidiau'r dwylo i gyd;
A'r hwyr, 'rôl bwrw o bawb i drampio allan
Noswyliai'n fodlon fel yr haul diffwdan.

John George (chwith), brawd Mary (George) Jones, matriarch y Cilie, a'i gwmni yn atgyweirio'r ffordd ger Llundain (1917). Roedd yn byw yn Henllan, ger Llandysul.

Talodd Isfoel deyrnged uchel iawn i'w fam gan briodoli llwyddiant y fferm fel busnes yn gyfan gwbl iddi hi. Nid rhyfedd i'r Bois droi at farddoni a chreu diwylliant unigryw o'r cefndir hwn. 'Os oedd clod i neb am ein llwyddiant yn yr anturiaeth ar y fferm, i fy mam yn gyfan gwbl y bu hwn yn ddyledus. Gwyddai y cwbl a oedd i ddyn cyffredin ei wybod ynghylch anifeiliaid. Ei gair hi oedd yn derfynol ac wrth ei safonau hi y gweithredai fy nhad a ninnau oll . . . Wrth gwrs, yr oedd nhad yn anturiaethus di-ben-draw, ond hi a ofalai ei fod yn ddoeth pe gwrandawai. Er gwyllted oedd ei dymer, ni chlywais ef un waith yn rhoi anair i mam nac yn ei thrin ond gyda'r boneddigeidd-rwydd llwyraf—chwarae teg iddo. Yr oedd yn wybodus yn yr ysgrythur, yr hwn oedd yn gefndir iddi yn ei holl weithredoedd. Nid aethai nemor beth allan o'r lle am flynyddoedd ond arhosai adre i weld gwreiddyn y mater yn saff. Nid oedd dim o'r penchwibandod a berthynai i fy nhad yn agos ati hi, ond y sylwedd hanfodol a doeth bob amser. Hoffai ddifyrrwch ac adloniant cystal â neb, ac yr oedd yn meddu ar wit a hiwmor yn helaeth. Canmolai ni am ein gwaith bob amser a dweud y gwnaem yn well y tro nesaf o hyd. Yr oedd wedi ei thrwytho yn dda yn nyddiau ei hieuenctid. Clywais lawer o ardaloedd Blaenannerch a'r Ferwig yn dweud sut yr oedd yn flaenllaw gyda'r canu a'r adrodd pwnc yn y gymanfa ym Mlaenannerch, a'r fath beraidd lais oedd ganddi. Clywais hi yn canu lawer gwaith megis hwiangerdd, a hawdd oedd gwybod ei bod yn gantores . . . Treuliodd ei hoes mewn môr o waith hyd ei gwddf ac nid oedd hamdden iddi un amser. Y mae braidd yn anghredadwy y gallasai baratoi bwyd i

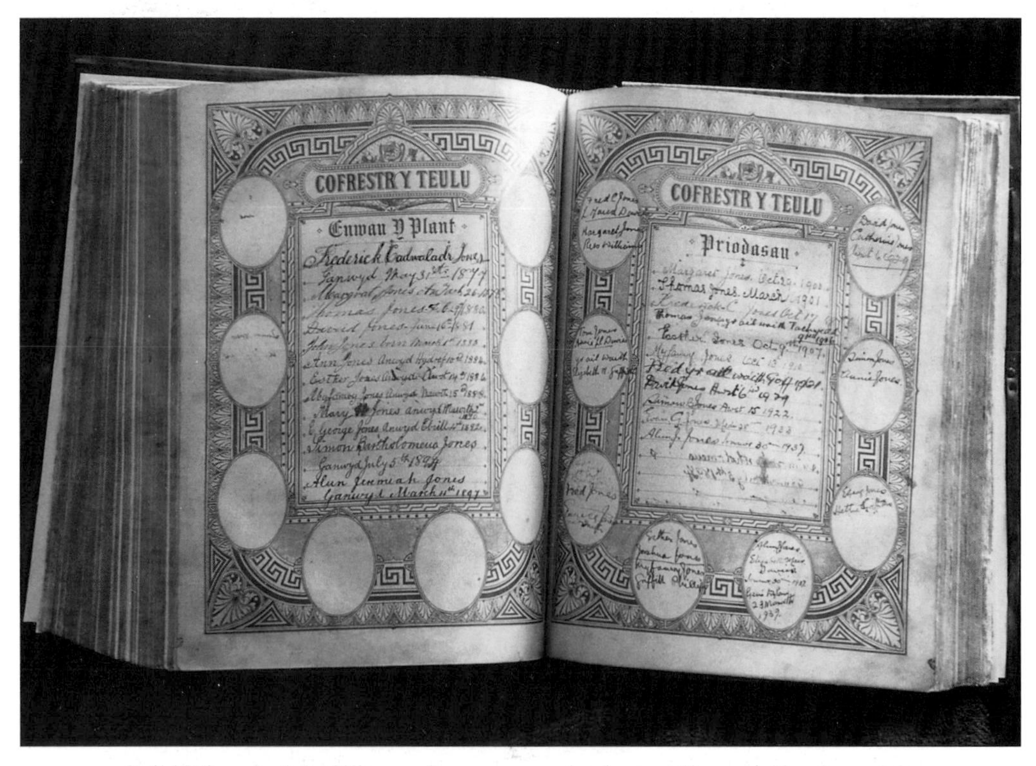

Beibl Mawr teulu'r Cilie, yn dangos enwau'r plant yn llawysgrifen Jeremiah, a dyddiadau priodasau.

bymtheg o ddynion bedair a phum gwaith bob dydd, pobi, golchi a gwneud menyn, caws a chorddi yn ddi-dor . . . Rhifais laweroedd o weithiau gymaint â hanner cant i dri-ugain o dorthau ar lawr y gegin yn oeri ar ddiwrnod pobi. Ac wedi i bawb arall orffen ei ddiwrnod buasai ganddi fasgedaid o ddilletach a hosanau i'w cyweirio hyd berfeddion nos'. Cofiodd Alun, yn 'Ffiolau', am y diwrnod pobi hwn:

Yn ddwyres lawn ar ford y gegin gefn
A'r anwedd brwd yn codi'n bêr ei sawr,
Bob hanner dydd yr oeddynt yn eu trefn
Yn barod i'r stumogus fintai fawr
Ddod yno i flasu eu llygadog rin
Ar alwad glaer brenhines yr ystâd
A wyddai beth, rhag dannedd llym yr hin,
I'w baratoi a fyddai'n rhoi boddhad.

Calon y Cilie.

Mary Jones ac Ann Boleyn,
ei merch.

Cofnodwyd teyrnged arall iddi gan ei gweinidog, y Parchedig D. D. Jones, Capel-y-Wig: '"Wel! Wel! Dyma bobl ddierth! Dewch ymla'n. Rwy'n falch iawn i'ch gweld chi . . . Welsoch chi Fred? Mae e ma's gyda'r bois rywle. Daeth e yma neithiwr o'r 'steddfod. Rwy'n disgwyl Simon yma hefyd . . . Mary Hannah, dewch i baratoi'r te. Mae'n siwr o fod eisiau bwyd ar y bobl ddierth yma. O! arhoswch dipyn bach, fe gewch fynd wedyn". Yna torrai'r wên o groeso a chwerthin iach. Gyda hamdden boneddigaidd a goslef llawn croeso y derbyniai chwi ar aelwyd y Cilie. Hi oedd prif garitor y teulu, dynes gref a hawddgar. Yr oedd yng nghanol ei theulu fel brenhines a deiliaid ei theyrnas yn ei hanwylo'n fawr . . . Bendithiwyd hi â chorff cydnerth, wyneb agored, cryf, a breintiwyd hi â gras a hiwmor. Yr oedd yn llawn doethineb a phwyll a synnwyr cyffredin . . . gyda'r nos, a'r teulu wedi casglu o gwmpas y tân, ceid pennill a thonc a stori . . . ac nid oedd gyflymach i weld ergyd. A hardd odiaeth oedd apêl y plant am ei barn hi ar bwnc arbennig, "Beth y'ch chi mam yn dweud?" . . . Yr oedd golau yn ei llygaid a gwyrddlesni ar ei hysbryd. Hefyd roedd arni stamp dinasyddion Seion y Salmydd, 'heb absennu â'i thafod, heb wneuthur drwg i'w chymydog' . . . Cadwodd ei hysbryd yn iach, ac ni chlywsom erioed fod ganddi elynion. Yn ei deall clir, ei hiwmor iach a chalon fawr garedig, hi oedd y noddwr mwyaf i deulu'r Cilie'.

Frederick Cadwaladr (Y Parchedig Fred Jones)

(3.5.1877–2.12.1948)

Y Plentyn Cyntaf

Mawr a doeth, mae'n Gymro da;
Ei iaith yw'r gair diwetha'.

John Tydu

Cofrestrir genedigaeth plentyn hynaf Jeremiah Jones a Mary Jones yn yr Efail, Blaencelyn, ar Fanc Elusendy, ym Meibl mawr y teulu—Frederick Cadwaladr. Enwyd ef ar ôl ei dad-cu a'i hen dad-cu ond ni wyddys o ble y daeth y 'Cadwaladr'. Ef oedd yr unig blentyn i dderbyn dau enw bedydd hyd ddyfodiad y nawfed, sef Mary Hannah. Roedd Fred yn dair, pedair a chwe blynedd yn hŷn na'i frodyr Tom, Dafydd a John. Dechreuodd yn ysgol Pontgarreg pan oedd yn dair oed a dangosodd gynnydd cynnar am ei fod yn ddysgwr rhwydd a chyflym a'i gof yn ddi-ball. Roedd yn grwtyn cadarn a chymesur, ac oherwydd sioncrwydd ei draed tyfodd yn rhedwr enwog yn ifanc iawn. Yn aml, a'r plant yn wresog yn eu gwelyau, clywent eu tad yn 'gweithio aden newydd i'r swch â dur ar ei blaen' a hynny yn aml ymhell wedi hanner nos. A phan alwai gwas fferm yn y bore i hoelio pedol neu 'bedoli ceffyl rownd', rhedai Fred i lawr i helpu'r gwas i gynnau tân yn barod ar gyfer yr adeg y deuai ei dad i mewn i'r efail. Nid oedd Jeremiah yn amyneddgar iawn â dwylo lletchwith a rhaid oedd dysgu'n gyflym. Câi Fred a'i frodyr geiniog weithiau am gario clocs gwragedd a merched Pontgarreg i'w pedoli yn yr efail a'u dychwelyd wedyn ar eu ffordd i'r ysgol. Wrth ddysgu 'gweithio hoelion' tyfodd Fred yn fachgen cryf ac roedd yn enwog am ei freichiau a'i ysgwyddau cryfion.

Cymerodd y gof ofal o fferm y Cilie ym 1888; symudodd y teulu yno ym 1889 a chodwyd efail newydd ar glos y fferm. Cofia Isfoel am ei frawd hynaf yn aredig ym Mharc Tan Foel, y Cilie, yn ddeuddeg oed gyda Gin a Brandi, y ddwy gaseg. Credai'r teulu y bu i Fred ddifetha'i lais drwy weiddi ar y ceffylau, a chlywai ei fam ef o ben Lôn Blaencelyn, ryw ddwy filltir i ffwrdd. Aethai Isfoel draw â'i ginio a gwnaethai Fred 'gwn-bwlet' iddo ar glos draw y Cilie yn adeg yr hwe. Ni fynychodd Fred ysgol wedi llwyddo yn 'Standard 6'. Credai Jeremiah fod ei fab wedi cael digon o addysg os medrai seiffro (gwneud syms). Ac yn nyddiau caru cyntaf Fred canai ei dad amdano,

Mae Fred wrth groesi'r Bothe yn dawnsio ar ei wên,
Fe dry y frân yn eos ym mhresenoldeb Jane.

Un gwyliau haf cytunodd Fred i fynd i fugeilio ar fferm Pennar ond ni pharhaodd hynny'n hir, oherwydd un Llun dychwelodd ar fachlud haul yr un diwrnod dan chwibanu . . . 'ac ni fu sôn am fynd i fugila byth ond hynny'. Gorchwyl cyson Fred yn efail ei dad ym Mlaencelyn oedd gweithio hoelion clocs. Yn ôl Isfoel: 'Ymffrostiai ei fod wedi pedoli clocs Ann Llaindelyn unwaith. Gwelais ef yn taro ambell bedol o dan geffyl weithiau yng Nghilie. Un waith yn neilltuol cofiaf, ac yntau yn dal ei law ei hun o dan y carn, iddo yrru'r hoelen i'w fys.' . . . Ac yn nyddiau cynnar ffermio yn y Cilie

Fred Jones.

Fred fyddai'n arwain y fedel ar y meysydd amser y cynhaeaf . . . Torrai fwy o led na'r un ohonynt, ac wrth rwymo cwynai yr un a fyddai ar do Fred. Rwy'n cofio Shincyn Lewis yn gofyn yn Parc Mowr, "Pwy dorrodd y lled yma?" Ac wedi dweud wrtho mai Fred ydoedd, atebai, "Hy! Yr hen eidon!"'

Yn y gyfrol *Hunangofiant Gwas Fferm* (o waith Fred) cyflwynir y gwaith fel hyn: 'William Newton Jones—his book, Cwmcoch yn plwy Llandyssiliogogo' ond gŵyr pawb mai atgofion Fred ei hunan oedd y cynnwys. Dywed Fred (fel golygydd) yn ei ragair: 'a phan na fo 'Bodfan' yn eu hegluro, mi ysgrifennais i nodiad . . . nad oes yng nghorff y llyfr un gair 'dieithr' nad yw ar lafar bob dydd yn ei ardal ef a ninnau.' Cofnodir fel yr oedd pethau yn yr hunangofiant: 'Clywn fy nhad yn llifannu ei bladur, a mam yn troi'r maen iddo. Wedyn drwy'r ffenestr, gwelwn ef yn cydio yn y goes a'r gader, yn curo'r cynion i ddal y bladur, ac yn symud y 'clacwyddi' i gymhwyso'r saethau . . . Het wellt gantel llydan oedd ar ei phen [Beti'r Ffynnon] a chryman yn ei llaw, ac ar ei ffordd i'r Llety i fedi gwenith . . . Dywedodd Dafydd wrthyf yn ei ffordd ei hun fod y cesyg yn geni mewn llai o funudau na'r Iddewesau yn yr Aifft. Roedd yn ddiwrnod mwygil (cynnes) yn y gwanwyn a ninnau'n llyfnu talar olaf y cae; mi welwn Hornet yn tindroi yn yr harnes ac yn anesmwytho. Yn ddisymwth dyma hi yn gorwedd. Cyn i Dafydd gyrraedd yr oedd yr ebol bach yn fyw ynghanol y cambrenni'.

Bu Fred yn gymorth mawr i'w dad ar y fferm hyd 1896 pan aeth am chwarter o ysgol i Ysgol Hughes y Cei. Bryd hynny ysgrifennodd at ei frawd Isfoel, gan ddweud:

> Ciliais ar ffrwst o'r Cilie
> I ysgol Huws i gael hwe (hoe).

Un o'i gyd-fyfyrwyr yno oedd Thomas Jacob Thomas (Sarnicol), ac mae'i ddisgrifiad o'r ysgol yn berthnasol iawn, fel petai drwy lygad Fred ei hun. Yn 'I'r ysgol ar lan y môr', meddai: 'Ar fore Llun yn niwedd Mai, dacw grwtyn pedair ar ddeg yn cychwyn allan o un o ffermdai bychain rhostir Ceredigion, a chwdyn gwyn ar ei gefn, yn cynnwys torth gymysg, ciltyn o gaws, darn o gig moch, a phwys o ymenyn. Y mae rhyw swllt yn ei boced; o'r swllt hwn rhaid prynu te a siwgr am yr wythnos, copïau, inc ac efallai bensil. Bydd y gweddill yn arian poced iddo. Yr wythnos nesaf, rhaid iddo fodloni ar chwe cheiniog; tair ceiniog am de a siwgr gyda Lisa'r London, dwy geiniog am bownd o siwgr yn yr un siop, a cheiniog i'w gwario ar oferedd . . . Festri yng Ngheinewydd, Ceredigion, yn llechu'n dynn yng nghysgod y capel, rhyw ddwsin o ddesgiau hir, hen ffasiwn, dau ddwsin o fechgyn, a dwy neu dair merch; desg yr athro wrth y wal, yn wynebu'r ystafell a'i chynnwys; dyna Ysgol Hughes . . . Amrywiai oedran yr efrydwyr o'r deuddeg i'r deg-ar-hugain. Y weinidogaeth, y môr, y swyddfa, yr ysgol ddyddiol . . . at y rhain yr anelai'r mwyafrif . . . Gŵr byr, cadarn, tywyll ei bryd, â'i war yn crymu ychydig gan hir astudio; gwefusau llawn, llygaid gwylaidd ond deallgar, locsen ddu a phrin, talcen llydan, a llais mwyn, ond awdurdodol, dyna'r athro, sef C. J. Hughes B.A. (Llundain) . . . Nid bychan o beth oedd ennill gradd prifysgol yn y dyddiau hynny, yn enwedig mewn lle mor ddifantais â'r Ceinewydd. Teyrnasai distawrwydd perffaith drwy'r ysgol; ni chaniateid i'r un ohonom sisial, hyd yn oed ei mensa, mensae, mensam . . . Astudiai pob disgybl ar ei ben ei hun, a phan gaffai anhawster âi at ddesg y meistr. Gelwir hyn heddiw yn Dalton Plan—y cynllun diweddaraf mewn addysgiant! Yr oedd Hughes wedi mabwysiadu'r plan, mi goeliaf, cyn i Dalton agor ei lygaid ar y byd . . . Clywem atsain o'r byd mawr, llydan, yn ystorïau'r llongwr; caem lên y wlad gan ambell hogyn a fuasai flynyddoedd rhwng deucorn yr aradr; a dysgodd rhai ohonom gynganeddu yng nghwmni rhyw lanc y troes ei awen gynnar ei wyneb ar y weinidogaeth [Frederick Cadwaladr oedd y llanc hwnnw]'.

Ysgol Ramadeg Ceinewydd.

Daeth Fred adref eto i weithio yn y Cilie am flwyddyn. Yn ystod y cyfnod hwn dechreuodd bregethu dan arweiniad gweinidog Capel-y-Wig, y Parchedig Lewis Evans. Dywed Isfoel i'r Gweinidog a rhyw Jones y Llwyni ddod i'r Cilie i chwilio am Fred—'Roedd Twm a minnau yn aredig ym Mharc Mawr, a chan mai Fred a welsont yn gorwe yn y gwellt—ef a gafodd y fendith!'

Bu Fred yn ddisgybl llawn-amser am ddau dymor gyda'i gyn-athro, C. J. Hughes, fel prifathro cyntaf Ysgol Uwchradd Aberaeron, ac yn Hydref 1899 fe'i derbyniwyd yn fyfyriwr yng Ngholeg Bangor. Roedd Isfoel yn cofio'n dda am ei hebrwng i gwrdd â'r 'carrier' (Josuah Lewis, Y Llain) i'w gludo i Aberystwyth drwy law a stormydd ac eira. Druan o'r hen geffylau! A phan ddychwelodd ar farwolaeth ei dad (12 Chwefror, 1902) roedd Fred yn hwyr yn dal y 'carrier' i'r Cei a bu'n rhaid hurio cerbyd o Aberystwyth i Aberaeron a chyrraedd adref am bedwar y bore.

Deuai llawer o'i ffrindiau coleg i aros yn y Cilie—Jim Davies (Pencader), E. G. Davies (Abertridwr), Sam Bowen (Peniel) a Wil Ifan. Roedd Wil Ifan a Fred yn gyd-letywyr ac efallai mai ef oedd yn bennaf cyfrifol am ei annog i lunio englynion a'u dangos i bawb! Oni bai am ddireidi Wil Ifan ni fyddai gennym heddiw 'Englynion yr Athrawon'. 'Darllenodd englyn doniol a sgrifenasai o barch i un o athrawon y Coleg Coch, ac yna paratôdd i ddod ma's gyda mi,' meddai Wil Ifan, 'am dro i'r Ffriddoedd fel arfer, minnau yn cloi drws ei ystafell arno ac yn dweud wrtho yr agorwn y drws ar ôl imi ddychwelyd pryd y disgwyliwn gyfres o englynion tebyg i anrhydeddu'r athrawon i gyd. Ac yr oeddynt yn barod pan ddeuthum yn ôl. Ymhen rhai dyddiau mewn cwrdd myfyrwyr yn y coleg gelwais ar Fred i ddod ymlaen ac adrodd y gyfres. Nid oedd yn fodlon eu dweud, ond ar un amod bendant, sef bod i bob copa ohonom addo na cheisiem gofio'r englynion. Ni cheisiodd neb eu cofio, yn un peth yr oedd y llinellau mor ddoniol fel o'r braidd y gallech lwyddo i'w hanghofio; peth arall yr oedd pob yn ail fyfyriwr â phensil yn ei law yn eu 'cymryd i lawr' gymaint byth. Y mae'r gyfres ddoniol ddiwenwyn ar dafod cannoedd erbyn heddiw'.

Y Parchedig Fred Jones, B.A., wedi graddio o Goleg Prifysgol Cymru, Bangor, ym 1903.

J. M. DAVIES
(ysgolhaig ond gŵr a wisgai olwg ddifrifol)

Dyn heb wallt, dyn heb wylltu,—a'i wyneb
Annwyl byth yn gwenu;
Sgolor dewr, Hebrewr o'r bru,
Abram wedi dadebru.

SILAS MORRIS
(athro dawnus, ychydig yn sych, efallai)

Selyf y doeth yw Silas,—un oeraidd
Araf mewn cymdeithas;
Swyddog Groeg wrth orsedd gras
A'i ddawn yn rhewi'r ddinas.

Dyma ragor o'i gyfansoddiadau yn Eisteddfod Coleg Prifysgol Cymru, Bangor, 1903-05:

Y CAP A'R GOWN (BUDDUGOL)
Go laes fel clog eglwyswr—yw y gown:
Lifrai gwaith myfyriwr;
A'r cap ar ben darllenwr
Fel bord wag ar gopa gŵr.

HIR-A-THODDAID I DR JOSEFF PARRY
I fynwes daear yn sŵn galaru
Aeth arwr cenedl ac athro'r canu,
Yr wyneb bodlawn a'r ddawn i ddenu,
E garai delyn, ei gôr a'i deulu;
Y Doctor, pen cerddor cu—a gloywsant:
O gau ei amrant, wyla, O! Gymru.

Un o brofiadau mwyaf cofiadwy Isfoel oedd ei seibiant o wythnos o wyliau ym Mangor gyda'i frawd Fred a dychwelyd gydag ef ar doriad tymor a blwyddyn coleg dros y gwyliau haf. Yng Nghilfachreda cychwynnodd y daith ar y fen, a dau geffyl chwimwth yn ei thynnu i Aberystwyth lle daliwyd y trên i Fangor. Ond ar orsaf Afonwen cyfarchwyd Isfoel gan Fred a 'gosgordd o geiliogod y coleg'—Wil Ifan, Sam Bowen a James Davies . . . a chwestiwn cyntaf Wil Ifan oedd: 'Beth yw'r englyn diwetha wnest ti?'

Roedd yr arholiadau ar ben ac nid oedd studio a gweithio o ddifri ar y rhaglen, 'fel crafion ar y maes cynhaeaf,' ebychai Isfoel. Arhosai yntau mewn 'digs' gerllaw'r coleg a galwai Fred i'w weld yn feunyddiol a chawsai fwyd a chroeso mawr, ond roedd un anhawster mawr ar brydiau—deall y dafodiaith! ''Da'ch chi wedi gorffen efo'r rwdins acw deudwch?' oedd un cwestiwn a gafodd dros fwrdd swper. 'Ni wyddem ar glawr daear beth oedden nhw,' meddai Isfoel. Bu Isfoel yn fyfyriwr gwadd mewn amryw o'r darlithoedd. Ac mewn un lle roedd Sais o Athro yn cyfeirio at gyfrifoldeb y myfyrwyr yn ystod eu gwyliau haf mewn gweddi ddwys. Dihunwyd yr ystafell gyfan yn sydyn gan gloc larwm croch a ganodd o fagiau un o'r bechgyn. Rhyddhawyd pawb o'u trwmgwsg a rhuthrodd pawb allan fel ebolion.

Yr Athro Henry Lewis,
Fred Jones a Syr John
Morris-Jones.

'Ni chefais siawns i loia â'r gŵr mawr ei hunan, Syr John Morris-Jones, ond fe'i gwelais ar gefn beic unwaith,' oedd un o'i atgofion. Ac ar ddiwrnod arall ar un o strydoedd y ddinas daeth dyn gwyllt, sionc a chwimwth at Fred ac Isfoel wrth iddynt gerdded ar y palmant. Wedi ei gyflwyno i Isfoel, meddai ar unwaith:

Dyna frawd, y dyn o fri,
Efo'r ddawn i farddoni.

'Dyna'r unig dro imi gyfarfod ag Eifionydd,' cofiai Isfoel, 'ond derbyniais lawer o gardiau post oddi wrtho'.

Wedi wythnos brysur, wahanol yng nghwmni Fred a'i geiliogod dechreuodd blinder ymyrryd ag Isfoel. Ac ar y Sul ola' fe'i trechwyd gan Siôn Cwsg yn y cwrdd boreol. Collodd y rhan fwyaf o'r bregeth ond pan ddihunodd yn sydyn roedd y plât casgliad yn llawn arian yn symud uwch ei ben. Trawodd y plât yn galed wrth ddod allan o'i hepian gan wasgaru'r cwbl dros y llawr, ac yn ystod y munudau dilynol bu Wil Ifan, â gwên fawr ar ei wyneb, ar ei bengliniau yn casglu'r cyfraniadau rhwng traed y gynulleidfa.

Gorchest fawr amlwg ym mywyd Fred oedd pregethu yn ysgubor Blaenbedw (Plwmp) pan adnewyddwyd Capel Crugiau yr Annibynwyr. Cafodd got o chwys ofnadwy ac meddai wedi gorffen: 'Rwy'n arfer chwysu yn yr ysgubor wrth weithio, ond dyma'r chwysfa fwya' ges i erioed!' Roedd O. T. Owen, Celyn Parc, dyn busnes lleol, yn cofio'r foddfa chwys yn iawn.

Fel llawer myfyriwr arall, dychwelodd Fred, wedi gwyliau haf yn y Cilie, i'r coleg, wedi anghofio ei sbectol, ond anfonwyd hi ato drwy'r post ynghyd â garduson (*garters*) ffasiynol ac englyn o waith Isfoel:

Dy hoff lasis 'da phleser—a bostiaf
Heb wastio dim amser;
A dau ruban India rwber—yn lle'th fod
Yn llawn annibendod llinynnau beinder.

Yr oedd Fred Jones yn ysgolhaig mewn Diwinyddiaeth a Chymraeg a graddiodd yn y Gymraeg ym Mangor ym 1903. Ac yn *Braslun o Hanes ac Atgofion Moreia, Rhymni*, mae Fred Jones yn cofnodi: 'cyn ymsefydlu yn Rhymni, yr oeddem yn rhy agos i Gymru i'w gweled ond wedi fy nwyn i'w therfynau gwelais hi fel nas gwelwn o'r blaen. Yr oedd yr iaith Gymraeg yn brwydro am ei hanadl a phob tad a mam yn cyfaddef yn gytûn nad oedd dichon cael eu plant i siarad Cymraeg wedi iddynt fynd i'r ysgol. Felly erthygl gyntaf fy ffydd newydd oedd—rhaid i'r ysgol siarad Cymraeg'.

Dyma ran o atgofion Fred Jones pan aeth 'ar brawf' i Rymni ac yntau yn fyfyriwr ar flwyddyn olaf ei gwrs: 'Cofiaf yn dda gychwyn o orsaf Bangor brynhawn Sadwrn tua diwedd mis Hydref 1905, i'm cyhoeddiad cyntaf ym Moreia Rhymni. Tywyllodd cyn i'r trên frysio trwy wastadedd Lloegr, o Amwythig drwy Henffordd i Pontypool Road. Yr oeddwn newydd gychwyn ar fy mlwyddyn olaf, a'r nos Sadwrn honno oedd i wawrio yn fore'r Farn arnaf, canys yr oeddem 'ar brawf', ac ni welswn ac ni chlywswn am y rhai oedd i'm barnu. Rhywle cyn cyrraedd Hengoed daeth i'r un cerbyd â mi yr unig un a adnabuaswn y prynhawn hwnnw, sef y Parchedig H. T. Jacob, yr hwn, mae'n debyg, oedd ar un o'i aml deithiau. Gwyddai am Moreia, Rhymni, yn dda, a sicrhaodd fi y gwyddai pobl Rhymni pwy oedd pwy a beth oedd beth—onid hwy a gawsai flaenffrwyth athrylith D. Silyn Evans, William Charles a J. J. Williams? Pe dywedasai yn ychwaneg fy mod i druan yn rhyfygu wrth fynd yno, mi a'i credaswn y nos Sadwrn honno, ond rhywbeth caredicach lawer a ddywedodd wrthyf'. Meddai'r Parchedig Rhys Bowen B.A. am gynefin y Rhymni: 'Ardal fryniog yw; rhyw lawnder llesg hen dir llwm, cymoedd culion, a nentydd bychain a geir yma. Tlawd ddigon yw cynnyrch y tir. *Yn* y bryniau ac nid *arnynt* y mae eu cyfoeth'.

Bu'r Cwrdd Ordeinio ar 22 Gorffennaf 1906, o dan lywyddiaeth y Parchedig R. E. Peregrine a'r Dr Lewis Probert a'r Parchedig Lewis Evans, Capel-y-Wig, yn pregethu yn y cyrddau, ond ni chymerodd Fred ei radd B.D. tan 1910.

'Y gŵr cadarn a welwch chwi gyntaf, efallai, ac yna fe'ch synnir chwi wrth weld pa mor ystwyth y gall cadernid fod. Nid oes nemor un o'n hysgolheigion sy'n barotach i droi i gyfeiriad pob golau newydd ym myd yr iaith, sydd mor agos at ei galon, ac yn neilltuol ym myd llên a dysg y Beibl. Iechyd ysbryd a chalon yw gwrando arno'n pregethu. Nid oes ôl paratoi ar ei frawddegau, ond yn yr ystyr fod byw am oes yn awyrgylch pethau gorau llawer llenyddiaeth yn baratoi . . , ac fel rheol y mae ganddo rywbeth sy'n pwyso'n drwm ar ei feddwl a'i galon—'braich yr Arglwydd' . . . Gofid i gyfeillion Mr Jones, yw na chymerodd ei ddawn farddonol yn ddifrifol iawn erioed. Fel y cydnebydd pawb, 'Fred' yw un o'r awdurdodau uchaf ar y gynghanedd a'r iaith yn gyffredinol. Digon yw dweud na chafodd Cymru nemor erioed feddwl mwy diwylliedig na chalon fwy eiddgar, na chymeriad mwy unplyg i'w gwasanaethu,' meddai Wil Ifan yn *Braslun o Hanes ac Atgofion Moreia, Rhymni.*

Bethania, Capel yr Annibynwyr, Treorci.

Derbyniodd alwad i weinidogaethu ar Fethania, Treorci, eglwys a chanddi dros 400 o aelodau. Am naw mlynedd bu'n weinidog ymroddgar ac effeithiol, ond estynnai ei ddiddordebau a'i weithgareddau ymhellach lawer na threfn bregethwrol y Sul, ei fugeilio a gweithgareddau traddodiadol y capel. Un o uchafbwyntiau'r flwyddyn oedd eisteddfod y capel. Cofiai ei nai, John Alun Jones, fod yn bresennol pan gadeiriwyd Dewi Morgan, a'r noson ganlynol, pan oedd Bethania dan ei sang wrth wrando ar Cynan yn darlithio.

Eisoes roedd wedi cynnal dosbarthiadau dysgu Cymraeg yn Rhymni, ond wedi iddo ef briodi, ei sylw oedd, 'diflannodd y merched ifanc i gyd o'r dosbarth'. Llythyrai Fred Jones yn aml yn y *Rhondda Leader* gan gyhuddo'r awdurdodau addysg nad oedd ystrwythyr adnoddau na gweledigaeth ganddynt i gyflwyno addysg trwy gyfrwng y Gymraeg. Cyhoeddwyd cyfres o lythyrau rhwng Fred Jones a phrifathro Ysgol Ramadeg Pentre. Bu Fred Jones hefyd yn ysgrifennu llawer am anghyfiawnderau cymdeithasol Cwm Rhondda dan y ffugenw 'Shâms y Bwlch' yn y cylchgrawn glofaol, *The Ocean Magazine*. Roedd ganddo golofn 'Gloywi'r Gymraeg' yn *Y Tyst* am beth amser pan oedd yn weinidog ifanc. Bu'n ddarlithydd i Ddosbarthiadau Allanol y Brifysgol am flynyddoedd yn Nhreorci a Gogledd Ceredigion, ac yn y dyddiau pan oedd bri mawr ar Ysgolion Haf yn Llanwrtyd, bu'n ddarlithydd yn y Gymraeg a'i llên yno hefyd.

Roedd Fred Jones yn cyhoeddi englynion a cherddi mewn cylchgronau yn achlysurol, er enghraifft:

AWGRYM

Arweiniwr cof ar unwaith—wna ddewin
O ddeall cydymaith;
Â dau air fe ddwed araith,
Geiriau mud yw grym ei iaith.

(*Y Geninen*, Hydref 1907)

NADOLIG
Y baban bach heb wybod—ei wên rydd
Yn nrws byd o drallod;
Yng nghôl ei fam angel fod
Yw y bychan dibechod.

CLOCHDY LLANDDAROG
Llanddarog, enwog iawn wyd,—yn uchder
Dy glochdy'th neilltuwyd;
Caer hirsyth yn creu arswyd
O Sir Gaer i'r sêr a gwyd.
(*Y Geninen*, Ebrill 1908)

Yn eisteddfod is-genedlaethol Gwent un Sulgwyn, enillodd y gadair am ei awdl, 'Llywelyn, ein Llyw Olaf'. Mae'n gadair hardd, gyda cherfiadau cymhleth, a chyfeirir ati ymhlith aelodau'r teulu fel 'cadair Hong Kong'. Tybed a gyflwynwyd hi gan Gymdeithas Gymraeg Hong Kong oherwydd hefyd ceir yr hanes fod mwy nag un o'r math yma o ddodrefnyn i'w cael.

Organ a phulpud Moreia, Rhymni.

Sul olaf Fred Jones ym Moreia oedd yr ail Sul o Chwefror, 1917. Ar ei ymadawiad â Moreia y daeth ef a'r teulu i wybod pa mor ddwfn oedd serch yr eglwys a'r ardal tuag atynt. 'Enillodd le cynnes iawn yng nghalonnau'r bobl, ac yno y myn aros . . . Mae'n llawn o hiwmor iach. Adroddir ei fabinogi gydag arddeliad a blas o hyd. Yr oedd digon o grwth a thelyn yng nghyfarfodydd y Cymrodorion, ac edrychid arno fel ymgorfforiad o ddiwylliant gorau ei wlad . . . Bu'n cynnal dosbarthiadau yn y Gymraeg ymhob cylch y bu'n weinidog ynddo, ac fe ŵyr pawb am ei wasanaeth i'r Eisteddfod a phopeth gwirioneddol Gymraeg,' meddai'r Parchedig Rhys Bowen.

Bu enw Fred Jones yn gysylltiedig ag ymdrechion i sefydlu plaid wleidyddol genedlaethol i Gymru cyn y digwyddiad pwysig yn Abertawe a Phwllheli. Yn dilyn ffurfio 'y Mudiad Cymreig' ym Mhenarth yn Ionawr, 1924, bu cyfarfod pellach yn Abertawe gyda'r tri sefydlydd gwreiddiol (Ambrose Bebb, G. J. Williams a Saunders

Lewis) yn bresennol, a phump o aelodau ychwanegol: Fred Jones, Ben Bowen Thomas, D. J. Williams, Mrs G. J. Williams a Mai Roberts. Sefydlwyd Plaid Genedlaethol Cymru yng Ngwesty'r Maes Gwyn, Pwllheli ar 5 Awst, 1925. Chwech yn unig o'r rhai a wahoddwyd a lwyddodd i ddod: Lewis Valentine, Moses Gruffydd, Saunders Lewis, D. Edmund Williams, Fred Jones a H. R. Jones. Etholwyd swyddogion: Lewis Valentine yn Llywydd, Moses Griffith yn Drysorydd, H. R. Jones yn Ysgrifennydd a thri arall yn aelodau o'r pwyllgor gwaith: Saunders Lewis, Fred Jones a D. J. Williams. Mabwysiadodd y cyfarfod hefyd deitl newydd, Plaid Genedlaethol Cymru, yn lle teitl Caernarfon, Plaid Genedlaethol Gymreig. Cynhaliwyd cyfarfod cyhoeddus y diwrnod canlynol yng Nghapel y Bedyddwyr, Stryd Penlan, Pwllheli am 5.30 p.m. a Meuryn, golygydd *Yr Herald*, yn gadeirydd. Siaradodd Fred Jones am yr angen i fynnu gwell triniaeth i'r iaith Gymraeg.

Ar nos Wener, 27 Mehefin, 1930, cynhaliwyd cwrdd arbennig gan Blaid Genedlaethol Cymru yn Abergwaun a chyflwynwyd Fred Jones fel siaradwr gwadd gan y Parchedig J. T. Job. Dyma grynodeb o'i araith, sy'n enghraifft o'i weledigaeth, ei benderfyniad a'i ddawn wrth baratoi araith i'r cyhoedd: 'Ni all dyn ddewis ei rieni na'i genedl. Eithr y mae ganddo ddewis p'un ai parchu ai difenwi'r rhain a wna. Y mae ugeiniau a channoedd o Gymry wedi bod, gellid meddwl, mor druenus o anffodus yn eu cenedl ac yn eu rhieni, nes gorfod treulio ohonynt weddill eu hoes i geisio eu gwadu mewn iaith ac mewn ymarweddiad. Eithr yn ddoeth neu'n annoeth gofalodd Rhagluniaeth mai methiant dybryd yn y gwaelod yw eu holl ymdrechion, er ymddangos iddynt, weithiau, lwyddo'n lew ar yr wyneb. Oherwydd, mewn gwirionedd, nid oes neb yn dlotach ei adnoddau na'r bastar ddyn digenedl. O wadu ei genedl ei hun, nid oes ganddo hawl i

A PEEP INTO THE FUTURE (ACCORDING TO THE REV. F. JONES).

Hunting the last of the English-speaking Welshmen.

—The Rev. Fred Jones, of Treorky, chairman of the National Union of Welsh Societies, is advocating compulsory Welsh and Home Rule for Wales with Sinn Fein methods to attain it.

Reprinted from the "Western Mail," Tuesday, May 15th, 1923.

ymfalchïo mewn dim perthynol i un genedl arall. Cardotyn diberthynas ar faes gwareiddiad yw . . . Y mae gan genedl, fel y sydd gan ddyn, ddau allu arbennig i'w symud, sef teimlad a rheswm. Yr enw arferedig ar sentiment dyn at ei wlad a'i genedl yw cenedlaetholdeb. Dyma un o'r pwerau grymusaf mewn gwareiddiad diweddar . . . Ond beth am y Cymro? Y mae ganddo ddigonedd o sentiment cenedlaethol. Gall chwythu ager ddydd Gŵyl Ddewi, a phob rhyw ŵyl arall, faint a fynno: ond heb beiriant rheswm i'w gario fawr ymhellach . . . Gwelaf y wasg Seisnig yn arllwys ei thoreth o lyfrau a phapurau yn rhad—Sul, gŵyl a gwaith—ar draws ein gwlad. Gwelaf gyfundrefn addysg Seisnig, ac nid oes ond dyrnaid bach o rai mwy diwylliedig na'i gilydd yn darllen dim Cymraeg . . . Gwelaf ryw druth o sylw i'r Gymraeg ar y BBC. Ac yna athrawon sydd â'u hiaith yn llaprau yn cael eu hystyried yn ddigon da i'w dysgu, a'r uchel awdurdodau ar ein pwyllgorau addysg yn edrych ar y cyfan yn gwbl ddigywilydd, a'r wlad yn gwbl ddifater. Bydd presenoldeb un Sais mewn pwyllgor o bymtheg yn ddigon i droi'r cyfan yn Saesneg. Hynny yw, y mae un Sais a llywodraeth Seisnig y tu ôl iddo yn gryfach na gwlad gyfan o Gymry heb lywodraeth Gymraeg y tu ôl iddi. Eithr, am na fentrodd ddefnyddio ei reswm am eiliad, y mae'r Cymro druan yn bodloni ar swatio'n ddyfnach yng nghwdyn ei sentiment'. Gelwid ef gan D. J. Williams, Abergwaun, yn Frederick Fawr, a chymerai D.J. ddiddordeb mawr ynddo oherwydd cysylltiad Emlynydd Jones, brawd Jeremiah'r Cilie, ag ardal D. J. Williams fel cyn-ysgolfeistr Abergorlech.

Bu Fred Jones yn briod ddwywaith. Priododd L. Maude Davies, merch hynaf y Parchedig a Mrs E. H. Davies, Llan-non, Sir Gâr, yn Nantgaredig ar 17 Hydref, 1906, a ganwyd pump o blant iddynt yn Y Rhymni—sef Gerallt, Rhiannon, Enid, Ardudfyl a Mari. Bu ei wraig gyntaf farw o'r 'Spanish influenza' ym 1918. Wedi symud i Dreorci yn weinidog ar Fethania, priododd ag Eunice E. Jones, merch y Parchedig a Mrs D. Rhagfyr Jones a oedd yn rhagflaenydd iddo fel gweinidog Bethania. Ganwyd pedwar o blant iddynt: Dafydd Rhagfyr, Frederick Morris ac Arthur (dau efaill) a Nest. Bu farw Arthur yn dair oed o effaith y frech goch. Bu Eunice mewn ysgol baratoi ym Milton Mount trwy ysgoloriaeth arbennig i ferched gweinidogion. Roedd un arall gymharol i fechgyn o'r un cefndir. Aeth ymlaen wedyn i Avery Hall College i dderbyn hyfforddiant ac i ennill tystysgrif athrawes. Dychwelodd i'r Rhondda a chafodd swydd fel athrawes babanod yn ysgol elfennol Treorci. Roedd ganddi ddeg a thrigain o blant yn ei dosbarth (beth a ddywedai'r undebau heddiw?). Ym 1926 ordeiniwyd Fred Jones yn weinidog ar eglwys Bethel, Talybont, Ceredigion.

Roedd y Parchedig Rhagfyr Jones yn awdur dau lyfr, un o'r enw *Y Llofft Fach*, hanes y llofft fach lle y cynhelid y cwrdd wythnosol yn Nantgaredig, a hanes brodorion yr ardal pan oedd yn weinidog yno. Cofia Dafydd am ei fam yn sôn am Kate Roberts ar y radio yn tystio am lyfryn *Y Llofft Fach* fel un o'r llyfrau a drysorai yn ei chasgliad a chyfrol roedd yn ei chyfrif fel llyfr llenyddol. Talodd yr eglwys gostau'r Parchedig Rhagfyr Jones i fynd i'r Aifft oherwydd cyflwr ei iechyd, ac yn dilyn y daith croniclodd ei brofiadau mewn llyfr o'r enw *I'r Aifft—ac yn Ôl*. Roedd dawn gerddorol ganddo hefyd, ac mae stori am Derec, ei ŵyr, pan oedd ef a'i wraig Miranda ar eu gwyliau ym Mryncroes, Llŷn. Daeth gŵr o'r enw Lloyd Morris i gartref Miranda gyda phroflenni detholiad o emynau ar gyfer y Gymanfa Ganu leol. Cyffesodd ei fod wedi llwyddo i gael hawlfraint yr emynau i gyd namyn un, sef emyn o waith rhyw Rhagfyr Jones. 'Fe gewch hwnnw nawr,' meddai Derec, 'fy nhad-cu yw e!'

Bethel, Capel yr Annibynwyr, Talybont.

Maesmor, mans y teulu yn Nhalybont.

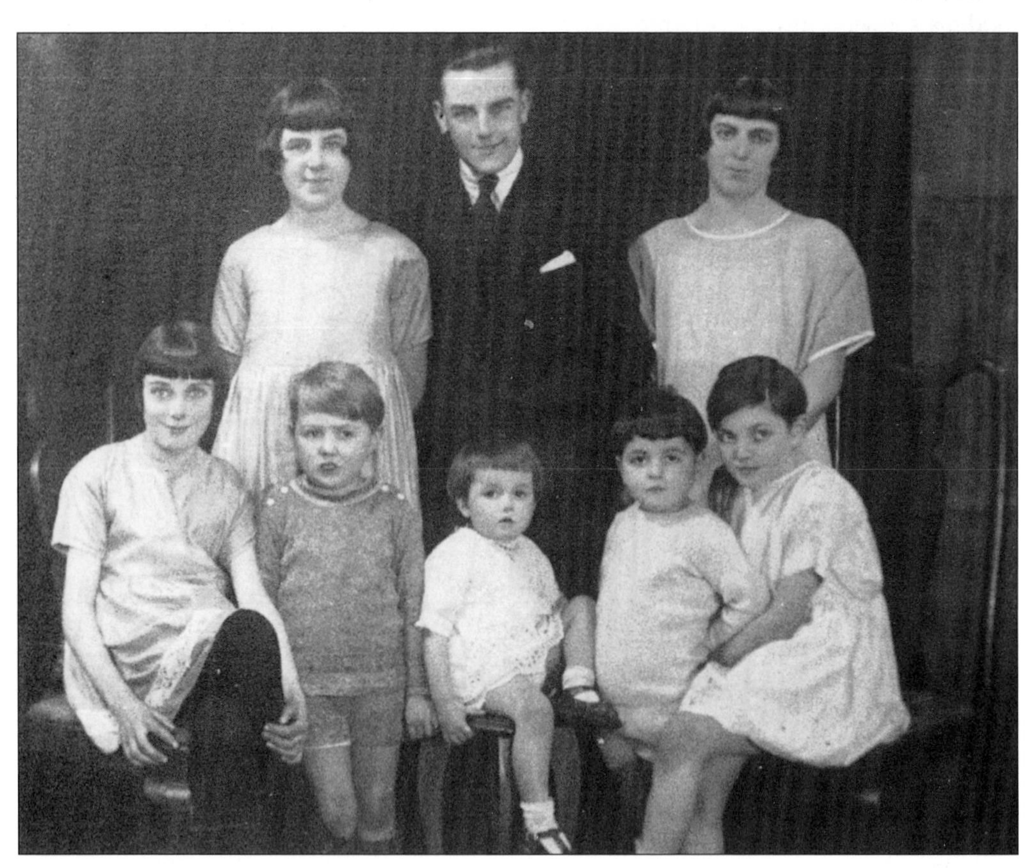

Teulu Fred Jones, drwy ei ddwy briodas, â Maude i ddechrau, ac wedyn ag Eunice. Cefn (o'r chwith): Enid, Gerallt, Rhiannon. Blaen (o'r chwith eto): Ardudfyl, Dafydd, Nest, Derec a Mari.

Uchafbwynt y flwyddyn i deulu Fred Jones oedd y mis o wyliau a gaent bob Awst ymhell o ddyffrynnoedd diwydiannol a gweithfeydd y de yn y Cilie lle nad oedd ond 'ffresni a glesni gwlad'. Byddent yn aros ym mwthyn 'clom' y Penplas, nid nepell o draeth Cwmtydu a thu draw i'r bompren gerllaw Felin Huw. Hen fwthyn adfeiliedig oedd Penplas a atgyweiriwyd gan Isfoel a'r cymdogion a'i wneud yn dŷ haf i'r 'efengyl' am lawer blwyddyn. Gwelwyd, heblaw am Fred Jones a'i deulu, lawer o gewri'r genedl yn galw yno ar eu taith i lan y môr yng Nghwmtydu. Yn Felin Huw, sydd o fewn ergyd carreg i'r Penplas, y trigai William ac Ellen Lloyd, a chanddynt bump o blant. Yng Nglandŵr, sydd ar yr ochr arall i afon Bothe, y trigai (Syr) Isaac Newton Davies a'i deulu. Adwaenid Ellen Lloyd gan ei chymdogion fel Lady Lloyd ac Isaac Newton fel Syr Isaac. Yn ôl tystiolaeth Elfan James Jones, Gaerwen, mab Esther, a oedd yn was bach yn y Cilie ar y pryd (ac a fu gydag Isfoel yn atgyweirio'r Penplas), bu i ddamwain ddigwydd wrth atgyweirio'r nenfwd. Cwympodd darn o'r to ar ben Isfoel ac yntau. Anafodd Elfan ei fraich, ond agorwyd pen Isfoel nes bod y gwaed yn rhedeg yn goch. Tra oeddent yn golchi pen y bardd uwch padellaid fawr o ddŵr o'r afon, digwyddodd William Lloyd ddod adref o'i waith, a phan welodd ben Isfoel uwch y badell, a'r dŵr yn goch gan waed, poerodd ar y llawr, a sibrwd yng nghlust ei wraig, 'Diawl, mae'i 'fennydd e wedi dod ma's, gwlei'. Bu'n rhaid rhoi'r gorau i'r gwaith o atgyweirio'r bwthyn canys yr oedd y pensaer â'i ben wedi ei rwymo â chadach gwyn a daeth tristwch dros fywyd y cwm. Ond er yr holl gymhelri, gwellhaodd y bardd a'i was bach, a chwblhawyd y gwaith mewn pryd i'r pregethwr a'i deulu gael treulio eu haf yn y bwthyn diarffordd. Bu'r hafau hynny yn bennod arbennig yn hanes yr hen gwm. Pan oedd Elfan yn rhoi'r llyfiad olaf o baent i 'styllod y palis, sylwodd ar lawer o bethau wedi eu sgriblan yno gan y bardd clwyfedig, a chyn rhoi'r brws drostynt, dysgodd ar ei gof y pennill a'r englyn hyn:

Dyma'r Penplas Castle, nid anniben sied,
Ond paradwys dawel i hiliogaeth Fred;
Cartref yr efengyl dros yr haf a fydd
I arwain Niwt ac Ellen i dragwyddol ffydd.

Y PENPLAS

Hafan glyd neu fyngalo—wnaed i Fred
A pharadwys iddo;
Daw â'i wraig yma am dro
I'w palas i epilio.

Yn ystod hafau plentyndod yn y Cilie cysgai Derec a'r bechgyn ar ganol llawr y dowlad ym mwthyn y Penplas rhag i'r eithin yn y to eu pigo. A phan gynheuid tân dan y simne lwfer yn foreol codai'r mwg drwy ystafell y llofft cyn dianc rywfodd drwy'r to a'r simne i lesni'r nen. 'Ni wyddai Mam faint ohonom wedd 'na ambell waith, ac yn y bore roedd rhaid codi neu fogi!' meddai Derec. Rhwng y gagendor yn y 'styllod o'i 'stafell ddirgel', clywai'r 'bois' yn gwneud trefniadau i gasglu cadair S.B. ar ôl ei lwyddiant cenedlaethol. Ac roedd tipyn o dynnu coes, a Siors, Alun ac Isfoel yn eu tro yn cyhuddo S.B. o ddwyn eu llinellau hwy. Roedd siâr o'r gadair i fod iddynt i gyd! Mae Derec yn cofio am Wil Ifan yn ymweld â'r Cilie yn aml, ac yn cofio'i sgwrs â'r bois hefyd: 'Y'ch chi, bois, yn troi'r dŵr dros y rhod weithie nawr? Ydych chi'n malu dipyn ar bethe?' Ymhen ychydig iawn byddent oll yn ymateb i'r ysgogiad telynegol.

Mary Jones, Mam y Cilie, a'i theulu ar glos y Cilie. Y tu ôl iddi mae Fred a Simon B., ychydig i'r dde.

Roedd Fred yn nofiwr cryf iawn, yn ail yn unig i'w frawd John Tydu. Treuliai lawer o amser yn cerdded dros yr hen lwybrau, ac yn nofio ar draeth Cwmtydu. Meddai ei fab, Derec: 'Rwy'n cofio am 'Nhad yn nofio ar draeth Cwmtydu. Pan fyddai'r teid mewn, wedd e ddim yn gweld y cerrig niferus. Roedd rhaid cerdded rhyngddynt a'r gwymon slic drostynt i gyd. Wrth nofio we ni'n gweld byse 'i dra'd, ei fola a'i drwyn. Fan'ny fydde fe am oesau; doedd e ddim yn siwr ble'r oedd e. Rwy'n siwr 'i fod e'n cyfansoddi pregethe a dwedodd unwaith ei fod e wedi nofio i Iwerddon a 'nôl!'

Byddai'n pregethu yn y capeli lleol yn ystod ei wyliau gan fynd a dod mewn trap a phoni neu yn ei fodur enwog (y Clino) pan oedd hwnnw ganddo. Gwnâi ymdrech arbennig unwaith y dydd i ymweld â'r Cilie, er mwyn blasu ei hoff fwyd—sopas a llaeth enwyn.

Ond nid oedd Isfoel yn meddwl llawer am safon gyrru ei frawd: 'Meddyliai Fred na allai neb yrru cerbyd fel efe, ac os byddai tomennydd ar ochrau'r ffyrdd odid fawr nad aethai'r olwynion dros bob un. Fe foelai'r cerbyd yn aml. Aethai hanner yr amser trwy'r clawdd fel hwch, a dywedwn yn aml pe rhoddai gryman yn sownd wrth ochr ei gar y gallasai drasho holl gloddiau'r sir. A hyd yn oed ar ddydd Sul mynnai ddwyno ei ddwylo gan eu tynnu dros olwynion—o hyd ac o hyd er gweled neu deimlo a oedd hoelen yn y teiyr'.

Un o gartwnau Wil Ifan am giamocs a chystadlaethau codi pwysau'r Bois ar ôl cinio ar glos y Cilie.

Roedd cysegr Capel-y-Wig nid yn unig yn ffynhonnell ysbrydol i'r teulu a'r ardal ond hefyd yn ganolfan ddiwylliedig a chymdeithasol, yn fangre addysg ac yn feithrinfa hyder a chymeriad. Isod wele raglen o wyth eitem ar hugain a oedd yn cynrychioli tair awr neu ragor o frethyn cartref a bwrlwm bro, o dan lywyddiaeth y Parchedig Fred Jones, a oedd ar ei wyliau haf yn y Cilie. Roedd aelodau o'r tylwyth yn amlwg iawn ymysg y cyfranwyr.

CAPEL-Y-WIG
(Cyfarfod y Plant, Awst 14 1913)
Llywydd—Yr Arolygwr
Arweinydd—Y Parch. Fred Jones

1. Araith gan y llywydd.
2. Anerchiadau gan y beirdd.
3. Côr y Plant—Arweinydd Ann Jones (Y Cilie)
4. Adroddiadau—Mary Jones, Ina Jones, Sarah E. Owen
5. Unawd—Annie C. Lloyd
6. Adroddiadau—Owen a John Jones, Frondeg
7. Dadl—Ryda Williams & Co.
8. Cân—Côr merched—Arweinydd Ann Jones (Y Cilie)
9. Adroddiadau—Gwenfron Owen, Owina Jones, Rachel Mary Jones
10. Araith gan Owen Jones, Cnwcgwyn, John Jenkins, Cnwcgwyn
11. Tôn—Tommy Davies
    Cystadleuaeth wit.
12. Cân—John Owen Jones a'i gwmni
    Beirniadaeth y wit.
13. Adroddiadau—Gwenllian Jones, H. W. Williams, Tom J. Lloyd
14. Dadl—Talu am law
15. Tôn—Annie a Grace
16. Adroddiadau—Gerallt a Tom Ellis
17. Côr plant—Arweinydd Ann Jones (Y Cilie)
18. Adroddiadau—D. W. Williams, L. C. Williams, Lizzie Mair Davies
19. Côr—'Nant y Mynydd'. Arweinydd Ann Jones (Y Cilie)

20. Adroddiadau—Tom Ellis, Sami Morgan, Nesta Gillies
21. Deuawd—George a Simon Jones
22. Drama—Miss Wyn a'i chwmni
23. Unawd—Annie M. Evans
24. Adroddiadau—Gerallt ac Annie Lloyd
25. Unawdau—Sarah Watkins, Lizzie Mair Davies
26. Deuawd—Mattie a Bessie
27. Triawd—Dau frawd a chwaer
28. Araith—John Jenkins, Cnwcgwyn.

Daeth sôn i ardal y Cilie fod Fred 'yn symud ei borfa weinidogaethol' o Dreorci i Dalybont, a phan glywodd ei fam, meddai: 'Jaco, fe ddaw'r hen ffwlcyn adre' 'to, gwlei'. Ordeiniwyd Fred yn weinidog ar eglwysi Bethel a Phen-sarn, Talybont, Ceredigion, ym 1926, a gofalaeth bellach ar Fethania, er na phregethai yno.

J. R. Jones, Talybont, ger capel Pen-sarn, Talybont.

Ar nos Fercher, 24 Tachwedd, 1976, trefnwyd noson o raglen deyrnged yn Neuadd Goffa Talybont i'r Parchedig Fred Jones, wedi ei chreu gan J. R. Jones, Talybont, a'i chynhyrchu gan Ithel Jones. Yn y broliant ar y rhaglen cofnodir: 'Ond nid ei gyfraniad fel Cenedlaetholwr a Chynghorydd yw'r unig reswm dros dalu teyrnged iddo, mae'n rhaid cofio hefyd ei fod yn weinidog cydwybodol a diwyd a gwnaeth gyfraniad i lenyddiaeth ddiwinyddol Cymru . . . Roedd e wedi'i drwytho'n y 'pethe' a gwnaeth gyfraniad gwerthfawr iawn trwy ei gyfansoddiadau llenyddol i fywyd diwylliannol ardal Talybont'.

Casglodd J. R. Jones rai straeon, atgofion a ffeithiau amdano. 'Fred Jones oedd y cenedlaetholwr cyntaf ar Gyngor Sir Ceredigion ac yn yr etholiad am y sedd honno yn Rhagfyr 1928 achoswyd cryn dipyn o gyffro (roedd ef a'i gyd-ymgeisydd, y diweddar Arthur Morgan, yn ben ffrindiau) ond y ffaith fod cenedlaetholwr yn sefyll lecsiwn, roedd hynny yn fwy nag y medrai llawer ei dreulio. Yn wir, cymaint fu'r berw nes yr ymddangosodd y pennawd yma yn y *Western Mail*—'Fierce County Council Electioneering at Talybont'. Mewn cyfarfod cyhoeddus yn Neuadd Talybont cyflwynodd Fred Jones ei anerchiad etholiadol o flaen cynulleidfa fywiog. Yn dilyn yr araith cafwyd cwestiynau profoclyd o'r llawr. 'A yw hi'n iawn erlid pobol o wlad arall sy'n byw yn ein plith?' oedd un cwestiwn, a dyma ateb Fred Jones: 'Yr hyn sy'n iawn â phobol o wlad arall yw rhoi addysg iddynt yn niwylliant a moesgarwch y bobol y maent yn byw yn eu plith, ac os etholir fi mi ofalaf fod 'clause' i mewn ei bod yn orfodol i'r gŵr a ofynnodd y cwestiwn i fynd i'r ysgol gyda'r bobol o wlad arall!'

Daeth cwestiwn arall o'r gynulleidfa: 'Onid gŵr sy'n gwybod am ffermio a ddylai gynrychioli'r ardal ar y 'County Council'?' Ateb Fred Jones: 'Bore 'fory am wyth o'r gloch dowch â dau bâr o geffylau ifanc Felix, un i mi ac un i'm gwrthwynebydd, a'r sawl a agoro y grwn cywiraf, bydded hwnnw yn gynghorydd!' Dyma fel y cyflwynwyd hanes yr etholiad yn y *Welsh Gazette*: 'The by-election to fill the vacancy on the County Council took place on Wednesday. The result was as follows: the Rev. Fred Jones BA. BD.—280; A. J. Morgan—204. The Rev. Fred Jones is the first member of the Welsh Nationalist Party to be returned to the County Council'.

Dechreuodd golwg Fred Jones ballu, ond bu ei wraig a'i blant yn gymorth mawr iddo wrth iddo baratoi ar gyfer ei aml alwadau. Byddent yn darllen emynau a'r Ysgrythur iddo ar y nos Sadwrn ar gyfer oedfaon y Sul ac yntau yn ei dro yn eu dysgu ar ei gof. Cofia Dafydd Rhagfyr amdano yn cael cais i ddarllen *Stout's Manual of Psychology* i'w dad, wedi derbyn cyfarwyddiadau ganddo fod y llyfr ar y drydedd silff a'r pumed o'r pen. Wrth gwrs, ar brynhawn Sadwrn braf ym Mehefin, roedd awydd Dafydd Rhagfyr i ymuno â'i ffrindiau ar y maes pêl-droed yn gryf. Felly defnyddiai lais undonog a chyn hir byddai llygaid y gwrandawr yn cau, a dihangai'r darllenwr mewn amrant. Ond wrth iddo ddiflannu dros glawdd yr ardd dôi taran o lais: 'Dere'n ôl i orffen y gwaith!'

Ymhlith y bobl adnabyddus ac enwog a fyddai'n galw ym Maesmor roedd Niclas y Glais. Deuai i Dalybont yn achlysurol i gynnal clinic mewn ystafell ffrynt gyferbyn â'r Mans. Ymwelai â thai pobl i dynnu ac i osod dannedd. Cofia Dafydd amdano yn mynd heibio i gapel Bethel un tro pan oedd gŵyl cyrddau mawr yno, a gofynnodd un aelod iddo trwy ffenestr ei fodur: 'O's chwant arnoch chi i ddod mewn i bregethu?' 'Beth y'ch chi eisie? Ddo' i mewn nawr. Mi bregetha i ar angladd y 'British Empire'!' meddai Niclas.

Galwai gweinidogion di-ri ym Maesmor i flasu cwmnïaeth gyfoethog Fred Jones. Drwy eangfrydedd ei ddiddordebau a'i hiwmor byrlymus, âi hanner awr yn deirawr heb i neb sylwi. Un o'r ymwelwyr cyson oedd y Parchedig W. T. Griffiths, Llandeilo, gŵr dibriod a hanai o Sir Fôn. Yn ystod un ymweliad, cytunodd i aros am baned o de a chwarter awr o sgwrs. Dywedodd, 'Mae rhywun yn y car. Ddaw hi ddim miwn'. Roedd pawb eisiau gweld y 'ddynes' ond aeth y chwarter awr yn ddwy awr. O'r diwedd, rhuthrodd pawb allan i'r Morris 8 i weld y 'wejen', ond er difyrrwch i bawb, llo bach ifanc oedd 'na. Unwaith, yn ystod Cymanfa Dair Sir ym Methel, Talybont, clywodd Dafydd Rhagfyr a'i frawd Derec fod awyren wedi glanio ar draeth Ynys Las. A rhwng y ddwy bregeth roedd Morris 8 y Parch. W. T. Griffiths yn rhy gyfleus, felly benthyciwyd y cerbyd a'i gychwyn, trwy wasgu botwm yn unig, gan y ddau frawd i fynd draw i weld yr aderyn rhyfedd, a dychwelyd yn ddianaf heb yn wybod i neb.

Oherwydd trefniadau pynciol y cwricwlwm o fewn ysgol Ardwyn nid oedd yn ymarferol i Ddafydd, ei fab, gymryd Cymraeg fel pwnc ar lefel yr 'Higher', felly ei dad fu'r tiwtor cartref gyda'r cwrs. Bu'r *Llenor* a'r *Beirniad* o'i lyfrgell eang yn gymorth mawr, ynghyd â gwreiddioldeb academaidd a gwerinol ei dad, wrth iddo baratoi ei draethodau. Roedd Eunice Rhagfyr Jones hefyd yn barod iawn i helpu'r plant â'u gwaith cartref, a hithau wedi bod yn astudio am gyfnod yn Lloegr cyn dychwelyd i ddysgu yn ysgol elfennol Treorci. Byddai Fred yn cario geiriadur poced Hebraeg-Saesneg-Cymraeg i bobman, ac oherwydd ei gefndir clasurol, byddai'n estyn cymorth cyson i fyfyrwyr coleg ac oedolion yn eu hastudiaethau. Ac roedd hefyd am gyfnod yn gadeirydd Llywodraethwyr Ysgol Ramadeg Ardwyn.

Lieutenant Ardudfyl Jones, yn ystod yr Ail Ryfel Byd.

Roedd Fred Jones yn heddychwr, a'i ddylanwad yn drwm ar lawer, ac yn enwedig ar ei fab, Derec. Cyhoeddodd y mab ei fod yn wrthwynebydd cydwybodol wedi derbyn galwad i ymladd yn yr Ail Ryfel Byd. Ymddangosodd o flaen tribiwnlys yn Aberystwyth yng nghwmni cyd-wrthwynebydd arall—Cledan Mears. Roedd ei dad a'r Parchedig T. E. Nicholas wrth law, ond gwrthodwyd rhyddhad o'r hualau a rhaid oedd ymddangos o flaen Bwrdd arall

Gerallt a John Alun Jones,
dau gefnder a dau gyfaill.

Dau frawd: Gerallt a Dafydd Rhagfyr Jones.

yng Nghaerdydd yn Neuadd y Llys Barn. 'Can you give me one reason why you should receive exemption and not fight for you country?' gofynnodd y cadeirydd. A chyn i neb ei gynghori, atebodd Derec, 'I haven't killed anyone yet'. 'Efallai na ddylet fod wedi dweud 'na,' ebychodd Fred Jones yn dawel. Cyflawnodd Derec waith dyngarol tan ddiwedd y Rhyfel.

Yn ystod yr Ail Ryfel Byd dysgodd Fred Jones Almaeneg, a gwrandawai'n rheolaidd ar newyddion hwyrol o'r Almaen ar yr hen *wireless*. Cymerai sylw arbennig o'r rhifau a nodid ar ddiwedd y rhaglen a'r wybodaeth am gyflwr a hanes aelodau'r lluoedd arfog. Un noson wedi'r 'News' gwisgodd ei got a rhuthrodd draw i un o gartrefi Talybont ac wedi cymharu'r rhifau deallwyd mewn llawenydd mawr fod mab y cartref hwnnw, Gomer Francis, yn fyw ac yn iach, er ei fod yn garcharor rhyfel yn Yr Almaen.

Roedd yn arweinydd naturiol a byddai'n llywyddu ar bwyllgorau a chyngherddau arbennig yn y neuadd. Gwahoddwyd y Parchedig Lewis Valentine i Dalybont ar ôl ei ryddhau o'r carchar yn dilyn gwrthdystiad Penyberth. Cyflwynwyd y gŵr enwog gan Fred Jones, ond roedd tipyn o sŵn yn dod o'r tu allan trwy ffrwydradau tân gwyllt. Cododd Lewis Valentine ar ei draed ac wedi diolch i Fred am ei gyflwyniad cyfeiriodd at y sŵn, 'A all rhywun fynd allan i weld beth yw achos y sŵn? Os ydyn nhw am dân, fe ddangosa' i iddyn nhw sut mae cynnau tân!' Wedi'r chwerthin tanbaid, cafodd wrandawiad arbennig o dda.

Cofiaf glywed Fred Jones yn pregethu yng Nghapel-y-Wig ac ni wyddwn nes i 'Nhad ddweud wrthyf ar ddiwedd yr oedfa ei fod yn ddall. Agorai'r *Caniedydd* a'r Beibl yn yr union fan y dymunai gan guddio ei anabledd. Defnyddiai ei synhwyrau eraill i'w gynorthwyo yn ei ddallineb, ac roedd ganddo chweched synnwyr i adnabod llais, hyd yn oed o bellter. Dyfeisiwyd 'prototype' o het iddo, sef dwy het wedi eu rhoddi ynghyd â phig arbennig i dynnu'r goleuni o lamp gref gerllaw. Hefyd torrwyd tyllau ym mhig yr het fel y gallai'r goleuni ddisgleirio wrth ei draed pan âi allan ar ei aml grwydradau dros lwybrau a heolydd culion yr ardal. Wedi damwain ar riw Penglais sylweddolodd nad oedd yn ddiogel iddo yrru rhagor, felly ar achlysuron arbennig byddai ei feibion Dafydd Rhagfyr a Derec yn ei rybuddio wrth yrru os oedd bws neu lori fawr yn dod i'w gyfeiriad.

Gorchwyl arall y byddai'r holl deulu yn ei gynorthwyo i'w gyflawni oedd ysgrifennu llythyrau. Byddai brawd alltud Fred, John Tydu, yn ysgrifennu ato o Ganada bell gan holi am newyddion teuluol a chenedlaethol o'r henwlad. Cofia Dafydd Rhagfyr (mab cyntaf Fred Jones o'r ail briodas) anfon amryw o lythyrau ar ran ei dad at John Tydu. Cynnwys y llythyrau oedd ateb y cwestiynau a ofynnid yn ogystal â holi am iechyd ac ansawdd bywyd ei frawd, ac ysgrifennai Dafydd hwy wrth i'w dad eu llunio ar lafar. Byddai Dafydd yn ysgrifennu ar ran ei dad at yr Athro John Hughes, ffrind Tydu ym Mhrifysgol McGill, Montreal, ac ar ei ran fel cynghorwr sir.

Ymddangosodd Fred ar raglen radio Wil Ifan ar y BBC gyda'i frodyr Simon, Dai, Tom ac Alun, a dyma sut y cyflwynodd ei hunan cyn darllen pwt o gywydd: 'Feddylies i ddim erioed 'y mod i wedi bod mor farddonllyd â hyn'.

A mi'n troi ym min y traeth,
Gwelwn ar weilgi helaeth
Wawr wen hyd hwylbren talbraff
A hefyd ar hyd y rhaff,
A llwyd ar wyneb y lli
Lun yr hwyl yn yr heli;
Gosteg gan bob gwaneg gaidd
A'r wyneb yn ariannaidd;
Eiliw gwawr y pali gwyn
Drosto mal ar wydr estyn,
Neu liain main ar y môr
Ar daen ar faen o fynor.
O dan draeth y don drythyll
Gwelw ei gwawr rhwng gwawl a gwyll
E lif dydd yn loywaf des
O'i mwnwgl dros ei mynwes.
Y don hon ga' dani hi
Dywod euraid i dorri;
Mae llun ei brisg mal llen brid
O aur a main mererid.

Alun a enillodd gystadleuaeth yr englyn i'r 'Hirlwm' yn Eisteddfod Genedlaethol Dolgellau 1949 ond roedd ei frawd Fred i mewn hefyd. Er mai blwyddyn marwolaeth Fred oedd hi, ac er ei fod yn gwbl ddall, roedd am ddangos nad oedd wedi colli dim o'i grefft a'i fedr fel cynganeddwr. Dyma englyn buddugol Alun:

Adeg dysgub ysgubor,—hir gyni
A'r gwanwyn hen esgor;
Y trist wynt yn bwyta'r stôr
Hyd y dim rhwng dau dymor.

A dyma englyn Fred:

O tan ddant gwywiant gaeaf—aeth toreth
Tiroedd y cynhaeaf;
Hin oer y gwanwyn araf
A gwewyr hir esgor haf.

Roedd Fred Jones yn feirniad cydnabyddedig ar lwyfan y Genedlaethol a thrwy Gymru gyfan. Ar fur cartref Edfryn Breeze, Glanhanog, Carno, gwelais englyn o waith John Thomas a wobrwywyd yn Eisteddfod Powys tua 1930 gan Fred Jones:

LLIDIARD Y MYNYDD
Llidiard uwchlaw llidiardau—a godwyd
I gadw'r terfynau
Ar fynydd oer ei fannau
A'i werth i gyd wrth ei gau.

Roedd hiwmor Fred Jones a'i atebion ffraeth yn ddihareb. Ac yntau un tro mewn Cyfarfod Chwarter ym Methesda Tŷ Nant pan oedd y radio yn cyrraedd i'r ardal, a'r plant i gyd adre ym Maesmawr, gofynnodd rhywun iddo: 'Oes "wireless" gyda chi, Mr Jones?' A'i ateb: 'Nac oes, 'does co'r un "wireless" ond ma' 'co lond tŷ o "loudspeakers".' Dro arall roedd Fred Jones yn cyflwyno'r gwahoddedigion mewn cynhadledd arbennig yn yr enwog 'Park & Dare' yn Nhonpentre. A pha ffordd fwy gwreiddiol na chyflwyno dynes o'r enw Dr Maude Roydon fel hyn: 'It is not a short man with a black beard, it is not a tall man with a red beard. She is not a man at all'. Stori arall yw'r cof am ymweliad Wil Ifan â Threorci. Aeth Fred Jones i lawr i'r orsaf i gyfarfod â Wil Ifan a cherddodd y ddau yn ôl tua'r tŷ lle'r oedd Wil Ifan i fwrw'r Sul. Daethant at y tŷ, agorodd Fred y drws a rhoi ei het ar y peg a gosod ei froli yn ei le cyn agor drws y gegin i gyfarfod â gwraig y tŷ. Ond er sbri mawr i bawb, roeddynt yn y stryd anghywir, ac yn y tŷ cyntaf y bu i Fred a'r teulu fyw ynddo flynyddoedd yn ôl. Ac mewn cynhadledd fawr arall i groesawu John Hughes (brawd y cerddor Arwel Hughes), rhoddodd Fred Jones bawb yn y cywair iawn drwy ei hiwmor iachus yn ei gyfarchiad agoriadol. 'I was asking a woman in the valley how she was faring during these hard times. "Oh, not so bad" (was the answer). "I've got two lodgers—and a Northman!"' Mwynhaodd John Hughes y stori yn fwy na neb.

Gwahoddwyd Fred Jones i gadeirio Pwyllgor Gwaith Eisteddfod Genedlaethol Treorci ym 1928, ond yn anffodus derbyniodd alwad i Fethel, Talybont, hanner y ffordd oddeutu'r un pryd, ac felly teithiai'n ôl unwaith y mis o Dalybont i Dreorci. Un tro collodd y bws yn Nhalybont ac fe'i hebryngwyd gan Lewis Morris, y ffatri wlân, i orsaf Aberystwyth. Roedd y trên yn diflannu yn y pellter ond gyrrwyd fel mellten ar ei ôl, ond ni lwyddwyd i'w ddal yn Llanfarian nac yn Nhrawscoed, er y llwyddwyd i'w ddal yn Ystrad Meurig. Cyrhaeddodd y teithiwr blinedig Dreorci i ddarganfod ei fod yno wythnos yn rhy gynnar!

Fred Jones a Wil Ifan, ar faes Eisteddfod Genedlaethol Caerdydd, 1938.

Enghraifft arall o'i ffraethineb ergydiol yw'r ateb a roddodd ar ôl siarad unwaith yn Y Bala, pan gododd un o'r gynulleidfa ar ei draed a gofyn yn wawdlyd: 'Pe deuai senedd i Gymru ymhle y byddai'r senedd honno?' 'Wel, frawd, os na fydd hi yn Nhalybont fe fydd yn Y Bala," oedd ateb Fred.

Fred Jones oedd yn gyfrifol, trwy ei safiad, fod y Gymraeg yn cael ei defnyddio am y tro cyntaf mewn llys ynadon yng Ngheredigion. Cuhuddwyd ffermwr lleol fod ei gŵn afreolus wedi bod yn cwrso defaid. Daeth cais i Faesmor (Y Mans, Talybont) i Fred fynd i'r llys i ddweud gair ar ran y cyhuddedig. Ni allai'r ffermwr ddeall y cyfreithiwr, ac ni allai'r cyfreithiwr ei ddeall yntau ychwaith, ac roedd cyfiawnder wedi dod i ben yn y fan honno. Gwahoddwyd Fred Jones i gyfieithu'r hyn a ddywedai'r ffermwr ond cyflwynodd ei dystiolaeth yn Gymraeg a gwrthododd wneud hynny yn Saesneg. Neidiodd y cyfreithiwr ar ei draed gan ddweud: 'The Rev. Jones is an educated man and is quite able to express himself in English. I don't understand the Welsh language; will he please . . .' 'No I will not speak in English . . . Mae e wedi ymgyfoethogi yn yr ardal am flynyddoedd ar draul ffermwyr cefn gwlad yr ardaloedd hyn a thrwy Gymru. Mae e'n disgwyl i Mr Parry ei ddeall, ond dyw e ddim yn barod i ddeall Mr Parry. Dwy' i ddim yn credu y dylwn i siarad Saesneg ag e, Mr Cadeirydd, a dwy' ddim yn credu y dylai'r llys 'chwaith.' 'O well then,' meddai'r cadeirydd, 'we must have an *interruptor*.' Ffrwydrodd y llys dan chwerthin.

Daw'r hanesyn canlynol o gof F. M. Jones, ei fab: 'Un prynhawn poeth ofnadwy es i fyny gyda 'Nhad i wasanaeth, a dim ond rhyw lond dwrn oedden ni i gyd. Ymysg y gynulleidfa roedd Mr Parry, Gwarcwm-bach, Mrs Thomas, gwraig a dau o blant o fferm gyfagos o'r enw Tai'r Arglwyddes, a theulu o Ben-sarn, rhyw wyth neu naw oedden ni i gyd. Nid oedd yna sêt fowr; roedd y pregethwr yn mynd yn syth i fyny i'r pulpud. Erbyn iddo godi'i destun, ymhen dim, ar ôl cinio trwm a thes y prynhawn, roedd pawb yn y gynulleidfa'n cysgu. Roedd Parry Gwarcwm-bach, bron â chwympo i'r ale. Fi oedd yr unig un oedd ar ddi-hun. Roedd y drws led y pen ar agor oherwydd ei bod hi mor dwym; roedd hyd yn oed yr iet fach ar agor o achos y gwres. Gwelais ddafad yn pipo mewn trwy'r iet, ac yn cerdded yn araf tua'r drws. A meddyliais, ''Na braf 'fyddai pe buasai hon yn dod mewn!' Yn wir, daeth i mewn, gan bwyll bach, heibio i Parry Gwarcwm-bach a Mrs Thomas a 'mla'n at y pulpud. Yn sydyn dyma fref bendant, 'Me-e-e-e', a phawb yn deffro. Tawelodd y proffwyd yn y man. Ar y ffordd gartre', gofynnais i 'Nhad yn fy noethineb, "Fydde hi ddim yn well pe base'r bobol 'na wedi aros gartre' i gysgu?" "Wel," medde fe, "'Falle na fydde neb wedi eu deffro nhw fan'ny!"'

Bendithiwyd Fred Jones â dawn fawr, ond ni phwysodd arni. Yr oedd yn rhy wreiddiol ei feddwl i fyw ar ei ddawn, a rhwng y gynhysgaeth a gafodd yn rhodd a'i athrylith wreiddiol ei hun, tyfodd yntau yn 'garitor'. Fel rheol, anian ddiffwdan mab y tir oedd ei bersonoliaeth ac nid anesmwythder llwyd mab y môr. Eto roedd cynnwrf y môr yn ei waed pan afaelid ynddo gan ryw neges fawr ar lwyfan, yn y pulpud neu yn y wasg.

Etifeddodd nwyd a natur annibynnol ei dad, hefyd addfwynder ei fam, ac roedd hiwmor a pharch at syniadau ei wrthwynebwyr yn rhan hanfodol o'i gymeriad. Roedd ganddo egwyddorion diysgog, ac roedd yn ddi-ofn yn ei farnedigaeth a chlir ei feddwl yn ei fynegiant. Medrai estyn cyngor a'i fynegi ei hun heb flewyn ar ei dafod, ond eto heb wenwyn. Ac efallai mai un o'i nodweddion pennaf oedd ei symlrwydd di-rwysg a'r ffordd y medrai guddio ei fawredd. Cofir amdano trwy'r ardaloedd y bu yn gysylltiedig â hwy fel gŵr o weledigaeth eglur mewn pethau ysbrydol, a chofir am ei gyfeillgarwch a'i ffyddlondeb, ei ddewrder a'i obaith mewn cyfyngder.

I oed ei dad y daw dyn
A'r gradd fel y bo'r gwreiddyn.

'Os ydych am osod gogwydd beirniadol arno,' meddai ei fab Derec, 'roedd yn mynnu ei ffordd ei hun o ddweud ac o wneud rhywbeth. Ni allech ragweld i ble'r oedd ei feddwl yn rhedeg wrth ddehongli testun. Roedd ganddo benderfyniad cadarn a'i weledigaeth ei hunan; doedd dim eisiau dilyn llwybrau neb arall arno. Hoffai ddilyn ei lwybrau ei hunan, fel petai'n mynd dros Ben Foel Gilie neu i lawr i Gwmsgôg. Ac mae'r annibyniaeth barn yn siŵr o fod o waed y 'tyl'—rwyt ti yn ei weld yn dod i'r golwg yn bur aml. Ni chewch ei wared e, mae e fel bwrlwm dŵr, os na ddaw e ma's fan hyn, ddaw e ma's fan draw'.

Roedd yn feistr ar gystrawen yr iaith Gymraeg ac roedd ei fynegiant yn bur ac yn llif naturiol. Un o'r pethau olaf a wnaeth yn ei ddellni oedd llunio crynodeb beirniadol o waith Barth, a gallai ddilyn athroniaeth a diwinyddiaeth o bob math. Nid amharodd diffyg ei lygaid ar ei arabedd na'i bersonoliaeth hardd. Un noson stormus, lawog a pheryglus roedd y Parch. Fred Jones yn llywyddu noson o ddramâu yn Neuadd Talybont ac yn ystod ei eiriau o ddiolch i bawb ar derfyn y noson, rhybuddiodd y gynulleidfa am fod yn ofalus wrth fynd allan i'r storm a'r glaw. 'Cydiwch yn eich gilydd,' meddai, 'a chynorthwywch eich gilydd yn y tywyllwch: fe wna' i yn burion. Rwyf fi yn fwy cyfarwydd ag ef nag y'ch chi.' Prin y buasai neb yn ei gwmni yn gwybod ei fod yn siarad â dyn a gollasai ei olwg. Roedd ganddo ddawn wyrthiol bron i adnabod pobl wrth eu lleisiau, a'i hoff bleser oedd troedio ar hyd ffyrdd cyfarwydd Talybont wrtho'i hunan. Cerddai am filltiroedd bob dydd heb ddibynnu ar neb i'w arwain.

Fred Jones yn eistedd yn y gadair a enillodd yn Eisteddfod is-genedlaethol Gwent, Sulgwyn 1912, am ei awdl 'Llywelyn ein Llyw Olaf'.

Yr oedd pob un o weithredoedd Fred Jones yn amlygu ei gariad at Gymru a'i llenyddiaeth. Ar y mur yn ei ystafell roedd llun o John Morris-Jones, ac er na allai weld y darlun, deuai gwên dyner i'w wyneb pan soniai am ei gyn-athro a'i arwr. Gŵr arall a daflodd gysgod ei genedlaetholdeb yn drwm arno oedd Michael D. Jones a oedd hefyd yn addurno mur ei stydi.

Bwriad Gerallt (ac S.B.) oedd cyhoeddi cyfrol goffa i'w dad ac roedd 'Hunangofiant Gwas Fferm' i fod yn gnewyllyn i'r llyfr a detholiad o'i farddoniaeth a pheth atgofion. Ond collwyd yr 'Hunangofiant' ar wahân i rai penodau a ymddangosodd yn *Y Llenor* ym 1926 dan olygyddiaeth W. J. Gruffydd. Wedi marwolaeth S.B. ym 1964 a'i weddw Annie ym 1972, aeth llawer o'r deunydd a gasglwyd ar gyfeiliorn. Gwerthwyd llawer o lyfrau S.B. ar ocsiwn a dosbarthwyd eraill ymhlith perthnasau Annie Jones. Derbyniodd Sim Jones (fferyllydd yn Aberporth) gist o lyfrau ac yn eu plith y daethpwyd o hyd i sgript wreiddiol 'Hunangofiant Gwas Fferm'. Ni wyddai Sim Jones ddim amdani nac am ei phwysigrwydd, a dangosodd hi i Dic Jones. Gwelodd yntau ei phwysigrwydd a thynnodd sylw T. Llew Jones ati. Sylweddolodd yntau ei gwerth a throsglwyddwyd y deunydd i Gerallt Jones. Ni fu yntau'n hir, wedi cysylltu'n ofalus â'i ewythr Alun, cyn cyhoeddi'r hunangofiant ym 1977, ynghyd â rhai darnau eraill.

Yn ôl Isfoel, wrth alaru am ei frawd: 'Yn ddiamheuol yr oedd ef y caredicaf o blant dynion. Hoffai fynd dros y ffordd i wneud cymwynas. Rwyf fi fel un yn teimlo colled fawr o'i golli. Aml iawn y bûm yn danfon i ofyn cyngor ar ryw bwynt neu arall mewn gramadeg, iaith neu rywbeth a'm petrusai. Ac ni fethodd ateb gyda'r troad. Nid yn unig ateb y pwnc arbennig, ond pamffled mawr yn ôl at wraidd y mater. Ni bu neb parotach mewn pethau bychain'. Lluniodd ei fab, Gerallt Jones, y soned hon iddo:

I GYFARCH FY NHAD
(Fred Jones yn 70 mlwydd oed, 1947)

Yn nyddiau gwirion f'anwybodaeth ddoeth
Pan oeddem ni ein dau ar daith ynghyd,
Myfi'n ddi-hid wrth afradloni'r byd,
Tithau'n gadernid gwên a gair yn goeth,
Agoraist lawer clwyd i feysydd gwell,
Mynych i'r ffos y'm ceid â'th chwilgar law,
A chael dy warchod drosof, er pob braw,
Yn llais dy weddi'n daer ar draethau pell.
Ac wrth dy ganlyn drwy'r anialwch blin,
O hirbell, gan mor ddewr yw sang dy droed
Ar 'sgythrog greigiau a siglennydd llaith,
Mi gaf y ffordd er anwadalwch hin
A gwelaf, fel y gwelaist ti erioed
Yn eglur, Dŷ ein Tad a phen y daith.

Brawd a chwaer:
Frederick Morris ac Enid.

Tair chwaer, tair nyrs:
Mari, Nest ac Ardudfyl.

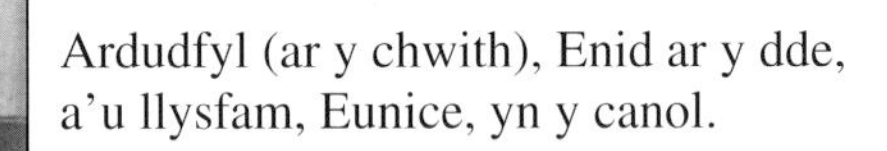

Ardudfyl (ar y chwith), Enid ar y dde,
a'u llysfam, Eunice, yn y canol.

Odyn Galch Cwmtydu, ar ddiwrnod gwasgaru llwch y diweddar Enid Jones-Davies dros eithin a grug Banc Caerllan. Yn y llun, y tri brawd (o'r chwith i'r dde): Dafydd Rhagfyr, Gerallt, Frederick Morris.

Cafodd Fred Jones oes hynod o iach. Ond meddai Isfoel: 'Ni chlywais iddo ddioddef nemor i bwl o salwch ac eithro pwl o'r parlys yn ei wyneb pan oedd yn Ysgol Huws yn y Ceinewydd, a gwellodd yn llwyr o hwnnw heb adael dim ôl arno'.

'Rhai misoedd cyn ei farwolaeth daeth i aros i'r Cilie cyn mynd i angladd ei gyfaill, y Parch. James Davies (Pencader). Yn ystod y gwasanaeth yr oedd golwg angheuol ar ei wyneb a gwelwn bobl yn troi at ei gilydd yn y capel—a gwyddwn beth roeddent yn ei ddweud. Trethai'r straen ar ei holl gyfansoddiad'. Cawsai driniaeth at y dŵr ac wedi anhwylder pellach bu farw yn Ysbyty Ffordd y Gogledd, Aberystwyth, ar 2 Rhagfyr, 1948.

Ymddangosodd y sylwadau canlynol yn y *Western Mail* yn dilyn marwolaeth Fred Jones: 'A dyma air alaethus yn ein cyrraedd fod y Parch. Fred Jones wedi ein gadael, un o broffwydi praffaf y genedl, gwir ysgolhaig, pen bardd, gŵr o egwyddor, a'r digrifaf o blant dynion'. Yn ôl y *Western Mail* eto: 'The Rev. Fred Jones, Talybont, Cards., who died last week after having been blind for a number of years, was one of the best-loved and finest characters of Wales. He was one of the famous bards of Cilie—a member of that gifted family, all of whom spoke two languages, Welsh and cynghanedd. An hour or two before he died, Fred was told that his brother Simon had come to see him, and he inquired, "Seimon ai ti sy' yma?"'

Gorwedd ei weddillion ym mynwent Capel-y-Wig, ac ar ei garreg fedd gwelir y cofnod: Fred Jones, Y Cilie, 1877-1948. Gweinidog yr Efengyl yn Rhymni, Treorci, Talybont Ceredigion. Ysgolhaig a Gwladgarwr,' a'r cwpled:

Oer yẁ rhew ar war heol,
Oerach yw 'mron don yn d'ôl.

Bedd Fred Jones yng Nghapel-y-Wig.

Ymddangosodd llawer o deyrngedau i'r Parchedig Fred Jones mewn papurau newydd, cylchgronau a rhaglenni radio a hefyd o bulpudau a llwyfannau. Dyma ddwy deyrnged gan ddau o'i ffrindiau agosaf.

'Un o broffwydi praffaf ein cenedl, ysgolhaig gwych, bardd da a'r mwyaf gwerinol a dynol o ddynion,' meddai Wil Ifan.

Ac yn ôl D. J. Williams: 'Credaf, gyda llaw, ei fod yn un o'r siaradwyr cyhoeddus gorau dros ei achos yng Nghymru. Yr oedd rhadlonrwydd ei wedd, sadrwydd cysurus ei safiad ar lwyfan, a'i arabedd heintus yn llusgo'r gynulleidfa ar ei ôl y ffordd y cerddai. Nid y dadleuon yn gymaint oedd yn cyfrif, bellach, ond personoliaeth anorchfygol y dadleuydd . . . Ond o'r dydd cyntaf y cwrddais i â'r Parchedig Fred Jones, teimlwn fod ynddo ryw gynneddf a oedd yn gallu goglais pob tant yn fy enaid'.

Lluniwyd y cerddi coffa hyn iddo:

ENGLYNION COFFA (FRED JONES)

Dug Duw weinidog diwyd,—a rannodd
O'i riniau drwy'i fywyd;
Gorwedd tan las y gweryd
A'r ddawn fawr heddiw yn fud.

Gŵr meddylgar, a'i gariad—diwyrni
Dros deyrnas ei Geidwad;
A mawredd ei gymeriad,
Wron glew, yn darian gwlad.

Brawd oedd, a'r ddawn brydyddu—yn deilwng
O dalent Cwmtydu;
Ar fainc y Cyngor a fu
Areithiwr mwy yn traethu?

Rhoes i'w oror ei orau,—ei gwerin
A garodd, a'i bryniau;
O dras gwych heb rodres gau,
A rhin yng ngair ei enau.

Gapel-y-Wig, O pa le—i orwedd
Fel erwau ei gartre',
A'i hun hi dan nawdd y ne'
Ag awelon ei Gilie.

J. R. Jones (Talybont)

TRANNOETH

(Wrth gofio mynd ymaith fy nhad—Hydref 1948)

Anghofiais mai ddoe, a'r coed i'w brig
Yn melynu, dy ddodi ym mynwent y Wig,
Cans chwilio a wnaethwn y ffordd bob darn
Amdanat o'th Fethel i Soar, Pen-sarn.

Dychwelyd a chael bod y stydi yn weddw
A'r miloedd cyfrolau mewn unigedd chwerw,
Eu cyfan yn tystio, bob rhes yn ei lle,
I'th gariad at Gymru a Theyrnas y Ne'.
Nid oeddit ychwaith ar y briffordd hir
Gyda glannau'r môr i Gyngor dy Sir.
Anghofiais mai ddoe, a'r dail yn gadau
Ar ben Pedair Lôn, dy roi i dy dadau.
Yfory, chwilotaf yng nghyfrol *Cerdd Dafod*
Ac yno y byddi gerllaw yn ei thrafod;
Fe'm tywysi'n foddog trwy olud hon
Yn d'afiaith i'm dysgu tan hudlath 'Syr John'.
Bydd cyfrin dy lafar a pharod dy dôn
I rannu o farn Goronwy o Fôn.
A thrennydd, i'r llwybrau o'r Cilie i'r cwm,
Ac er y bydd rheiny wedi glasu'n drwm,
Ac adar y nefoedd yn y coedydd i'w brig,
Bydd melys gwnsela ar y ffordd tua'r Wig.

Gerallt Jones

O flaen cynulleidfa fawr yng nghapel Bethel, Talybont, dadorchuddiwyd cofeb i'r diweddar Barchedig Fred Jones B.A. B.D., gan ei weddw, Mrs Eunice E. Jones. Llywyddwyd yr oedfa gan y Parchedig E. J. Owen, Caernarfon. Ar y garreg ceir y geiriau canlynol:

I goffáu y Parch. Fred Jones B.A. B.D., 1877-1948. Gweinidog yr Eglwys hon a Soar, Pensarn 1927-1948. Llenor, Diwinydd, Arweinydd. Gwas da i Iesu Grist.

LLINACH FREDERICK CADWALADR (FRED)

Frederick Cadwaladr

Elizabeth Maude (gwraig gyntaf)	Eunice (ail wraig)
Gerallt	David Alun Rhagfyr
Rhiannon	Frederick Morris ac Arthur (dau efaill)
Enid	Nest
Ardudfyl	
Mari	

Noson Cyngerdd 'Dafydd Iwan a Chyfeillion Chwarter Canrif', Pafiliwn Corwen, Gorffennaf 1988. O'r chwith: Telor Hedd Iwan, Ardudfyl Morgan, Lowri Ceredig, Llion Tegai Iwan, Dafydd Iwan, Elliw Haf Iwan, Ithel Davies, Elizabeth Gerallt Jones, Mari Raw-Rees, Nest Humphreys.

Rhiannon Markey, merch Fred, yn dangos llwyn bychan o'r shili-ga-bwd, y planhigyn y canodd Isfoel delyneg amdano.

Margaret (Williams)

(22.11.1878–28.10.1910)

Yr Ail Blentyn

Ysgwyd law, hi ddaw ddwywaith.
John Tydu

Ganed hi yn ail blentyn a merch hynaf Jeremiah Jones a Mary Jones ar aelwyd Banc Elusendy (Blaencelyn). Ac ar yr achlysur hapus lluniodd Huw'r Felin, Huw Davies, yr ysgolfeistr lleol, englyn iddi:

Geneth i Mari gu anwyd—yn heulwen
A sylwedd i freuddwyd;
Jeremiah—cana, cwyd
Dy eilun ar dy aelwyd.

Yr oedd bedair blynedd ar bymtheg yn hŷn na'r cyw melyn ola'—Alun Jeremiah. Wrth i'r teulu gynyddu yn gyflym, a Mary Jones yn esgor ar ddeuddeg o blant mewn ugain mlynedd, cynyddodd hefyd ei dyletswyddau a'i chyfrifoldeb hithau, a bu'n gymorth mawr i'w mam. 'Merch dda weithgar oedd hithau,' medd Isfoel, 'wedi byw ei hoes yn ddiwyd ac er lles i'w theulu'.

Tra bu'n y Cilie achubodd Marged fywyd ei brawd lleiaf, Alun, pan gwympodd i mewn i lyn y fferm. Bu bron â boddi, a derbyniodd fwy o sylw na'r cyffredin oddi wrthi hi wedi hynny. Eto o gofiant Isfoel: 'Archai fy mam i Marged fynd allan ar y Sul yn fynych iawn i weld beth oedd y bechgyn yn ei wneud, ac aethai ar glap yn ôl yn onest a diniwed iawn, ac ni wyddem ni fod dim yn digwydd. Gofynnai iddi—"Beth mae Tom yn ei wneud?"—"Gweithio stic a chat." "Beth mae Dai yn ei wneud?"—"Chwarae bwtwne." "Beth mae Jac yn ei wneud?"—"Chwarae whitan." "Beth mae Fred yn ei wneud?"—"Darllen gwlei . . . nage . . . chwarae *marbles*." A dyna ddechrau gofid wedyn!'

Yr oedd Marged o bryd golau, ac yn hynny o beth yn wahanol i'r bechgyn. Perthynai iddi wyneb crwn, llon, a natur hawddgar a charedig a etifeddodd oddi wrth ei mam sydd mor nodweddiadol o'i llinach hefyd. Roedd Marged yn aelod gweithgar o'r gymdeithas—ffyddlon i'r cysegr yng Nghapel-y-Wig, yn aelod o gôr merched y capel, ac yn mynychu dosbarthiadau pobl ieuainc yr ardal dan hyfforddiant i wneud menyn, caws, gwyntyll a basgedi.

Gadawodd Marged y Cilie ar ôl priodi Rhys Williams ar 29 Hydref, 1900, a dyna un 'forwyn' yn llai i helpu ei mam ar yr aelwyd. Roedd yn ddwy ar hugain oed ar y pryd, ac aeth i fyw gyda'i gŵr i Felin Huw, Cwmtydu. Arferai Alun, ac yntau ond yn bedair oed, redeg i lawr i Benrhiwrhedyn bob dydd a gweiddi nerth ei ben tuag at y Felin a orweddai i lawr ym mherfeddion y cwm, "Dere 'nôl, Marged, dere 'nôl, Marged". Cymaint oedd ei hiraeth, fe wnâi hyn yn ddyddiol. Eto nid oeddent yn byw ond rhyw filltir oddi wrth ei gilydd.

Ger Felin Huw, rhennir Cwmtydu yn ddwy—Cwm Bothe a Chwm Dewi. Roedd y felin yn brysur iawn a mantais fawr oedd fod yna gyflenwad o ddŵr i droi am fod yna ddau lyn yn arwain iddi, a byddai'r malu yn gallu mynd ymlaen ddydd a nos. Defnyddid y dŵr o un llyn tra llenwid y llall. Cofiai Isfoel am ei dad, Jeremiah Jones, yn rhoi piniwn deri yn y rhod na fyddai yn dod i ben am ganrifoedd ac yntau wedi cyrchu y darn deri mewn cert a cheffyl o Raeadr, ger Plumlumon, a'r daith yn ôl ac ymlaen yn cymryd pedwar diwrnod.

Nid yn unig yr oeddent yn malu'r grawn ond yr oedd yna odyn i grasu'r llafur os byddai yn llaith. Gwaith y ffermwyr eu hunain oedd crasu'r llafur a chyrchu'r bonau eithin, onnen a deri at y gwaith. Treuliai'r melinydd, ei feibion, a rhai o'r ffermwyr lleol lawer noson yn Felin Huw yn malu'r gynos a gogrynu'r blawd barlys at wneud bara, a'r blawd ceirch a'r sucan at wneud uwd. Noson i'w chofio fyddai'r noson 'shimli'. Meddai Isfoel: 'Deuai'r gweision a'r morynion ynghyd i grasu'r gynos ac oddeutu'r tân mawr cawd storïau, adrodd barddoniaeth, penillion a limrigau ac ambell faled cyn i bob un hebrwng ei feinwen adre a'i chadw yn dwym wresog trwy elltydd a chymoedd Pantyrynn, Pendderw a'r Cilie'.

Adeiladwyd gwagar mawr uwchben y lle tân, a symudid y grawn ar ei hyd a'i led gan offeryn pwrpasol. Codid y meini unwaith bob blwyddyn i'w 'cogiddio' a'u hail-wneud yn arwach gan forthwylion arbennig. Dau saer coed (i godi'r garreg falu) ac un saer maen a wnâi'r gwaith glanhau, a gwneud y meini'n fwy garw oherwydd y byddent wedi llyfnhau wrth falu'r grawn.

Margaret a Rees Williams.

Gan fod masnach cigydd gan Rhys Williams hefyd, yn aml byddai'r malu yn mynd 'mlaen pan oedd allan yn gwerthu'r cig. Roedd lladd-dy ar glos y felin. Eto adeg y Nadolig byddai'r ffermwyr yn dod â'u ffowls i'r Felin. 'Roedd gan fy nhad gontract â chwmni Griffiths Bros., Cigyddion, Abertawe. Gwyddau a hwyaid oedd fwyaf poblogaidd, a chymerai ddiwrnod i'w pwyso, eu pacio, a'u cludo i Landysul mewn cert a cheffyl i ddal y trên. Cychwynnem am bedwar o'r gloch y bore, taith diwrnod i fynd a dychwelyd,' meddai John Etna Williams, mab ieuengaf Marged a Rees Williams.

Felin Huw, Cwmtydu. Tynnwyd y llun ar ôl i'r hen bont gael ei golchi ymaith gan lif a chyn i'r ail bont gael ei chodi. Wrth ochr y felin y mae'r rhod ddŵr a adeiladwyd gan Isfoel. Yn y pellter y mae'r lladd-dy.

Dosbarth gwneud menyn Llwyndafydd, ar ddiwedd y bedwaredd ganrif ar bymtheg. Mae Marged Jones y Cilie yn y rhes flaen, y ferch gyntaf ar y dde.

Pan fyddai'r llynnoedd yn cael eu gwacáu caent helfa fawr o frithyllod, naill ai yn y 'plwmp' (lle yr arllwysai'r dŵr o'r llyn) neu ym mhwll y rhod. Roedd y ddwy afon yn llawn brithyllod a hefyd 'llyn y morllyn' ar draeth Cwmtydu.

'Nid gwaith yn y Felin yn unig oedd yn ein gwneud yn brysur,' meddai'r Capten D. J. Williams (mab Marged a Rees Williams), 'ond yn y gaeaf byddai'r ffermydd a'r tyddynnod oddeutu yn lladd eu moch. Codai pob fferm ddeuddeg i ugain o foch tew (yn pwyso tua deunaw sgôr yn farw) a byddai fy nhad yn brysur iawn yn lladd y moch, o un fferm i'r llall. Byddai bron bob tyddyn hefyd yn magu un neu ddau at ddefnydd y teulu. Wedi eu lladd a'u torri (haneru) byddai Thomas Jenkins, Siop Castell (Derw Stores ar ôl hynny) yn eu derbyn wrth y cannoedd i'w halltu'.

Am fod ei gŵr yn gigydd, yn amaethwr ac yn felinydd, roedd galwadau a chyfrifoldeb Marged fel mam i bump o blant ac yn wraig a reolai'r aelwyd brysur yn drwm iawn ar ei hysgwyddau ifanc. Ar un cyfnod adnewyddwyd tŷ'r Felin a symudodd Marged i fwthyn cyfagos, Glandŵr, ar enedigaeth ei thrydydd plentyn, Dafydd Jeremiah. Ganwyd y pedwar arall yn y Felin. Roedd Felin Huw wedi'i lleoli mewn Cwm llwydrewog, a gafaelodd clefyd echrydus yng nghymalau Marged gan ei dwyn o'r ddaear i'r bedd ym 1910 yn 32 oed, a phump o blant yn amddifad ar ei hôl. Meddai Isfoel: 'Aeth i lawr o Gilie yn ferch iachus gref a gellid rhoi prydles ar ei hoedl. Cawsai ddigon o awyr iach a haul ar feysydd y Cilie. Aeth i awyrgylch hollol wrthnaws a tharth yr afonydd, a chysgod y bryniau oedd rhyngddi a'r haul gan ymosod fel gwaedgwn ar ei chyfansoddiad iraidd a glân, a'i gwenwyno'.

Gweithredodd Rhys Williams ei hun fel tad a mam i'w deulu. Roedd yn ŵr siriol a chymwynasgar, ac fel amaethwr, melinydd a chigydd roedd ganddo gyfeillion mewn ardal eang. Cafodd fyw yn hen a chael yr anrhydedd bron trwy gydol ei oes o wasanaethu'r cyhoedd mewn sawl cyfeiriad yn ganmoladwy iawn. Bu'n aelod o Gyngor Sir Aberteifi gan ddal swydd Henadur. Ym mis Hydref 1934 etholwyd ef yn Ynad Heddwch a bu'n eistedd ar fainc Aberaeron cyn ymddiswyddo oherwydd oedran. Yr oedd yn flaenllaw gyda phob mudiad cyhoeddus yn y plwyf ac yn hael iawn ei gyfraniad tuag at achosion teilwng o'u sylw. Bu'n ddiacon a thrysorydd yng Nghapel Nanternis am gyfnod hir.

MARGED FY CHWAER

I'w gwely llwyd o glai llaith,—dychwelwyd
A chael heddwch perffaith;
Y bedd yw diwedd y daith,
Ysgwyd law, hi ddaw ddwywaith.

John Tydu

(Bu farw Marged saith mlynedd ar ôl ymfudiad John Tydu i Ganada ac un mlynedd ar ddeg cyn iddo ddychwelyd am yr unig dro i aelwyd y Cilie ym 1921. Roedd yr englyn uchod wedi ei gynnwys yn ei waith a anfonodd at ei neiaint yn y pedwardegau.)

Carreg fedd Margaret a Rees Williams.

LLINACH MARGARET WILLIAMS (MARGED)

Margaret
Rees Williams

Rhys Thomas
Mary Jane
David Jeremiah
James Frederick
John Etna

Rhys Thomas Williams (ŵyr cyntaf y Cilie), banciwr ac actor llwyddiannus iawn. Gwahoddwyd Rhys gan Emlyn Williams i ymddangos yn y West End yn *The Corn is Green*. Ni fedrai dderbyn y swydd oherwydd yr ansicrwydd a oedd ynghlwm wrth y proffesiwn. Ond daeth Emlyn Williams o hyd i actor addawol arall yn lle Rhys Tom, gŵr o'r enw Richard Burton!

Traeth Cwmtydu: dau frawd, Capten John Etna a Chapten Dafydd Jeremiah Williams, ac ar y dde iddyn nhw, eu cefnder, y Capten Jac Alun, yn twyllo'r ymwelwyr eu bod ar ymweliad swyddogol â'r traeth yn enw N.A.T.O.

Thomas (Tom)

(29.2.1880–19.12.1951)

Y Trydydd Plentyn

Cawraidd rhwng cyrn yr aradr oedd yn laslanc.

Sioronwy

Dim ond dau ben-blwydd ar bymtheg yr oedd Tom wedi'u dathlu pan fu farw, oherwydd mai ar y nawfed ar hugain o Chwefror y ganwyd ef. Ond mewn gwirionedd yr oedd yn 71 oed. Cofir amdano ym mlodau'i ddyddiau fel gwestïwr, tafarnwr a gŵr busnes llwyddiannus Tafarn y Pentre Arms ym mhentref glan môr Llangrannog.

I'w ffrindiau, ac i'r ardalwyr yn gyffredinol, gwnâi ei hiwmor sych a'i drawiadau athronyddol ef yn ŵr poblogaidd i gylch eang, a daeth yn rhan annatod o fywyd y pentref. Os nad oedd wedi dringo i'r un amlygrwydd cenedlaethol â'i frodyr mwy adnabyddus, safai ochr yn ochr ag unrhyw un ohonynt mewn ffraethineb. Etifeddodd nodweddion direidus y teulu ac roedd gyda'r cyflymaf ei ergydion a'i ddywediadau a'i ddiarhebion trawiadol. Roedd yn garictor yng ngwir ystyr y gair.

Ysgrifennodd Isfoel ysgrif ar 'Twm fy Mrawd' a dywed yn *Hen Ŷd y Wlad* (1966): 'Ni allaf ei gofio ond yn llefnyn o grwt cydnerth tua saith neu wyth, ac yn fwy ffit ac aeddfed na hyd yn oed ei frawd hynaf. Yr oedd ar y blaen ymhob chwarae 'mron, ac yn wytnach a mwy llygatgraff na'r rhelyw. Yr oedd yn taro ar yr haearn i 'Nhad pan na allasai fod dros ei wyth oed, a hynny â gwell graen na llawer gŵr mewn oed'.

Mae Isfoel hefyd yn cofnodi 'enghraifft o'i gywreinrwydd a'i benderfyniad anorthrech'. Roedd hela calennig yn arferiad poblogaidd ar ddiwedd y ganrif ddiwethaf a Twm heb eithriad a gâi'r darn chwe cheiniog arian a roddai cymydog, Mrs Rees, Celyn Parc, i'r canwr cyntaf wrth y drws ar fore Calan. Un nos cyn Calan penderfynodd ei frodyr—Fred, John ac Isfoel—guddio ei drowsus er mwyn iddynt hwy allu achub y blaen arno. Ond wrth iddynt gerdded yn frysiog a hyderus tuag at dŷ Mrs Rees, pwy a ddaeth i gyfarfod â'r tri trwy'r eira ond Twm, a'r pisyn chwech yn ei ddwrn, a heb un math o drowser am ei goesau!

Wedi symud i'r Cilie ym 1888 a Tom yn wyth oed, cafodd ddilyn pâr o geffylau yn fuan iawn, 'ac yr oedd yn hen aradrwr yn ddeuddeg oed, ac yn ymhyfrydu yn ystranciau ebolion ieuainc . . .' yn ôl Isfoel. Ni welodd neb mor fedrus yn torri ebolion ieuainc i'r harnes. Roedd yn ddewr iawn rhwng traed peryglus yr ebolion dwyflwydd wrth eu ffrwyno ar gyfer eu torri i mewn a'u gosod yn y wedd bob gwanwyn. Wedi cyrraedd y cae gwair 'âi Twm ar ei gefn, a dyna naid fel cangarŵ, a ninnau yn dal nes bod yr ebolion yn rholio dau neu dri thro, yna yn codi eilchwyl a Twm yn ei le fel cath, a'i sodlau yn dynn yn ei ystlysau, ei ewinedd yn ei fwng, ac am wn i yn gafael yn ei glustiau â'i ddannedd hyd oni safai fel oen bach'.

Yr oedd Tom yn farchog digyffelyb, ac er iddo gael ei daflu amryw droeon, roedd ganddo benderfyniad ac amynedd di-ben-draw. Dangosai barch at y ceffylau ac ni ddefnyddiai unrhyw greulondeb. Rhedai'r athroniaeth hon yn gryf yn nheulu Tom. Ni fynnai ei ferch, Anne Jane, weld ceffylau yn neidio dros y clwydi uchel, ac roedd ei brawd, Ellis, yn amheus iawn o ddulliau hyfforddi ceffylau neidio tîm Yr Almaen ar gyfer cystadlaethau rhyngwladol.

Tom Jones.

Yr oedd Tom yn botsiwr 'nef-anedig' yn ôl Isfoel, a dysgodd gario dryll yn gynnar trwy ddysgeidiaeth ei gymydog ffraeth, Jacob Rees, Gaerwen. Byddent yn treulio diwrnodau yn hela'r cadno yng nghilfachau Cwmbwrddwch, y Ddalfa Fawr a Phwll Mwyn, a hefyd byddent yn saethu petris, sguthanod a chyffylog. 'Anaml y deuai Twm i'r 'myny' heb ei ddryll,' meddai Isfoel. Rhedai draw i dueddau Cwmtydu gan adael ei bâr ceffylau ar ben tir . . . a deuai â 'dwy neu dair [cwningen] yn ôl gydag ef, a minnau [Isfoel] yn eistedd i ysgrifennu englyn neu rigwm ym mol y clawdd'. Medrai saethu cadno hyd yn oed â'i fraich mewn 'sling'. Parhaodd i hela yn Llangrannog ac un o'r hoff adar oedd y cyffylog. Coginiai ei wraig y 'deryn gan ddefnyddio ei big hir fel sgiwer. Saethai gwningod yng Nghwm Cilie ac ar y Foel a'u nifer yn syndod mawr i'r ymwelwyr . . . fel Ernest Evans, Peniel, a'i frawd S.B., a honnai fod yn 'crack-shot', ond yn anaml iawn y daliai ddim. Ond byddai eraill yn dod i hela i'r Cilie; fel y cofnododd Isfoel:

> Gwelsom gotiau cochion ar Ben y Foel lle roeddem newydd osod gwifren bigog o'i chylch—am bellter o filltir a hanner a phedair gwifren i gadw'r defaid o fewn terfynau. Beth wnaeth y diafliaid ond torri'r weier ag offeryn oedd ganddynt er mwyn i'r ceffylau fynd drosodd i Fanc Tynewydd. Ymhlith y cotiau cochion roedd Syr Marteine Lloyd, Bronwydd, Colonel Howells, Pantgwyn ac eraill. Aeth y cadno i waelod craig Cwmbwrddwch ond methiant fu'r helfa—a chollwyd tri o'r cŵn. Fe waeddodd yr hen gyrnol nerth ei geg, ac roedd ganddo geg ac ysgyfaint fawr—fel siarc! 'Cleveland! Miser! Venture!' Aethom i lawr trannoeth a gwelsom gorff ci ar y graig—ond methwyd â'i gyrraedd. Nid oedd ddrwg gennym o gwbl am eu colled oherwydd eu hagwedd ac ymfalchïem fod gennym gystal noddfa i'r creadur cringoch! Ysgrifennwyd at y 'pwyllgor bytheiaidd' ynghylch torri'r gwifrau a chafwyd ymddiheuriad . . . a beth sy'n rhatach na hynny!

Tom oedd yr unig un o'r bechgyn nad oedd yn fardd, oherwydd, fel y dywed Isfoel: 'Ni thrafferthodd Twm gyda'r cynganeddion, ond dechreuodd wneud englyn unwaith, a rhoddodd hi i fyny ar y llinell gyntaf—'Mi a Ffred yn aredig'—ac nid aeth ymhellach na'r gynghanedd lusg'.

Meddai T. Llew Jones: 'rwy'n credu mai'r gerdd sy'n rhoi'r pictiwr mwya' cywir ohono fe yw'r soned yma gan ei frawd Siors':

TOM

Cawraidd rhwng cyrn yr aradr oedd yn laslanc,
A'r cerrig dala'n durio rhuthr ei waed;
Glynai fel gliw wrth ffroen ebolyn ifanc
A dysgu'r wyddor iddo o'i ben i'w draed.
Fe gyrchai'r grynnau coch yn gynnar allan,
A thaflu'r had yn gyson dros y brig,
Crefftwaith ei helmi mawr yn addurn ydlan
A gobaith blwyddyn gron am fara a chig;
Lledodd derfynau golau ei orwelion,
Brwydrodd â thon ar ddidrugaredd don,
Glanio'n goncwerwr hwnt i'r holl dreialon
A gwaith yn iachawdwriaeth yn ei fron.
Gorffwys yn syml yn awr mewn newydd gaban,
A bywyd byd yn llonnach nef o'i gyfran.

Cymerodd Tom ferch leol, Annie, yn wraig tua'r un amser (dechrau 1901) ag y priododd ei chwaer Margaret, ac fel y cofnododd Isfoel, 'aeth ef i ffwrdd â'i wobr ganddo'. Nes iddo rentu'r Gaerwen yn ymyl y Cilie ac ailddechrau ffermio, bu yn ansefydlog, gan weithio yn y maes glo a symud o dyddyn i dyddyn. Cludai deithwyr yn ôl ac ymlaen i'r gorsafoedd lleol a gweithiai ar y ffermydd cylchynol.

Teulu'r Hendraws, Glynarthen. Yn eistedd ar y dde y mae Annie, gwraig gyntaf Tom Jones, Pentre Arms (ond Gaerwen pan oedd y ddau yn briod).

Yna bu farw ei wraig a hithau ond yn wyth ar hugain oed, hefyd ei fab, Jeremiah Newton, y pumed plentyn, yn bump oed, wedi damwain erchyll gyda buwch yn y beudy. Bu'r cyfnod hwn yn 'nodyn prudd yn hanes Twm fy mrawd,' cofnodai Isfoel.

Symudodd Tom a'i bedwar plentyn—Lloyd George, Anne Jane, Tom Ellis a Mary Maude—i Felin Preis (Felin Ucha') ger Plas Rhydycolomennod yn Nyffryn Hawen, ger Llangrannog, ym 1909. Yno bu'n ffermwr, yn felinydd ac yn gludwr teithwyr.

Daeth ar draws ei ail wraig 'athrylithgar a chysurus', chwedl Isfoel, pan oedd hi yn gwasanaethu gyda Miss Hope ym Mhlas Rhydycolomennod nid nepell o'r Felin. 'Treuliasai Twm y rhan fwyaf o'r dydd yn y Felin, a'r rhan fwyaf o'r nos yn y plas, gan fod yn ofalus iawn rhag dod i'r ddalfa gan Miss Hope. Yno y treuliai ei oriau hamdden hwyrddydd haf, ac yno yr ymdwymai wrth dân mawr glo Trimsaran ar hirnos aeaf, gan ymbesgi ar weddillion moethus y gwŷr bonheddig hyd nes yr aeth, bron heb yn wybod iddo ei hun, yn un o'r teulu yn y gegin gefn,' meddai Isfoel. Priodwyd Thomas ac Elizabeth Mary Griffiths ar 9 Tachwedd, 1916 a ganwyd Gareth a Beryl yn y Felin.

Yn ôl Isfoel eto: 'Cludai bregethwyr ac offeiriaid [mewn cerbyd ceffyl cyn oes y modur], ac yn eu plith Cranogwen, ac adroddai aml i dro trwstan pan darawai yn erbyn rhai o reolau uniongred a Chalfinaidd yr hen chwaer dalentog honno'. 'Adwaenai pawb Twm fel modurwr,' meddai Isfoel. Cafodd fodur o flaen neb yn yr ardal, 'pan oedd 'Ford' yn ysgubo heolydd y wlad, daeth yn feistr llwyr arno, a thynnai ef yn ddarnau gorff ac enaid, gan ei osod mewn llywanen hyd oni châi hamdden i'w ail-wneud yn gerbyd'. Mae corff y Ffordyn dan dywod Pen Trwyn hyd heddiw.

Felin Preis, Felin Ucha', cartref Tom Jones a'i deulu am gyfnod.

Dydd Iau Mawr, traeth Cwmtydu. Gwelir lorri (Ford) Tom Jones i'r chwith o'r odyn.

Yna prynodd lori Ford a'i defnyddio i gario cynnyrch y tir, disgyblion Ysgol Sul ar eu teithiau blynyddol i Gwmtydu a lleoedd cyfagos, symud ei frawd S.B. a'i drugareddau i Lerpwl, a chario offer y cwmni drama lleol ar draws gwlad. Bu'n berchen ar 'Dodge' (1931—2.8 limousine) o Ganada a model arall o'r un ffynhonnell yn ddiweddarach ynghyd â modur Ford V-8.

Câi Tom ei gydnabod fel cerddor dawnus a naturiol a meddai ar lais 'top lyric tenor' swynol dros ben. Cariai'r 'pitch-fork' yn ei boced bob amser ac roedd yn sicr o'r traws-gyweiriadau ym mhob darn. Bu'n arweinydd y gân yng Nghapel-y-Wig am flynyddoedd. Wedi derbyn copi o'r anthem am gymanfa Llun y Pasg yng Nghapel-y-Wig byddai'n ei dysgu yn drylwyr a chyn bo hir yn ei chanu (mewn pedwar llais) gyda chymorth ei blant cerddorol.

Roedd Tom mor ffraeth ag unrhyw un o'i frodyr enwocaf, ac yn wir cafodd siawns i dalu'r pwyth yn ôl iddyn nhw, yn enwedig Isfoel, pan ymddangosodd ar raglen radio (BBC) dan lywyddiaeth Wil Ifan ym 1936. Y noson honno cynhaliwyd eisteddfod Pantycrugiau (Plwmp), ac i sicrhau na fyddai'r torfeydd yn aros gartref i wrando ar 'Fois y Cilie', darlledwyd y rhaglen yn fyw o bulpud Capel Pantycrugiau ar ganol yr eisteddfod. Torrwyd ar draws y gweithgareddau i sicrhau fod pawb yn clywed. Roedd Jeremy Jones (nai) yn bresennol ac yn cofio'r darllediad yn dda. Dyma eiriau Tom mewn un man: 'Rwy'n siarad fel bachan bach sydd heb ddwyno'i fys ag englyn erioed—a mi fysa mwy o siap arnoch chithe, bois, i gyd pe baech chi'n gweithio mwy a barddoni llai—ond mynd i weud own i taw englynion yr hen Alun yw'r pethe alla' i eu cofio ore o bopeth'. Dangosodd Tom ei dalent gerddorol ar yr un rhaglen drwy ganu pennill neu ddau o faled ei dad, 'Tair erw a buwch'.

Un tro rhoddodd Tom Jones reid i deithiwr blin o orsaf Caerfyrddin a chyn bo hir darganfuwyd mai diacon ym Mheniel oedd y dieithryn. Meddai Tom wrtho, "Ma' nhw'n dweud nad oes dim byd yn y boe 'ma o'r North sy gyda chi yn weinidog." Neidiodd y teithiwr i fyny ac mewn eiliadau roedd yn amddiffyn y gweinidog newydd i'r cymylau. Aeth allan o gar Tom mewn cryn fflwstwr. Ni ddatgelodd Tom mai S.B., ei frawd, oedd y gweinidog hwnnw. A phan aeth Tom a'i frawd Simon i'r Eisteddfod Genedlaethol roedd mwy yn ei adnabod ef nag S.B. Daeth un dieithryn ymlaen ato gan ofyn 'Mr Tom Jones?'

'Ie.'

'Y'ch chi'n frawd i S.B?'

'Nadw, fe sy'n frawd i fi, a ddweda' i wrthoch chi pam! Unwaith rwy i'n gallu gwerthu glased o gwrw. Mae e'n pregethu yr un bregeth sawl gwaith!'

Ni wyddom a oedd S.B. yn dioddef mwy na'r cyffredin oddi wrth ddireidi ei frawd oherwydd ei fod yn weinidog. Un haf roedd Ysgolion Sul Peniel a Bwlchycorn wedi ymweld â Llangrannog ar eu gorymdaith flynyddol, a gwahoddwyd rhai o'r diaconiaid i mewn i gael tracht o'r medd lleol allan o'r haul crasboeth. Yna ymhen tipyn gwahoddwyd eu gweinidog i mewn gan Tom gan ddweud wrtho fod ei swyddogion wedi bod y tu fewn i'r muriau ers meitin.

Symudodd y teulu o'r Felin Ucha' i Bentre Arms, Llangrannog, ym 1920. Ond ar y noson cyn iddynt feddiannu'r lle, bu storom fawr ar hyd y glannau. Roedd popls, tywod, a pheth gwrec ar hyd y lle a llawer wedi mynd i mewn i'r tŷ. Rhaid oedd glanhau'r tŷ o'i ben i'w waelod, ac meddai Anne Jane, ei ferch, wrth gofio—'Dyna le i ddod i fyw!' Yno y ganwyd Ewyndon a Morlais, a'r ddau wedi eu henwi gan Isfoel.

Pentre Arms, yng nghyfnod Tom Jones yno. Gwelir ei enw ar y mur.

Cofia'r teulu hefyd am 'deid mowr iawn' yn Ionawr 1938. Bu'r gwynt o'r gogledd yn chwythu am tuag wythnos gyfan cyn troi i'r 'sou-west' tua hanner wedi pedwar yn y bore. 'Aeth y drws ffrynt a'r ffrâm bant yn grwn ac roedd y tŷ fel ogof,' oedd atgofion Anne Jane eto. Roedd Ellis ei brawd gartref o Ganada ar y pryd. Dinistriwyd y 'railings' (canllawiau) ar glawdd y môr ac roedd y grafel a'r tywod yn dwyni mawr yn erbyn y tŷ a hanner ffordd lan y muriau. Bu loriau yn clirio'r llanast am wythnosau. Codai grym y dymestl arswyd mawr ar y plant, yn enwedig pan drawai'r cerrig ffenestri'r llofft a'u dinistrio.

Mae hanes anturus am smyglio halen ar draeth Llangrannog ac enwyd ogof ar ochr dde-orllewinol y traeth yn Ogof Halen. Yng nghyfnod teulu Tom Jones ym Mhentre Arms cofia Beryl, ei ferch, am ymweliadau cyson swyddog y 'Board of Trade'. Rhaid oedd cofnodi eitemau gwrec i'r awdurdodau. Ond pe baech yn twrio dan das wair Pentre Arms gwelech bentwr o ddarnau o longau a oedd wedi eu golchi i mewn gyda'r tonnau. 'Nid oedden nhw'n torri'r gyfraith,' meddai Beryl, 'dim ond cymonni'r traeth.' Llongddrylliwyd yr *Herefordshire* (Bibby Line) ar greigiau Ynys Aberteifi, a chofia Beryl am ei gweld yn hwylio heibio i Langrannog mewn tywydd garw. Daeth darn mawr o'r troslath (*jib-boom*) o wneuthuriad 'Oregon Pine' i mewn i'r 'shanty' ar gwr y traeth ac fe'i cuddiwyd yn ofalus. Mae silffoedd bar Pentre Arms wedi eu gwneud o bren arbennig iawn. Dywedir bod gatiau a drysau amryw o dai yn ardal Llangrannog wedi eu gwneud o wrec môr. Roedd cymdogion Pentre Arms, Jim a Dai Thomas, yn medru dringo fel cathod lan ac i lawr cilfachau'r arfordir yn chwilio am wrec gwerthfawr.

Rhedai Tom Jones y dafarn yn ddisgybledig, ac ni chaniatâi ganu amheus nac unrhyw ymddygiad cythryblus. Cadwai yn drylwyr iawn at yr oriau cofrestredig, a phe byddai rhai yn ceisio'i demtio, byddai'n ceryddu'r temtiwr heb flewyn ar ei dafod.

Tafarn y Pentre Arms heddiw.

Prynai Tom Jones gosynnau caws gan fasnachwr lleol, ac, yn wir, fel ambell un arall, ceisiai hwnnw gymryd mantais o'r cytundeb. Dychwelai ar y Sul ac ymwthiai heibio i'r perchennog tua'r bar. Dilynai Tom ef a gofyn iddo, "Ble'r wyt ti'n mynd?" "Rwy' am beint. Rwy'n gwerthu caws i ti!" A'r ateb fyddai, "Dyw'r lle ddim ar agor heddi, cadw dy ------ caws!" Roedd mor onest â hynny, ac ym meddwl ei feibion, yn rhy onest, efallai, i fod yn ddyn busnes llwyddiannus.

Yng nghegin isa'r Pentre Arms byddai Bessie Jones (Williams), chwaer-yng-nghyfraith Tom, yn tendio'n brysur ac yn aml o gylch y pentan. Oddeutu amser 'stop-tap' eisteddai un o gymeriadau'r pentref, Owen Cyfyng, mor agos ag y gallai at y 'boiler' ar y pentan. Byddai wedi sicrhau cyn hynny fod lats y drws wedi ei gwthio trwyddo fel na allai'r heddgeidwad busneslyd lleol, Moses Lloyd, ddisgyn arno'n ddiarwybod. Wrth glywed y glicied yn chwarae arllwysai Owen gynnwys ei beint i mewn i'r 'boiler' tra ymbalfalai'r P.C. am lats y drws. Yna, wedi i'r cwsmeriaid, yr yfwyr araf, fynd adref, byddai Bessie yn casglu'r dŵr brown o'r siston. Uwchben y lle tân roedd llun enwog o dri cheffyl yn yfed dŵr ac roedd hwn yn adnabyddus iawn i'r brodorion a'r ymwelwyr.

Roedd y tafarndy yn ganolfan gymdeithasol i'r pentrefwyr a'r ardalwyr. Deuai hen forwyr a chapteiniaid heibio i adrodd eu storïau rhamantus a chymysgu'n naturiol â'r pentrefwyr. 'Dw i ddim yn cofio neb yn meddwi erio'd; roedden nhw'n dod ma's fel yr aethon nhw mewn,' oedd cof Beryl Jones, y ferch. Cyn rhoi grât newydd i mewn yn y parlwr a wynebai'r môr roedd twll dan y lle tân lle medrai llif y môr ddychwelyd eto i'r traeth ar ôl iddo ddod i mewn trwy ddrws y ffrynt—ar amser llanw uchel neu dywydd stormus. Eisteddai'r dynion ar y bwrdd yn yfed eu cwrw tra llifai'r môr a'r ewyn o gylch dodrefn ac allan dan dân y grât. Hawliai Tom â'i dafod yn ei foch y byddai'r ffreipan yn barod bob amser ar dywydd felly, i rostio'r pysgod a ddeuai i mewn gyda'r llif.

Unwaith bu dau Lundeiniwr yn aros ym Mhentre Arms. Oherwydd gerwinder y môr rhaid oedd mynd i mewn i'r adeilad trwy'r beudy lle cedwid pump o wartheg godro. Wrth ymlwybro drwy'r tywyllwch a'r da'n brefu, trewid y 'shutters' gan bopls anferth ar bob nawfed ton. Yn y clindarddach, a hwythau yn crynu fel dail, meddai un ohonynt, "I don't think we'll stay another day". Roedd Tom Jones yn arbenigwr ar ddehongli rhagolygon y tywydd, ac ymgynghorai pysgotwyr y bae â theulu Pentre Arms ynglŷn ag amser a maint y llanw a'r trai, ac felly i ble i anfon a gadael eu cychod. Astudiai Tom Jones gyfeiriad y gwynt, y cymylau, y llanw a 'weather glass' Rachel Anne, cymydog iddo, a phan welai'r pentrefwyr Tom yn rhoi'r 'shutters' i fyny a'u bolltio, gwnâi pawb yr un modd.

Daeth y llwyth olaf o gwlwm mewn llong i mewn i Langrannog ym 1926. Gyda dyfodiad y rheilffyrdd roedd yn rhatach o lawer i symud y glo mewn lori o orsafoedd Henllan, Llandysul neu Gastellnewydd-Emlyn. Cofia Anne Jane am long hwyliau o'r enw *Allen Raine* yn dod â dau lwyth o lo o Abertawe. Cariai 200 tunnell y tro am gost o gan punt. Ar ddechrau'r ganrif roedd tair odyn galch yn Llangrannog.

Cedwid ieir, tri mochyn a phump o wartheg ym Mhentre Arms. Cyffredin fyddai gweld rhwng pymtheg ac ugain o fechgyn môr Ceinewydd yn galw i gael wyau a chig moch, ac yn ystod y tymor, mecryll ffres, wedi eu ffrio'n arbennig gan Elizabeth Jones. Gwerthid llaeth i'r pentref a chyflenwid anghenion yr ymwelwyr a arhosai yn y dafarn.

Llong wedi dod â llwyth o gwlwm i Langrannog. O'i blaen y mae'r pentrefwyr yn gwylio'r trai. Rhaid oedd iddi ail-hwylio ar y llanw nesaf.

Tafarn y Pentre Arms—yn y pellter o draeth y Cilborth.

Un o brif antics dau fochyn a gedwid yn y 'Pentre' oedd dianc o'r tir i'r traeth i sgwlcan y bwydach a adawai'r ymwelwyr ar hyd y lle. Wedi crwydro i'r Cilborth (ail draeth Llangrannog) caewyd y ddau fochyn i mewn gan y llanw, ac yna daeth torf luosog ynghyd i weld y ddau fochyn yn nofio'n hyderus heibio i Garreg Bica yn ôl i'r traeth mawr a'r Pentre Arms. Caewyd y ddau yn y tŷ glo—ond buan y bu'r ddau yn rowlio yn y slac i geisio sychu. Wrth deithio trwy'r tŷ glo dim ond pedwar llygad a welwyd, ac roedd hyn yn frawychus i'r ymwelwyr a ddefnyddiai ddrws y cefn ambell waith, ond yn sbri fawr i'r cyfarwydd.

Deuai'r cyfarwydd a'r dieithr i aros yn y Pentre Arms. Yn eu plith roedd teulu o Calcutta, India, a ddeuai bob yn ail flwyddyn; ymwelwyr o'r Alban ac Iwerddon, yr Iarll a Iarlles Coventry, organydd Eglwys Gadeiriol Caer-wynt, ac Admiral Syr George Hope a Syr Herbert Hope a ddeuai yno am dri mis ar y tro yn y gaeaf. Cyffredin oedd cael cwsmeriaid o gymoedd diwydiannol De Cymru. Ond un o'r ymwelwyr hynotaf oedd gŵr o Dre-fach, Felindre ger Castellnewydd-Emlyn, a ddeuai i aros gyda'i gyflenwad o gig cwningen. Gofynnid i deulu'r Pentre baratoi'r goes, y cefn, y frest, y gwddf, ac ati, yn eu tro, a chyn gynted ag y gorffennid y gwningen dychwelai'r gŵr i Dre-fach.

Ond bu teulu Tom Jones yn eu hamser hamdden prin yn gysylltiedig â gweithgareddau diwylliedig y fro. Roeddynt wrth eu bodd yn rhannu llwyfan gyda'u hewythrod talentog. Perfformiwyd y ddrama *Cyfrinach y Cybydd* o waith D. Gwernydd Morgan, Pontardawe, gan Gwmni Drama Cilie-Crannog ryw un ar bymtheg o weithiau ar hyd a lled y wlad. Ymhlith y prif gymeriadau roedd: Cadwaladr Jones (Isfoel), hynafgwr cybyddlyd; Hariet (Anne Jane Jones, merch Tom Jones)—wyres iddo, tuag ugain oed; Mr Pugh (Alun Jeremiah Jones)—gweinidog Soar. Roedd yn ddrama dair act a gymerai dair awr i'w pherfformio. Lleolir y sefyllfa mewn cymdeithas ddiwydiannol yng nghanol y pyllau glo tua 1921 pan oedd y frwydr i gael dau ben y llinyn ynghyd yn hollti teuluoedd gan greu tyndra a thlodi. Casglai'r prif gymeriad ei gyfoeth gan lygadrythu arno ddydd a nos. Cythruddai ei forwyn ef yn ei gybydd-dod cyson, hyd nes iddo feddwl ei bod yn ei wenwyno wrth ei fwydo. Ychydig o ymborth a gâi gan fod cydwybod ei 'forwyn' ynghylch ei thlodi yn ei hatal rhag rhoi gormod.

Clywodd y cwmni fod yr awdur yn perfformio'r ddrama yn Llandysul, ac ysgrifenasant ato gan ofyn iddo beidio â dod i'r ardal, oherwydd roeddynt hwythau yn mynd i berfformio'r un ddrama. Gwelsant y cyflwyniad caboledig a'r ymateb oedd gofidio'n ddybryd. Gofynnodd Gwernydd Morgan (yr awdur) am gyfarfod â'u cybydd hwythau. 'Fi yw e,' atebodd Isfoel yn awdurdodol. 'Fe wneith e well cybydd na mi,' atebodd yr awdur. Teithiai'r cwmni mewn tri modur—car Pentre Arms (V-8 Ford Tom Jones) i gario'r sgriniau, a Ben Griffiths a Chapten Jones i gario'r cast.

Hoffai'r cynhyrchydd i'r 'sgrins' fod yn eu lle cyn i'r gynulleidfa ddod i mewn. Unwaith yng Nghastellnewydd Emlyn roedd pawb yn eu lle cyn i'r set gyrraedd. Rhaid oedd codi'r set o flaen pawb a Miss Griffiths y cynhyrchydd yn 'i thampan hi. Wrth wneud y gwaith, cwympodd y cwbwl ac meddai'r cribgoch Alun yn uchel, 'Diawl, diawl, diawl, diawl erio'd!' Nid oedd dim yn anghyffredin ynglŷn â hynny, dim ond i'r gynulleidfa sylwi yn ddiweddarach mai gweinidog oedd Alun, yn gwisgo coler ci fel rhan o'i gymeriad. Chwarddodd y gynulleidfa gan ei gymeradwyo'n gynnes. Unwaith wrth i Isfoel siglo Anne Jane Jones mor ffyrnig oherwydd ymateb ei gydwybod, daeth ei llewys i ffwrdd gan golli llaeth drosti. Un anodd oedd Isfoel i'w ddilyn oherwydd roedd y cythraul yn ychwanegu llinellau o'i eiddo'i hunan yn aml. Bu'r cwmni diddan talentog wrthi am dair blynedd a derbyniwyd gwahoddiad i gyflwyno'r ddrama yng nghapel S. B. Jones yn Lerpwl. Neges y ddrama oedd: 'Pa lesâd yw ennill yr holl fyd a cholli dy enaid dy hun?' Gweithredwyd y wers i'r llythyren gan i'r cwmni gyflwyno'r holl elw i achosion dyngarol.

Mae cofnod diweddar gennym am Gregory Peck yn ffilmio *Moby Dick* yn Abergwaun, hefyd Richard Burton, Ryan Davies a Peter O'Toole yn yr un lle yn ffilmio *Under Milk Wood.* A faint ohonoch sy'n cofio Rex Harrison yn ffilmio'r *Constant Husband* yng Ngeinewydd? Ond bu ffilmio yng nghyffiniau Llangrannog ymhell cyn hynny, sef mis Awst 1920. Bu Anne Jane (17 oed) a'i chwaer Beryl (3 oed), plant Pentre Arms, yn actio ddwy awr bob prynhawn dros gyfnod o bythefnos. Daeth criw dan gyfarwyddyd A. V. Bramble i lawr i'r Ceinewydd, Tre-saith, Aberporth, Llechryd ac yn arbennig i Langrannog i ffilmio *Torn Sails*. Ffilm ddi-sŵn (*silent*) ydoedd, yn seiliedig ar nofel Allen Raine (Anne Adelisa Puddicombe). Ffilmiwyd golygfeydd ar hyd yr arfordir a hefyd un arbennig ger melin wynt yn ymyl Llechryd.

Un o'r golygfeydd mwyaf trawiadol yn y ffilm yw llongddrylliad ym mae Llangrannog pryd y torrwyd twll mewn cwch i ffugio'r trychineb. Achubir Anne Jane a Beryl Jones o ferw'r don ynghyd ag arwres y stori, Mary Odette. Nofia dau o gariadon yr arwres allan drwy'r tonnau. Gofynnwyd i Anne Jane ganu mewn côr arbennig yn yr Hen Ysgoldy, fel rhan o'r ffilmio, ac yna wrth gerdded i lawr tua'r pentref i ollwng macyn poced i'r llawr. Codir yr hances i fyny gan un o edmygwyr Mary Odette a'i gynnig iddi. Talwyd Anne Jane yn anrhydeddus, chweugain yr awr, arian mawr y pryd hwnnw.

Ar ddiwedd y ffilm mae yna dân mawr mewn ysbyty yn Llundain, ond achubir yr arwres. Mewn gwirionedd, mwg o dân ffug allan o feudy Pentre Arms, Llangrannog, oedd sail yr olygfa ddramatig. Ynddo gwelid Nel Jones, Brynsgawen (mam Tudor), yn rhedeg nerth ei thraed i lawr y rhiw gan weiddi, 'Fire! Fire!' Gwelid hefyd olygfeydd o bromenâd Llangrannog gyda rhwydi a basgedi dal cimychiaid. Roedd yna olygfa yn y ffilmio mewn cae gwair ger Ceinewydd a chofia Anne Jane am un ceffyl yn arbennig. Roedd ganddo 'spring' yn ei goes a deuai y diffyg hwn allan yn blaen yn y ffilm.

Roedd Awst 1920 yn gofiadwy iawn i'r ddwy chwaer oherwydd, yng ngeiriau Anne Jane: 'Dyna'r mis Awst oeraf yn fy nghof. Rwyf wedi bod yn byw yn Llangrannog ers 60 mlynedd a 35 o'r rheini ym Mhentre Arms. Roedd yr oerfel mor annioddefol, pan ddeuai'r criw yn ôl i Bentre Arms i newid arferent brynu 'rum' a'i arllwys dros eu cyrff a'i rwbio'n rymus wrth geisio codi'r gwres. Dyna drueni na fuaswn yn gwybod mai defnydd 'rum' oedd ei rwbio i mewn i'w cyrff—yna byddwn wedi ei ddyfrhau gyntaf. Wrth i'r criw ffilmio newid o'u dillad gwlyb ar y llofft llifai'r dŵr i lawr drwy'r styllod i'r stafelloedd danynt.'

Arhosai'r criw yn y Black Lion yn Aberteifi, ond hoffent fwyta a chymdeithasu yn y Pentre Arms yn Llangrannog. Rhyddhawyd *Torn Sails* i'r cyhoedd ar 9 Mawrth, 1921. Roedd dan y label 'Ideal' ac yn 5000 o droedfeddi o hyd. Rhoddwyd tystysgrif 'V' iddi ac fe'i cyfarwyddwyd gan A. V. Bramble, ac Elliot Stannard yn gyfrifol am y golygfeydd. Stori am y triongl tragwyddol yw *Torn Sails* a daw'r tân cyfleus i sicrhau diweddglo rhamantus. Dros dri chwarter o'r ffilm gwelir datblygu da ar gymeriad ac argoelion fod yna elfen gref o gariad rhwystredig.

Ymddangosodd y ffilm ym 1922 a chofiai Anne Jane am iddi hi a'r teulu deithio draw i Gaerfyrddin i'w gweld yn Ford 'T' ei thad (Tom) a'r rhif nodweddiadol enwog EJ 375. [Anfonais air drwy lythyr at Sefydliad Cenedlaethol y Ffilmiau yn Llundain gyda'r bwriad o ddangos y ffilm yn neuadd Pontgarreg. Yn anffodus mae'r ffilm wedi troi'n ddwst drwy gydol y blynyddoedd ac nid oes copi ar gael yn yr archifdy ffilmiau —dim ond ychydig ffotograffau].

Yn aml ar ei ymweliadau â Phentre Arms byddai Ewyndon Jones (mab Tom Jones) yn cwrdd ag 'aroma beirdd y rŵm bach' ac yn ymbilio arnynt i anfon cynnyrch i mewn i eisteddfodau Tregaron a Phontrhydfendigaid, lle'r oedd Ewyndon yn aelod o'r pwyllgor ac yn drysorydd. Un o'r englynion buddugol oedd hwnnw i'r 'Rheilffordd' ('Made in Pentre Arms'). Anfonwyd yr englyn i mewn yn llawysgrifen Jac Alun. Cafodd Ewyndon wefr arbennig wrth esgyn i'r llwyfan i dderbyn y wobr ar ran 'beirdd y Pentre Arms'.

Y RHEILFFORDD

Lle bu taranu'r trenau—yn eu rhwysg
Mae rhwd ar y rheiliau;
O'r golwg mae'r rhigolau
A chnwd o chwyn wedi'i chau.

Gosodwyd y testun wedi i lein Aberystwyth-Pencader gael ei chau gan fwyell Beeching.

Anne Jane Jones, merch Tom ac Elizabeth Jones, yn godro ar y ffordd uwchben yr odyn yn Llangrannog.

Y tu allan i'r Pentre Arms. O'r chwith: Beryl, Ewyndon, Tom Jones, Morlais, Anne Jane, a ffrind iddi a oedd ar ei gwyliau.

Tom Jones, ei deulu a'r Dodge 'limousine'. O'r chwith: Tom Jones, Gareth, Elizabeth (ei wraig), Anne Jane a Beryl.

Adeiladwyd busnes gwesty a thafarn llwyddiannus iawn ym Mhentre Arms. Gyda diwydrwydd a threfn ei wraig, a llygad Tom am fusnes, a'i gysylltiadau da â'r cwsmeriaid trwy ei bersonoliaeth heintus, ynghyd â chymorth ac egni'r teulu, roedd yr enw da yn ymestyn ymhell dros Glawdd Offa. Pentre Arms oedd un o'r ychydig gartrefi a berchnogai ffôn ac felly deuai galwadau o bell i'r Pentre i'w danfon trwy garedigrwydd Tom Jones i'r gwahanol gartrefi. Daeth galwad ffôn oddi wrth yr awdurdodau fod morwr lleol o'r enw John Oliver Jones, Bronwylfa (*chief engineer*) yn fyw ac yn iach er ei fod wedi ei gymryd i'r ddalfa gan yr Almaenwyr wedi i'w long suddo ar ôl ymosodiad gan long-danfor trwy dorpedo.

Roedd Tom Jones yn hoffi gwrando ar Lord Haw-Haw yn darlledu ar y radio. Y rheswm pennaf oedd fod y 'bradwr-glown' yn cyhoeddi enwau morwyr, milwyr ac awyrenwyr a oedd mewn caethiwed (ond mewn iechyd cymharol dda) er nad oedd eu teuluoedd yn gwybod dim a oeddynt yn fyw ai peidio. Un noson clywodd Tom Jones fod y Capten Owen Jones, Fron-deg, wedi ei ddal yn garcharor ar ôl i'w long gael ei tharo gan dorpedo ym môr yr Aegea, ger arfordir Gwlad Groeg. Rhuthrodd Tom i fyny i Fron-deg i ddweud wrth y teulu fod y mab hynaf yn iach, er mawr ryddhad iddynt. Bu i'r Parch. Fred Jones wneud yr un gymwynas yn Nhal-y-bont ar ôl gwrando ar Haw-Haw a throsglwyddo gwybodaeth i deulu balch iawn. Yn ystod yr Ail Ryfel Byd arferai Tom Jones gadw map mawr ar y mur i gofnodi lleoliad a symudiadau'r ddau fab, Ewyndon a Morlais, tra oeddynt yn gwasanaethu yn y lluoedd arfog. Wedi dychweliad diogel Morlais ei fab o anialdir yr Aifft, un o'i hoff benwisgoedd oedd het 'Fez' goch a gafodd yn anrheg. Gwisgai hon yn barhaol er difyrrwch i bawb, yn enwedig y plant, wrth iddo chwifio'r tasel o gylch ei ben.

'Ehedydd y Bore', yr injan ddyrnu, y tu allan i'r Pentre Arms.

Golygfa anghyffredin i ymwelwyr, ond cyffredin i lan y môr Llangrannog, oedd gweld y 'Morning Lark'—injan ddyrnu (Clayton and Shuttleworth, Lincoln) o eiddo Tom Rees, Pwllychwil, yn dyrnu cynhaeaf Pentre Arms ar Ben 'Rodyn ger y traeth. Byddai digon o ddynion cryf yno ar y pryd i gario'r llafur i'r storws. Bu Tom Jones yn gyrru'r 'Crannog Princess' a'r 'Morning Lark' pan oeddynt yn eiddo Tom Griffiths, Pantfeillionen.

Peiriant dyrnu a dynnid gan geffylau oedd y 'Crannog Princess', a'r arferiad cyffredin oedd defnyddio dau geffyl o fferm a oedd wedi gorffen dyrnu a dau geffyl o'r fferm oedd yn dyrnu nesaf. Os oedd y 'tyle' yn serth, defnyddid chwech neu wyth o geffylau—'horse power' yn wir. Wrth gwt y 'Crannog Princess' a'r 'Morning Lark' roedd yna gontrapsiwn er mwyn cario 'spare parts' ac ar hwn y byddai'r 'elevator' yn cael ei gario a channoedd o bethau angenrheidiol a dianghenraid. Gelwid y cert yn 'Llangadog'. Isfoel, mae'n siŵr, biau'r englyn hwn:

Llangadog llawn o gwde—i gario
Pob geriach a bwcle;
Ystôr Twm llawn llestri te
A llipryn yn llawn llapre.

Ysgrifennwyd yr englyn uchod ar estyll y cart, ac yna, ar gynfas gwyn y dyrnwr, y pennill hwn ar gyfer rhai nad oeddynt yn talu ar y pryd, er mwyn rhoddi'r telerau yn gymwys ddigamsyniol:

Pawb sydd eisiau'r 'Morning Lark'
I ddyrnu eu hydlanne,
Peidiwch gofyn iddi ddod
Cyn talu am y llyne'.
Rhaid i amaethwyr yr holl fro
Ddiwygio o hyn allan;
Mae'r amodau yn eitha' teg:
'Rhaid talu 'mwlch yr ydlan'.

Efallai mai dyma'r unig bennill o waith Tom Jones sydd ar gadw.

Anfarwolwyd y 'Crannog Princess' gan Isfoel yn ei gân tua 1910 ac wele ran ohoni, eto o gof y Capten D.J. Williams. Dywed y capten, 'Mae'n werth ei chofnodi er mwyn cofio sut roedd pethau yn y byd amaeth ddechrau'r ganrif'.

Peiriant dyrnu Pantfeillionen
Sydd fel comed ar ei daith,
Ac yn dyrnu'r holl ydlannau
O Geinewydd i Dre-saith.
Thomas Griffiths
Ydyw brenin glannau'r môr.

Nid oes neb ym mhlwy Llangrannog
Na Llansilio, er mor fawr,
Na phlwy Penbryn yn ffwdanu
Dyrnu â cheffylau nawr.
Crannog Princess
Sydd yn gwneud y gwaith i gyd.

Hen amaethwr llesg a chyndyn,
Olion crin yr oes o'r bla'n
Ag a wawdiant bob dychymyg,
Ddaw at Tom, a dyma'u cân:
Tomos Griffiths,
Dowch i ddyrnu atom ni.

Dyfais nad oes debyg iddo
Yw'r offeryn codi gwellt;
Mor naturiol y dyrchafa
I gyfeiriad byd y mellt,
Elifetor!
Mae yn hepgor pedwar dyn.

Tom Jones yn cael ei ymolchiad boreol yn y pistyll y tu allan i Pentre Arms.

ER COF AM TOM JONES
Pentre Arms, Llangrannog
(Fy mrawd)

Ar awr penllanw, bron at drothwy'r ddôr,
Y daethom heddiw, i'th gyrchu dros y rhiw,
Ac ymchwydd myfyrdodau hen y môr
O gylch y creigiau, heb na chân na lliw.
Elor a hanner dwsin, fwy neu lai,
O lesg gerbydau'n llusgo wrth eu trefn
Lle gyrraist filwaith heb un coll na bai
I bellter daear, ac yn ôl drachefn.
Ond ti ni ddaethost i'r orymdaith hon
Er mai dy eiddo yw o'i bôn i'w brig;
Trwy enau'r Cilborth, ar y nawfed don,
Y llithraist. Ninnau'n syfrdan yn y Wig
Yn araf weld, yn bennoeth yn y glaw,
Dy fod yn rhwyfo'n gryf i'r gorwel draw.

S. B. Jones

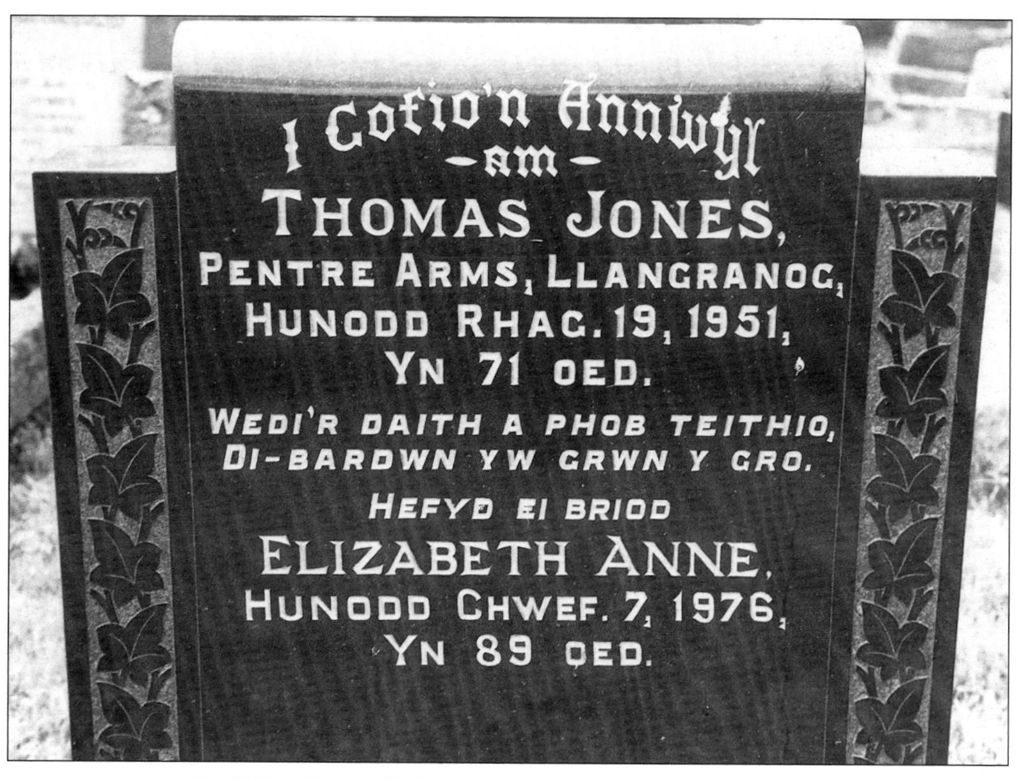

Bedd Tom Jones a'i ail wraig Elizabeth yng Nghapel-y-Wig.

LLINACH THOMAS JONES

Thomas

Annie (gwraig gyntaf)
Lloyd George
Anne Jane
Thomas Ellis
Mary Maud (May)
Jeremiah Newton

Elizabeth (ail wraig)
Gwilym Gareth
Beryl
Ewyndon
David Morlais

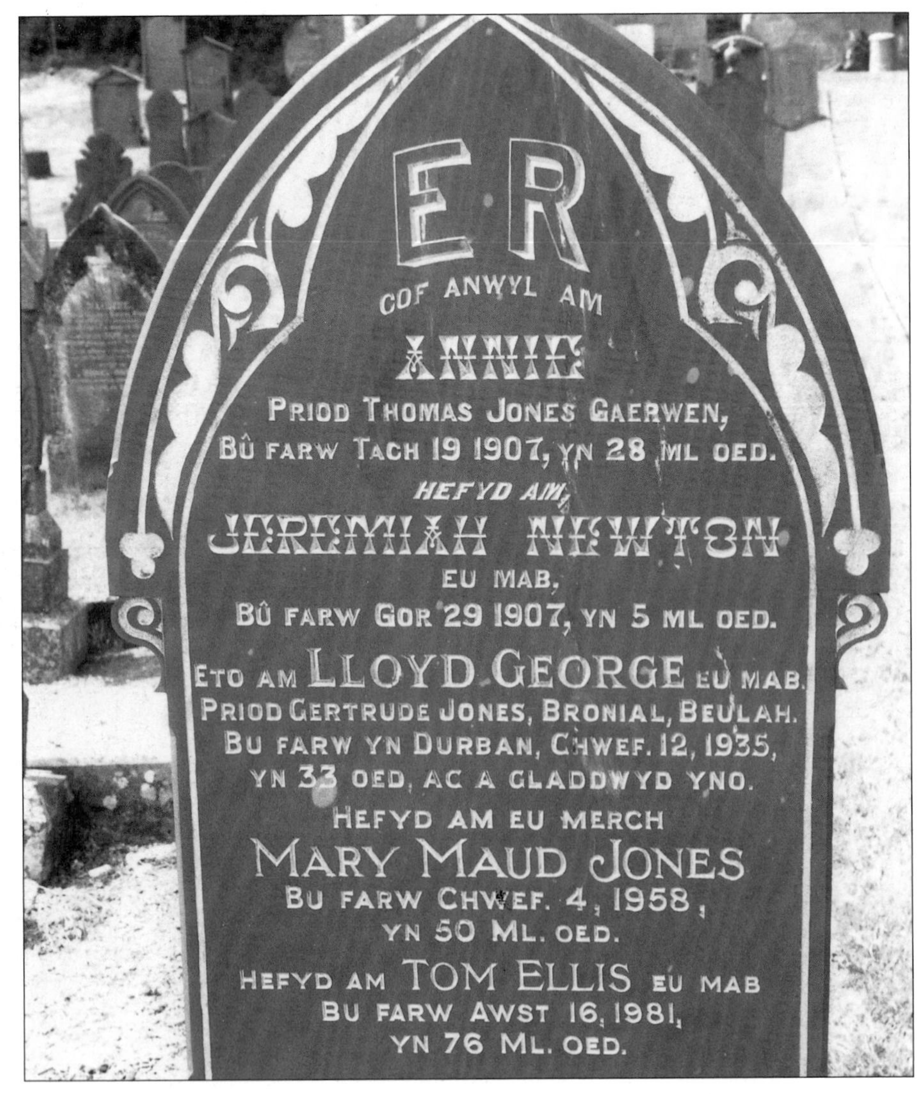

Carreg fedd Anne, gwraig gyntaf Tom Jones, a rhai o'r plant.

Anne Jane Jones, ail ferch Tom ac Annie Jones. Bu'n actio yn y ffilm *Torn Sails*.

Mary Maude Jones.

Traeth Llangrannog, Awst 1920, yn ystod ffilmio *Torn Sails*. O'r chwith: Anne Jane Jones, â'i chwaer Beryl yn ei breichiau, dwy ferch o Lundain, Crannog o Borth, Y Rhondda (perthynas i Price Davies), Eifion Lewis (Nantyparc) a Dr Trefor Davies (Angorfa).

Lloyd George—mab hynaf Tom ac Annie Jones. Un o forwyr y Cilie a fu farw o effeithiau'r clefyd melyn yn Durban, De'r Affrig, Chwefror 1935. Mae ei frawd Ewyndon a'i wraig, a'i gefnderiaid, y Capteiniaid Jac Alun a Dafydd Jeremiah, wedi ymweld â'i fedd sy'n gorwedd ymhlith rhodfa o lwyni blodeuog o jacaranda gleision.

Negro, dihidla dy ddagrau—ar Lloyd
A rho flodyn weithiau
Drosof er cof ar fedd cau
Llwch Affrig, bell ei choffrau.

S. B. Jones

Tom Ellis, morwr arall o deulu Pentre Arms, y tu allan i'w hen gartref, gyda'i ferch Ann.

David (Dafydd Isfoel)

(16.6.1881–1.2.1968)

Y Pedwerydd Plentyn

Athro dawn, ewythr y De,
Lonnwr calon o'r Cilie.

Waldo Williams

Isfoel a'i frawd Simon Bartholomew.

'Pan gofiaf Isfoel gyntaf, ac yntau'n bictiwr o iechyd a hoen a menter, nid oedd ond cylch cyfyng yng ngodre Ceredigion a ymhyfrydai yn ei englynion: ni roddai "Dai'r Cilie" fawr pwys ar gystadlu, ond er mwyn hwyl fe ddanfonai ef a'i frodyr bawb ei englyn i bob tipyn o eisteddfod, heb yn wybod i'w gilydd, wrth gwrs, ac yn fynych yn cael dwbl hwyl pan welid nad oedd y beirniad bob amser yn gyfarwydd iawn â Dafydd Morganwg, heb sôn am John Morris-Jones: cael hwyl oedd y peth. Oherwydd bod ffraethineb yn rhan hanfodol o gynhysgaeth Isfoel a bod llinellau ffraeth yn glynu yn y cof, y perygl yw i'r cyhoedd ddychmygu nad oes ynddo yr un elfen arall . . . Cydnebydd yr ardal ef fel gŵr o farn ac fel pencampwr pan ofynnir am ddeheurwydd llaw . . . gofalodd ddethol [S. B. Jones] . . . fel y gwelai'r darllenwr wahanol agweddau awen Isfoel. Y mae Trebor Mai a Gwilym Deudraeth yma, Tudur Aled a Williams Parry . . . a Chrwys.' Dyna a ddywed Wil Ifan yn ei gyflwyniad i *Cerddi Isfoel*, ac roedd ei dafod yn ei foch wrth iddo hanner cyhuddo S.B. o adael allan y llinellau gorau oll! Gwnaeth Wil Ifan lawer o 'ffys' o Fois y Cilie ac efallai mai ef yn fwy na neb yn y dyddiau cynnar, trwy erthyglau ac ymrysonau ar y radio, a'u cyflwynodd i'r genedl. Dyma englyn i Wil Ifan o waith Isfoel a defnyddiwyd y llinell olaf yn aml gan y gwrthrych yn ei gartwnau:

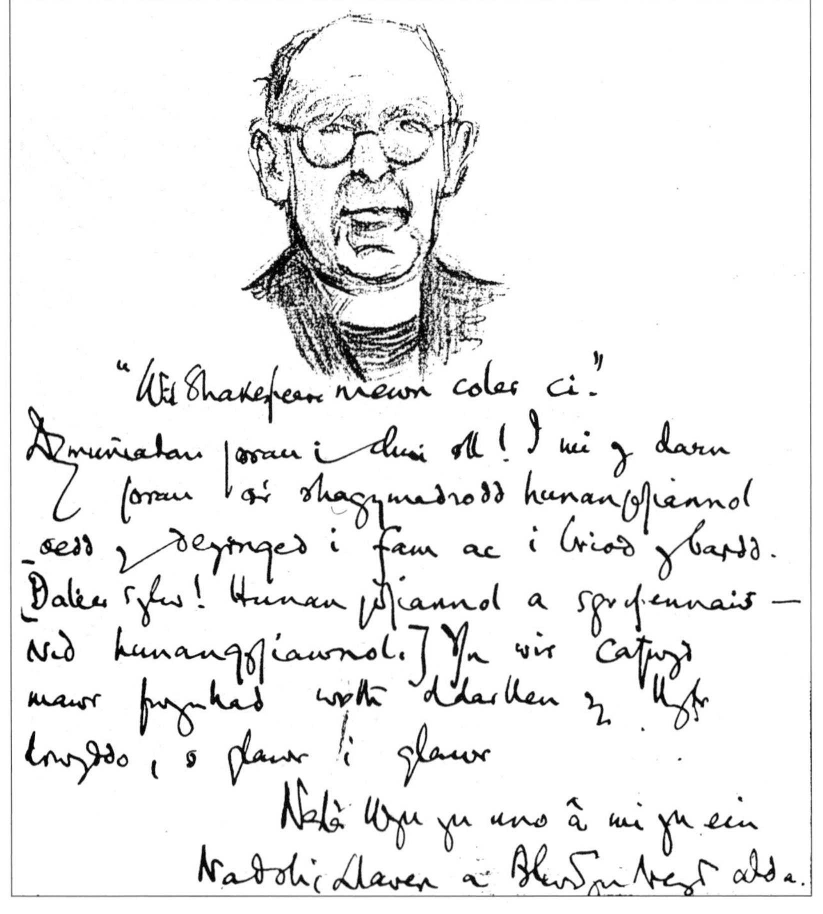

Cartŵn gan Wil Ifan, 'Wil Shakespeare mewn coler ci'.

WIL IFAN

Bardd cadeiriol yn moli—talentau
A helyntion digri;
Tal a thad hael a theidi,
Ein Shakespeare mewn coler ci.

Dywedodd Alun y Cilie unwaith wrthyf y byddai Isfoel, pe bai wedi'i eni heddiw, wedi derbyn addysg prifysgol ac wedi'i amlygu'i hun mewn ysgoloriaeth ym myd peirianneg gan ei fod mor ddyfeisgar. Ac efallai, barnai ef, y byddai egni'r awen wedi ei sianelu i gyfeiriad arall, a phwy a ŵyr na fyddai wedi dyfeisio darn rhyfeddol o dechnoleg er lles ei gyd-ddyn.

Cyfeiria Isfoel at ei enedigaeth ym mis Mehefin yn yr efail ar Fanc Elusendy fel 'anffawd' a gwaredigaeth i'w fam—'wrth fwrw'r hwdwg hwn allan i olau dydd'.

Ond daeth hapusach dwthwn
Wedi landio'r haflo hwn!

Oherwydd cyfyngder tŷ'r gof ym Mlaencelyn symudodd y teulu i'r 'continent' 300 erw, sef fferm y Cilie, ym 1888, ac Isfoel ond yn wyth oed. Trwy gydol ei oes, ac yn ei bum cartref, ni symudodd allan o'i filltir sgwâr. Priododd â Catherine Jones, merch fferm

Priodas Isfoel a Catherine Jones. Tynnwyd y llun ar glos y Cilie.

Isfoel a Catherine ar eu mis mêl, Awst 1929.

Pen-parc, yn Awst 1929, cyn cymryd gofal o Felin Huw, Cwmtydu, hyd 1936. Yna symudodd i Gilygorwel ac yno 'trigasom am wyth-ar-hugain o flynyddoedd yn llon ein gwala, ac ni welsom eisiau dim'. Adeiladodd fyngalo o'r enw Derwydd ym mhentref Pont-garreg a symudodd i mewn i hwnnw ar 16 Mehefin, 1964. 'Tŷ bychan pedair ystafell ydoedd,' meddai Isfoel, 'ac eithrio'r dirgelion bychain'. 'Codasom hefyd ystafell helaeth ar lun modurdy, fel lle i gadw glo a choed a chant a mil o drangwns, a lle i minnau ffidlan rhag mynd i'r falen,' meddai drachefn. Yn ei delyneg, 'Lle o Lai', mae Isfoel yn cyfeirio at ehangder fferm fawr y Cilie, y tyddyn, y bwthyn, ac wedyn yn sôn am y llecyn cyfyng olaf yng Nghapel-y-Wig:

Gorfoleddwn mewn ehangder
   Tra bu'r egni yn ei rym,
Nid oedd pwys y dydd a'i boethder
   Yn effeithio arnaf ddim.

Ond daeth methiant i'r cymalau
   Ac aeth rhwysg yr oes ar drai;
Fe gyfyngwyd y terfynau,
   Rhaid oedd mynd i le o lai.

Gwasgu'n nes a wna'r cysgodion,
   'Ceiliog Rhedyn' yn trymhau;
Ni bydd dewis eto'n union,
   Rhaid fydd cymryd lle o lai.

Gadawodd Isfoel Ysgol Pontgarreg ym 1891 yn ddeg oed oherwydd afiechyd ei dad, a'r unig ddysg a ddaeth i'w ffordd wedyn oedd hunan-ddysgeidiaeth.

'Meddylier am geisio cymryd addysg i mewn mewn iaith na ddeallem! Gymru feddal, wan, ddifalchder, ddi-asgwrn-cefn a fu'n wasaidd, ofnus. Ni ddaw byth allan o'r trybini. Yr ydym yn genedl hawdd i'n harwain ac yn hoff o efelychu rhai uwch na ni. Ac wedi i'r uchelwyr ddianc i Loegr ac i grachfonedd ddod i Gymru, a'r rheiny yn Saeson, fe efelychasom hwythau a hwy a osodasant y deddfau pwdr i lawr yn ein gwlad. Roedd popeth yn iawn tra parhaodd yr uchelwyr i fyw yma ac i siarad ein hiaith, a phan droesant eu cefnau, aethom ninnau ar ein tinau o dan 'frad y llyfrau gleision!' . . .'

'Welsh Not'
Ysgol Pontgarreg.
Cofiai Isfoel amdano
yn cael ei ddefnyddio.

Mae cofnodion Isfoel am ddyddiau cynnar ei addysg yn hanes diddorol a phwysig. 'Llwm a thrychinebus a gwan galon oedd popeth, a thlodi a drudaniaeth yn llindagu bywyd,' meddai. 'Caem . . . ddigon o ymborth i gadw'r enaid a'r tipyn corff ynghyd . . . Amheuthun di-ail oedd i ni gael bynnen. Gwelem hi bob dydd yn siop Lisa Watkins, a phan ddygem glocs y siopwraig iddi wedi eu hatgyweirio gan fy nhad, dyna a gaem am y gorchwyl. Tocyn sych o ddwy dafell o fara barlys oedd ein lwans, a dim gwlybwr yn

Ysgol Pontgarreg, Tymor y gwanwyn, 1904.

help i'w lyncu. Eiddigeddem, wrth weld plant eraill yn bwyta eu bara 'cann' (sef tipyn o gann a blawd barlys), a chanddynt jac te, math o lestr te ar lun potel â chorcyn iddo.' Meddai drachefn am y dyddiau cynnar hynny:

> . . . Dywedai fy nhad wrth rywun fod ei blant ef yn bwyta eu tocyn wrth fynd i'r ysgol ac yn pori ar y ffordd adre . . . Bwytaem . . . ddail surion bach, blaenion mieri ifainc, cnau daear, dail ifanc y ffawydden, eirin, fale bwci, fale sur bach. Un diwrnod gwelais un ferch yn gosod cwgen gann yn llawn cwrens ar ben clawdd amser chwarae. Euthum y tu allan i'r clawdd a chymryd y gwgen a'i bwyta yn y fan honno. Cefais fy hun ar y carped; yr oeddwn wedi paratoi drwy chwythu a phoeri ar fy llaw ond drwy fy ngonestrwydd cefais fynd yn rhydd. Roedd y sgwlyn (Dafis Bach) yn fflangellwr greddfol. Nid oedd ganddo reolaeth ar ei nwydau ar brydiau. Safai ei wallt yn syth a'i wyneb yn wyn fel y galchen (pan fyddai mewn tymer) . . . Digon carpiog oedd ein dillad yn yr oes honno. Ychydig os dim dillad newydd a gaem, ond yr oeddem ddigon clyd. Cot a throwser ar ôl ein brodyr hŷn oedd gennym. Twm yn cael dillad Fred a minnau ddillad Twm a Jac fy nillad innau, ac erbyn hynny yr oeddent yn gareion mân a deuai'r rhacswr heibio iddynt. Caem ambell drowsus rhip newydd weithiau, ac yr oedd yn amod ddealledig ei fod i'w wisgo i'r cwrdd ar y Sabath am rai troeon cyn cael yr anrhydedd o'i wisgo i'r ysgol. Clocs oedd am ein tra'd a'r rheiny yn aml iawn yn torri ein sodlau. Nid oedd hosanau cyfain gennym ond bacsau fel y'u gelwid! Math o hosan heb wadn ar y gwaelod. Hosanau wedi eu gwisgo tu hwnt i atgyweirio—felly fe dorrai fy mam y gwaelod reit i ffwrdd a gosod darn o rib-groes i ffitio dan y droed tu flaen i'r sawdl yr hwn a alwem yn 'dalyn', a'r talyn wedi ei wnïo yn gadarn. Yna gosodem flaen y facas rhwng ein bysedd traed ac yna eu gosod yn y clocs. Yn ddiamau yr oedd ein traed yn oer tra oeddem yn yr ysgol, yn enwedig trwy'r gaeaf, ond unwaith y caem ein gollwng allan roedd popeth yn iawn.
>
> Ni ddôi neb i'r ysgol yn eu dillad dy' Sul fel y gwnânt heddiw, clocs a bacse oedd am draed y mwyafrif, a'n dillad yn adenydd amdanom yn aml iawn. Os digwyddai cart ddod yr un ffordd â ni, fe gaem lifft weithiau, a chanem 'Rule Britannia' iddo am reid. Ac os dôi rhyw ŵr bonheddig neu drafaeliwr mewn cerbyd ysgafn, gafaelem yn ei gynffon a'i ddilyn hyd oni waeddai'r lleill—"Whip behind". Caem lawer o ddifyrrwch—wrth fynd a dod . . . y dadlau, cystadlu rhedeg, chwilio nythod adar, tynnu cnau a phlwms, neidio dros y cloddiau, rhedeg ar negesau, ambell ffeit, ac ambell *black eye*. Uchafbwynt unrhyw ffeit oedd tynnu gwaed o'r trwyn (*full marks*). Tynnwyd gwaed o fy nhrwyn lawer tro, a thynnais waed o drwynau eraill. Buasai pob un yn gwybod pa liw oedd ei waed yn y dyddiau hynny!

Rhyw fore Gwener roedd Isfoel yn cychwyn i'r ysgol pan alwodd ei dad arno: "Dywed wrth dy 'fishtir' y byddwn yn barod i ddyrnu llafur bore Llun nesaf." Pob peth yn iawn ond roedd yn rhaid dweud y neges yn Saesneg wrth y sgwlyn bach, ac nid oedd Isfoel yn fawr o Sais. Ni wyddai ar glawr daear be' oedd dyrnu yn Saesneg, ond daeth ei gyfaill Jonnie Morgans i'r adwy.

"Beth yw dyrnu yn Sisneg, dywed?" gofynnodd Isfoel.

"Thrash," meddai yntau, ac yr oedd pethau yn goleuo nawr, a dyma gyfansoddi brawddeg Saesneg i gario'r neges.

Dyma ei law lan yn arwydd fod ganddo neges.

"Yes," meddai'r sgwlyn, "what do you want, David Jones?"

"Sir, my father will be ready to thrash you on Monday."

A chafodd ryddhad ac anadl, a Jonnie Morgans yn gwthio ei ben o dan y ddesg. Er mwyn cael eglurhad a manylion, galwodd y meistr ef allan i ystafell arall, a chafodd bob manylion mewn Cymraeg persain. Meddai Isfoel: 'Dyma enghraifft i chwi o'r gorthrwm a oedd arnom fel Cymry ifainc yn yr oes honno'.

Mae Isfoel yn disgrifio'r blynyddoedd cyntaf yn y Cilie fel 'llwyd ac isel . . . a'r fasnach wedi taro'r gwaelod ers blynyddoedd'. Gofynna iddo'i hun wedyn: 'Sut yn y byd mawr y llwyddasom i gadw ynghyd yn y fath argyfwng? Ni chlywais awgrym am fenthyca arian, ac ni holais mam erioed, canys ni'm dorai yn y dyddiau cynnar hynny. Rhaid bod arwerthwr, a banciau, efallai, yn ymarhous a charedig'. Fodd bynnag, meddai, 'fe ddaeth bywyd i gymalau yr ysgerbwd yn araf bach, a thrwy ymdrech a dyfalbarhad fe gafodd ei draed tanodd ac ni ddiffygiodd yn llwyr eilwaith. Gan fod y gyfrinach yn dywyll i mi, bydded yn dywyll i bawb am byth. Clywais fod ganddynt drigain punt yn y banc, ond ni allaf gadarnhau hynny ychwaith . . . Deuddeng mlynedd fu cyfnod fy nhad yn y Cilie, ac erbyn hynny yr oedd wedi ei stocio yn gymharol lawn, a'r meysydd yn glasu a magu cefn er ffrwythloni ac ysbrydoli dyn ac anifail'.

Dôi'r 'trustees' i fyny unwaith y flwyddyn i gasglu'r rhent tua mis Gorffennaf, 'yn eu cerbydau hardd, a bocsaid o boteli o dan y seddau, a'u trwynau a'u Saesneg coch'. Ymhlith y fintai bwysig roedd Richard Ormond, William Adamson Roch (yr hen 'Roch', chwedl Jeremiah), A. McCall, John Williams, William Phillips a T. F. Merriman. Ond roedd un o'r tri ar ddeg, W. Phillips, yn cydymdeimlo â'r teulu ac yn sefyll o'u plaid mewn trafodaeth ar y clos, fel y dengys y cofnod hwn gan Isfoel: 'It is no sense that this gentleman should put up these repairs and pay rent to other people'. Ond meddai Isfoel: 'Rwy'n gweld y taclau yn troi eu cefnau fel 'tae ddoe'.

Dywedodd ei dad wrtho yn ei ddyddiau olaf: "Fe fydd yn eitha' da arnoch mwy, gallwch werthu oen neu eidion pryd bynnag y bydd angen talu bil, ac ni flinir chwi â phrinder tamaid a philyn." Yr oedd Isfoel yn y cyfnod hwnnw yn ifanc a di-ofn, ac nid oedd dewis ganddo ond bod yn gefn i'w fam gan mai hi yn unig oedd gartref gydag Isfoel, a'r tri hynaf wedi hedfan o'r nyth. Wedi colli ei dad, derbyniodd Isfoel fantell cyfrifoldeb rhedeg y fferm mewn partneriaeth agos â'i fam. Roedd ei frodyr hynaf, Fred a Tom, wedi hedfan o'r nyth, a John wedi ymfudo i Ganada; roedd Siors un ar ddeg o flynyddoedd yn iau a Simon ac Alun yn ieuengach. Wrth i beiriannau bendithiol wthio'u ffordd i fewn i'r fferm, roedd llai o alw ar y cymdogion; diflannodd y fedel, a disgynnodd mwy o bwysau ar Isfoel fel pen y teulu. Cyflogwyd 'Land Girls' yn ystod y Rhyfel Byd Cyntaf, a deuai bechgyn o gartref amddifad yn Croydon i weithio dros dro ar y fferm.

Isfoel a fyddai'n prynu ac yn gwerthu anifeiliaid, ac yn sicrhau fod y fferm yn llwyddo fel busnes. Cymerai ei gyfrifoldeb o ddifri ac i bwysleisio ei awdurdod eisteddai gyda'i fam wrth fwrdd arbennig yn y gegin ar wahân i'w frodyr a'i chwiorydd yn y rŵm ford. Ef oedd dyfeisiwr offer arbennig y fferm i bwyso a chodi nwyddau trwm, ef oedd y peiriannydd, ef oedd deintydd y teulu a'r gweision (â'i offer gofaint), ac ef oedd y barbwr.

Roedd sôn am Isfoel fel darllenwr mawr, ac yn dysgu darnau o awdlau a phryddestau ar ei gof. Hoffai ddarllen 'Hansard'—yn enwedig areithiau'r gwleidyddion blaenllaw ar y pryd—megis Chamberlain, Baldwin, Lloyd George, Ramsbottom, Gladstone—a medrai ddyfynnu yn helaeth o'i gof ddarnau hirion ohonynt. Ac er bod y Cilie ymhell o gyrraedd 'coridorau grym', roeddynt yn ymwybodol o'r byd mawr a'i broblemau.

Adnabyddir Isfoel yn bennaf, wrth gwrs, fel bardd gwlad ffraeth iawn, ond dylid cofio mai amaethwr a gof ydoedd wrth ei alwedigaeth. Yr oedd yn grefftwr dawnus ymarferol iawn yn ogystal â bod yn grefftwr geiriol. Dywed y Parchedig D. J. Roberts . . . 'Y grefft werinol oedd gyntaf iddo a chyfrwng i adnabod bywyd a'i fwynhau oedd y grefft o farddoni. A rhan o'i fusnes ef, heb iddo athronyddu'r peth yn ymwybodol a bwriadus, oedd hyrwyddo llawenydd a hwyl bywyd, a chael ei gymdogion i chwerthin, a chwerthin am eu pennau hefyd. A deuai newyddion o bell ac agos i'r efail; os oedd ei lygaid yn graff, yr oedd ei glust yn astud hefyd'.

Wrth symud yn 'dorf gariadus' i'r Cilie, rhan bwysig o'r eiddo symudol oedd offer yr efail a buan iawn yr adeiladwyd pentan newydd ar y chwith wrth fynediad y fferm, peth anarferol hyd yn oed yn y cyfnod hwnnw. Byddai Isfoel yn pedoli'r ceffylau, yn atgyweirio offer ac yn dysgu'r grefft i'w frodyr ifanc.

Allor y gof fel lloer gyfan,—gorsedd
Yr ysgyrsio diddan;
Casgl ei rent ar y pentan
A thynnu'i dorth wna o'i dân.

Yn fy meddiant mae tri pheth ymarferol iawn sy'n dangos dawn greadigol Isfoel fel gof a pheiriannydd—stond lifio, rowler o hen dun olew wedi ei lanw â choncrit â ffrâm haearn braf, hefyd stond hogi gan gynnwys y maen ar hen beiriant pwlpo. Hyd heddiw mae crefftwr lleol, Dewi Jones, yn defnyddio arf-gyllell o waith Isfoel a fu unwaith yn

Dyfais Isfoel i naddu pren.
Fe'i defnyddir o hyd.

Bwyell ddwbl o waith Isfoel.

ffeil, ond sydd nawr fel pig aderyn trofannol, ac yn cael ei ddefnyddio i greu llwyau pren ac offer bwrdd a modelau; ac ym meddiant ei nai, Morlais, mae bwyell o waith Isfoel, un ddwbwl hanswm iawn o falans da.

Yn ei ieuenctid daeth Isfoel yn enwog fel perchennog un moto-beic 'James' arbennig iawn a modur ('bull-nosed Morris Cowley'). Daeth y tri yn adnabyddus iawn yng ngwaelod Ceredigion ym mlynyddoedd eu gogoniant. Adnewyddodd y moto-beic 'James' yn llwyr wedi i S.B. gael damwain 'a thorri ffrâm y peiriant yn ddau ddarn . . . 'Daethpwyd â'r cel haearn adre' mewn gambo, ac wedi cael asgwrn cefn newydd, chwyrnellodd am amser hir ar ôl hynny,' yn ôl cof Gerallt Jones. Mae ardaloedd Cwmtydu a Llangrannog yn frith o ddyfeisiadau ymarferol haearn Isfoel ar aelwyd ac ar fferm. Roedd yn ddawnus iawn hyd yn oed yn ei ddyddiau hydrefol yn cynllunio gatiau haearn.

Nid yw pob ffermwr yn or-enwog am gadw gardd gymen, ond ger adfail yr hen Gilie roedd gardd lysiau a gyflenwai lawer o anghenion y teulu. Isfoel a'i fam a weithiai'n ddygn i edrych ar ôl yr ardd.

Efallai mai'r enghraifft orau o ddawn Isfoel fel cynllunydd a pheiriannydd oedd ei 'prototype' ar gyfer malu a tshaffo yn y sgubor. Ar gyfer gollwng y dŵr o'r llyn roedd gan Isfoel ddyfais (fflodiat) i godi a gostwng y pwysau o'r twll. Pan safai rhywun ar y stepen ar ochr y llyn ger y twll, codai casgen i wyneb y llyn a chlywid y dŵr yn rhuthro trwy'r binfarch (rhewyn dŵr) a oedd yn arwain y llif o'r llyn i'r rhod ddŵr a oedd yn y cae bach ger y berllan dan y ffald. Ymlwybrai'r werthyd dan ddaear yn groes Parc Gwair, yna, dan ffordd Cwmtydu, ac wedyn ar draws y clos am hanner can llath i'r sgubor. Dim ond mewn un man, hanner ffordd drwy'r clos, y deuai'r werthyd i'r golwg (er mwyn diogelwch) lle'r oedd gêr 'differential' ac 'universal joint' o waith Isfoel yn caniatáu tro yn y peirianwaith a pherffeithrwydd i'r holl gynllun. Ger y sgubor roedd braich haearn yn hongian, a medrech gychwyn y rhediad dŵr a'r rhod yn ei thro o'r pellter. Byddai'r 'tŷ ma's' a'r sgubor yn llawn o sistemau pwlis a dyfeisgarwch Isfoel i leihau'r gwaith. Bu sôn fod cwmni peirianneg am ddatblygu dyfeisiadau pwlis Isfoel, eu cynhyrchu a'u gwerthu ar y farchnad agored, ond ni ddaeth dim o'r ymholiadau cynnar. Y tu ôl i'r storws roedd mainc lifio hir, a phan briododd Isfoel â Catherine a symud i Felin Huw, Cwmtydu, datgymalodd y fainc lifio a'i hailadeiladu yn y Felin i weithio eto'n berffaith i ynni'r rhod ddŵr.

Prynodd Isfoel hen gwch achub, y 'Brandon Barrow', er mwyn hwyl a sbri a physgota, ac fe'i cedwid ger y Morllyn, ond torrodd ei angorfa yng Nghwmtydu ac fe'i cludwyd allan i'r môr. Tynnai Simon ei goes fod Isfoel wedi anfon llythyr ato i holi'r 'coastguards' yn ymyl Pwllheli a oeddynt wedi gweld y 'sgwner'. Roedd Simon yn y coleg ym Mangor ar y pryd. Anfonodd S.B. yr englyn isod i'r papur lleol:

Chwiliais a mynych holi—yn ofer
  Ger hafan Pwllheli:
 Ai ar waelod yr heli,
 Iach ei don, mae dy gwch di?

Anfonodd John Tydu garden at Isfoel o 'Lake Louise' gyda'r wybodaeth fod y 'Brandon Barrow' wedi cyrraedd Canada, filoedd o filltiroedd o Gwmtydu!

Pan symudodd Isfoel i Felin Huw, Cwmtydu, aeth â'r felin lif gydag ef a bu'n malu, llifio coed ac, wrth gwrs, yn gweithio fel gof, yn ei gartref newydd. Y pennawd cynganeddol ar ei filiau oedd 'Melinau dur, llafur a llifio'.

Roedd Isfoel yn fwy na neb wedi etifeddu ymarweddiad dirodres ei dad, yr ymwybyddiaeth lenyddol a'r ddawn ffraeth a'r athroniaeth hollol werinol tuag at fywyd. Cyfrannodd y ffactorau hyn yn naturiol at greu'r gwerinwr-fardd. Dywed y Parchedig W. Rhys Nicholas—'Fe'i gwelaf yn awr ar glos y Cilie, yn pwyso ar ei ffon gollen, bron mor dal ag ef ei hun (bod-ffon, chwedl Waldo) a jimen o het bysgotwr ar ei ben . . . Bron nad awn ar fy llw mai'r un ffon wledig a'r un het frethyn oedd ganddo ar faes y Genedlaethol. Roedd yn ffyddlon i'w gefndir a gwrthododd wenieithio na rhodresa mewn unrhyw ffordd. Bu'n byw a siarad a barddoni fel ef ei hun ac nid fel neb arall'.

Roedd Isfoel yn aelod ffyddlon a gwerthfawr o'r dosbarth nos ym Mhontgarreg—'Cawr mawr yr extra-mural' oedd llinell Isfoel i'r Parch. D. J. Roberts (y darlithydd dros gyfnod hir). Dywed D.J. ymhellach: 'Deuai swildod cynhenid y 'tyl' a swildod naturiol y gwladwr cartrefol i'r golwg ar brydiau. Nid oedd yn hoff o drafodaeth hir a dadlau brwd. Roedd gormod o'r wàg ynddo i fedru dal ati i ddadlau, a phan welai gwrs pethau'n tueddu i fynd yn rhy drwm, distawai. Ei hoff dacteg oedd ffrwydro'r awyrgylch a'r cwmni gydag un frawddeg ffraeth gyrhaeddgar'.

Yn ystod gwasanaeth angladdol ar yr aelwyd i Anti Rachel (chwaer Jeremiah Jones) roedd S.B. yn hwyr yn cyrraedd. O'r diwedd, braidd yn ddiamynedd, aeth Isfoel allan i'r hewl. Ymhen tipyn cyrhaeddodd Simon a daeth allan o'i fodur yn ei ffordd arferol—lwyr ei ben ôl. Ond oherwydd y bondo cwrlog o wallt a gadwai hyd ei wegil, meddai Isfoel: 'O leia' mae ei fwng e wedi cyrraedd'.

Cwmni Drama Cilie-Crannog, 1925. Anne Jane Jones, merch Tom Jones, yw'r ail o'r chwith yn y rhes gefn. Yn y blaen y mae Isfoel (yn gwisgo barf ffug), ac Alun Jeremiah (y pregethwr).

Stori a hoffai Isfoel ei hun ei hadrodd oedd am y tro y bu iddo baratoi papur i'w ddarllen mewn cyfarfod dirwest ym Mhenmorfa ym 1899. Cafodd wrandawiad astud a chododd Cranogwen ar ei thraed: 'Cawsom bapur lled dda gan y bachgen ifanc yma [18 oed], fel y disgwyliem gael, ond rhaid i mi ddweud fod mwy o ramant nag o ras ynddo'.

Roedd yn aelod gwerthfawr o'r gymdeithas ac yn barod â'i bill ar bob achlysur. Lluniodd y gerdd canlynol i Jac Alun (8 oed ar y pryd) i'w hadrodd yng Nghwrdd Nadolig Capel-y-Wig, 1916:

GWADDOL MARI

Dyma'r waddol gafodd Twmi
Pan briododd ef a Mari:
Dwy lwy gawl, pib bren a lletwad,
Brwsys 'blacking' a bocs dillad;
Defnydd crys ac ochr mochyn,
Cadair babi a dau gosyn;
Gwely us a phwn o dato,
Crib a chaib a haearn smwddio;
Trensiwn pren a hen gist halen.
Bocs tybaco a hwyaden;
Stên a phot a chrochan enwyn,
Cwilt a rhaw a llestr menyn;
Crochan cawl a phâr o sane
Cwrcath du a llyfr hymne;
Dafad ddeugorn, cyllell fwtsha,
Giâr naill lygad, mochyn cwta;
Pâr o glocs a shespin sgidie,
Capan nos a phâr o weille;
Ffroc fedyddio yn llawn ffrilyn,
'Fuller's earth' a sbwng a rhwymyn,
Ond gwell imi yw terfynu
Trwy roi presant trwm i Mari.
Clamp o 'looking glass' ac ynddo
Mari'n gweld ei hun yn starfo.

Mae'r Prifardd T. Llew Jones yn enwog trwy Gymru am ei sgyrsiau a'i ddarlithiau am 'Fois y Cilie', ac un o'i hoff storïau yw'r digwyddiad canlynol mewn ymryson ym Mhenrhiw-llan. Roedd S.B. (ei frawd, ac yn weinidog ym Mheniel a Bwlchycorn ar y pryd) yn feuryn a rhoddwyd tasg ddiniwed i Isfoel, fel na fyddai'n rhoi cyfle iddo ddweud rhywbeth crafog ac amharchus, sef llunio cwpled yn cynnwys y gair 'dŵr'. Ond, daeth Isfoel yn ôl ar fyrder:

Eitha' peth gan bregethwr
Yw swig dda'n gymysg â'i ddŵr.

Dywedodd rhywun: 'Mae'r nefoedd yn siwr o fod yn lle hapusach o gael Isfoel o fewn ei gynteddau'. Efallai fod y llefarydd yn cyfeirio at bennill a luniodd Isfoel wedi archebu ysgol ddeuddeg ffon gan saer lleol. Wedi ei chasglu a derbyn y bil am bunt a hanner coron, lluniwyd y pennill canlynol:

Wele bunt a hanner coron
Am yr ysgol ddeuddeg ffon,
Pwy a ŵyr nad af i'r nefoedd
Rywbryd ar ôl dringo hon;
 Os af yno,
Mi a baratoaf le i ti.

Mentrodd Saesnes ifanc, bert anfon ei llun at Isfoel wedi iddi gyfarfod ag ef pan oedd ar wyliau yng Ngheinewydd. Anfonodd yr englyn Saesneg canlynol yn ôl at y ferch:

You are fit in your photo,—yes, indeed,
 Nice and tidy also;
Sweet as jam, no sham nor show
Ready to marry tomorrow.

Ond wedyn bu rhywun mor ddifeddwl â thynnu sylw'r bardd at yr odlau a honni nad oeddynt yn hollol ddi-fai. Ond roedd ateb Isfoel yn ergydiol fel arfer: 'Fachgen, wyt ti ddim yn gallu siarad Saesneg'.

Teulu'r Cilie a thrigolion lleol ar draeth Cwmtydu ar Ddydd Iau Mawr. Yn y llun y mae Esther (i'r chwith eithaf), Isfoel yn y canol â het am ei ben, Catherine ei wraig yn ei ymyl (rhwng Isfoel a Fred), a Mary Hannah yn ymyl Isfoel, ychydig yn is i lawr.

Deuai ei wreiddioldeb a'i athrylith i'r wyneb ar bob achlysur, ac er bod rhai o'i frodyr yn feddylwyr praffach, fflachiadau awen fentrus Isfoel a erys ar gof a chadw gan y werin. Cofiaf hanes am fy nhad, y Capten Jac Alun, yn dal y doben ac yna'r ffliw pan oedd gartref ar hoe o wyliau o'r môr. Roedd yn ddeunaw stôn ac yntau heb siafio am wythnosau a chwyddiant ei fochau a'i wddf oherwydd y salwch yn olygfa echrydus! Er i'r meddyg gynnig moddion a seicoleg a gorchymyn iddo aros yn y gwely, poenus iawn oedd cyflwr y claf diamynedd. Penderfynodd ei ewythr, Isfoel, gynnig ei feddyginiaeth ei hun i'r claf. Daeth o hyd i hen hosan dyllog ac wedi rhwbio saim gŵydd dros wddf fy nhad, clymodd yr hosan dros yr eli gwyrthiol ac ychwanegu englyn wedi ei ysgrifennu ar label:

Yma'n cyfarth a charthu,—anadl rhwym,
    Dolur rhydd a phoeri;
  Catarrh yn cau'r cwteri,
  Mewial cath a dim hwyl ci.
(Maddeuer yr odl)

Isfoel a Catherine.

Roedd Llwyd o'r Bryn yn llythyru tipyn ag Isfoel a'r ddau yn parchu y naill a'r llall yn fawr. Bob siawns a ddôi byddai Llwyd o'r Bryn yn galw yn y Cilie ac ym Mhontgarreg. Cyflwynwyd bodffon gan Isfoel i Lwyd o'r Bryn ar faes yr Eisteddfod Genedlaethol yn Rhosllannerchrugog, Awst 1961, a daeth y beirdd ynghyd i gyfarch:

Nawdd oesol bardd Cefnddwysarn,—heddiw caiff
    Drydedd coes dra chadarn;
  Draenen addas, nid masarn,
  Ddeil yn gre' hyd fore'r farn.

T. Llew Jones

Rhown ddarn o hen ddraenen ddu—i ti, Llwyd,
    Y llanc sy'n ffawd-heglu;
  Naddwyd hon i'th noddi di,
  Tyfodd yn sir 'Berteifi.

Alun Jones

Heddiw rhown bastwn ddraenen—i'r hybarch
Robert, ein brenhinbren;
Edrych ar ôl y gledren
A pharcha'r fforch ar ei phen.

Os daw helgwns dialgar—neu'r gŵr drwg
Ar draws ein ffrind llengar,
Ceidw hon rhag ciwed anwar,
Y boi o'r 'North' heb 'run 'r'.

Dic Jones

Ar Isfoel daeth rhyw ysfa—i gofio
Ei hen gyfaill ffraetha';
I Gefnddwysarn daeth darn da,
A'i ffon a'i hamddiffynna.

Tim Dafis

O'n bodd yn awr y'i rhoddwyd,
Ffein a llyfn yw'r ffon i Llwyd.

W. R. Nicholas

Gorchest o fforest o ffyn—a dau gorn
Dig arni a cholyn
I'w arbed, ac i dderbyn
Holl hyder braich Llwyd o'r Bryn.

Isfoel

Dyma ran o ymateb Llwyd o'r Bryn wedi i gyfeillion Isfoel gyflwyno'r fodffon iddo mewn seremoni arbennig ar faes yr Eisteddfod Genedlaethol yn Rhosllannerchrugog (nid oedd Isfoel yn bresennol):

Rhoed bloedd o drwmped dros y cae
I alw'r saint ynghyd;
Dangosodd gwŷr y camerâu
Y fodffon i'r holl fyd.

Enillwyd cadair gan y bardd
A choron gan y llall,
Ac nid oes undyn a wahardd
Anrhydedd mor ddi-wall.
Ond pe rhoech ddewis taer i mi
Fe ddaliwn fy nwy law
Mai bodffon Isfoel fynnwn i
O Gilygorwel draw.

Nid mewn englynion, cywyddau a phenillion yn unig y byddai Isfoel yn arddangos ei athrylith a'i dalent lifeiriol ond mewn llythyrau ac ysgrifau. Wele isod ddarn o lythyr a ysgrifennwyd gan Isfoel ar nos Sul, 28 Gorffennaf, 1929, at ei nai Rhys Tom (mab Marged y Cilie). Efallai fod Isfoel wedi 'ei hagor hi ma's' i godi calon ei nai a oedd yn glaf yn yr ysbyty:

Cafwyd taith gysurus a llawen pa ddydd. Roedd yr haul yn gwenu wrth ei fodd yn yr entrych fry, a'r heolydd wedi eu troi allan yn y modd gorau posibl a charped du'r tar yn gorwedd yn esmwyth o dan olwynion yr Austin, ac yn ein gwahodd o'r pellter di-drai gan ddiflannu fel swyn-gyfaredd Hollywood rhwng yr olwynion. A'r Capten Dafydd Jeremiah Williams—gan anwybyddu'r cloddiau trwsiadus—yn ymgolli rhwng perarogl deufyd ac angylion paradwys yn ei esgusodi am nad oes 'mid-air law' wedi ei chreu eto. Diwrnod 'modern' iawn a gafwyd. Pan gyraeddasom Dalybont, nid oedd Fred yno. Enid yn y gwely dan effeithiau'r frech, Eunice yno fel arfer yn ei dillad goreu yn ein gwahodd at fwrdd yn tuchan dan ei lwyth danteithiol. Os nad wyt yn credu hyn, gofyn i Dai dy frawd. Wedi treulio awr neu ddwy yno, yn mwynhau ein hunain, a'n cegau led y pen, cychwynasom yn ein cerbyd tanllyd i gyfeiriad Carno, gan lyncu'r pellter fel cysgod cwmwl.

Croesi'r Ddyfi fel si saeth
A chanllaw pont Machynllaeth.

Chwyrnai'r Awstin fel llew yn breuddwydio am ysbail a'i anadl yn gosod addurn ar fryniau Talerddig a Maldwyn. Teimlem ninnau y teithwyr ein diogelwch cyn sicred â phe baem ar balmant. A phob un mor llon a llawen ac ambell i ystori yn melysu'r awyrgylch i gadw 'delicate cells' y galon yn iraidd. Cyrhaeddwyd Carno fel pe baem mewn breuddwyd. Onid yw'r Awstin yn tynnu deupen y byd at ei gilydd gan anwybyddu gagendor gwag a diwasanaeth? Yno, ar ei benliniau roedd Simon [S.B.] wedi trochi ei hun ag olew yn gymysg â phob rhyw fryntni a'r dafnau chwys oedd wedi llechu am aeafau yn ei dabernacl yn dianc fel ynfydion dros lechweddau ei ddwy foch lewyrchus, yn ceisio gosod *tyre* am olwyn ei Austin yntau. Pan welodd ni, gwelais ei enau yn symud—yn agor ac yn cau—fel y gwelais gi yn dal cilionen. Hawdd oedd deall beth ddaeth allan y pryd hwnnw—un o'r geiriau gwasanaethgar hynny sydd yn ein cynorthwyo pan neidia eidion dros y clawdd wrth fynd i'r ffair! Ond daeth pethau i gytgord hwylus a llyfn yno . . . Cychwynnwyd yn ôl 'rôl hir a hwyr, a'r Awstin erbyn hyn wedi ennill rhyw nerth anesboniadwy ac yn gwneud sbort ar ben pob copa mynydd a gwadnau isel traed y dyffrynnoedd a chwyrnai yn wawdlyd wrth glatshan ei fysedd ar bentrefi a dweud 'twll dy din di' wrth Machynlleth a Bow Street. A'r ffordd fawr yn datod fel perfeddyn, gan ymgolli wrth y milltiroedd o gymdogaeth ei bart ôl, cyraeddasom Talybont. Roedd gŵr y tŷ, Fred, wedi cyrraedd erbyn hyn a chaed ymgom a chwerthin a miri. Ymwelasom â'r Borth ac oddi yno trwy Aberystwyth a'r haul fel rhyw 'Red Indian' blinedig yn chwilio am ei wely tu hwnt i orwel cysgodol yr Iwerydd a'r cwmni yn melysu erbyn hyn yn yr Awstin. Roedd y daith yn troi oddi wrth y 'theoretical' at y 'practical'. Felly o dan fantell drugarog y tywyllwch roedd llygaid yr Awstin yn goglais ystlysau'r llechweddau ac yn poeri goleuni dros gribau'r moelydd. Dirwynasom bellen ein gwibdaith i derfyn diogel a boddhaus, a chiliasom bob un i'w loches gynhenid ei hun.

Gobeithio dy fod yn parhau i wella, ac y cei ymadael yn ôl dy fwriad ac yn holliach.

Dyma'r oll heno, gyda chofion cu iawn

Dai, dy ewythr.

* * *

Isfoel a fu'n dysgu'r Capten Jac Alun i yrru modur. Cawsai Isfoel wefr a phleser mawr wrth osod y ddeddf i lawr o flaen Capten (Jac Alun) a lywiai longau mawrion dros wyneb diheol yr Atlantig. Ond ar ddydd y prawf gyrru car daeth profiad bythgofiadwy i'w ran. Disgrifiodd yr hyn a ddigwyddodd mewn ysgrif ddoniol, 'Gyrru Cerbyd' yn *Hen Ŷd y Wlad*. Wrth i'r capten wthio trwyn y Morris mawr allan i'r ffordd fawr fe'i trawyd gan gerbyd 'yn dod fel saeth o'r anwel . . . Aeth ein march ninnau â'i draed blaen i ben y clawdd, ac yna yn ôl ar ei ochr yn esmwyth i'r heol, a'r peth cyntaf a gofiaf wedyn yw teimlo pwysau'r Capten (deuddeg ugain o ddyn) yn sefyll arnaf, â'i ben allan trwy'r drws agored ac yn ceisio dringo i fyny i las y nef. Minnau yn gorwedd yn llonydd, gan nad oedd gennyf ddewis, tra safai Samson arnaf!' Ar ôl i blismon gyrraedd a chymryd nodiadau, 'Hongiwyd yr 'L' ('L' for luck y tro yma) ar ei drwyn, a dyna ni i ffwrdd a'r mydgard flaen yn fflapian fel clust hwch o flaen ci, a'r march wrth ei fodd wedi ennill pâr o bedolau'. Gohiriwyd y prawf y diwrnod hwnnw ond llwyddodd i gael trwydded yr wythnos ganlynol.

Roedd digwyddiadau o'r math yma yn fêl ar fysedd Isfoel.

Cadwai ddyddiadur cyson a llawn, yn enwedig ar ôl ymddeol i'r Derwydd, gan lanw i'r ymylon eithaf lyfrau gweigion o Fanc Natwest a gawsai gan ei nai, Ewyndon. Dyma bwt o hen ddyddiadur Isfoel:

> Anghofia i byth un bore yn Chwefror (yn yr undegau) a'r gwynt yn chwipio trwy bob twll a chwythu'r eira trwy'r ffenestri. Roedd tua wyth o'r gloch a minnau yn codi at fy ngwaith, gwelwn golofn o fwg yn chwyrlïo o simne y gegin fach. Deallais ar unwaith beth ydoedd, canys fe ddigwyddasai o'r blaen. Euthum yn syth i'r gegin fach. Nid anghofiaf byth mo'r olygfa—John Brown, y crwydryn, yn borcyn noethlymun a'i ddillad yn hongian o gylch tanllwyth mawr o dân—a John yn gysurus â phwtyn o bib glai. Yr oedd yn gampwr fel canwr baledi â'i whisl dun ac yn ddawnsiwr penigamp. Cariai lond ei boced o faledi ceiniog yr un,—'Y bachgen main', 'Yr eneth gadd ei gwrthod', 'The girl I see in the train', ond y gân a alwai yn 'Irish jig' a ganai yn gyffredin. Yn y dauddegau . . . collodd focs tun bychan a phisyn deuswllt ynddo wrth balu'r ardd, ac yr oedd ei siom yn gymaint fel y palodd y pâm hwnnw drachefn, ond yn ofer . . . Byddai ei le yn barod iddo orwedd yn yr ysgubor—digon o wellt ffres, sachau a chwilt neu ddau yn y gaeaf ond ni chafodd brenin gwsg mor gysurus ag ef erioed. Roedd Moss, y ci defaid mawr, a'r cŵn i gyd yn ffanio eu cynffonnau o'i flaen pryd bynnag y daethai i'r clos. Moss yn unig a gawsai yr anrhydedd o gysgu gyda John Brown. Hyfryd oedd gweld Moss ac yntau yn cyd-orwedd mor daclus a'r ddau mor debyg i'w gilydd o ran maint a lliw! A chwarae teg iddo, fe osodai'r sachau a'r cwiltiau wedi'u plygu yn daclus ar ben y peiriant dyrnu bob bore.

(Ceir cofnodion manylach o'r stori yn *Hen Ŷd y Wlad* a *Cyfoeth Awen Isfoel.*)

Dyma bytiau o ddyddiadur y pumdegau a'r chwedegau. Oni bai am nodiadau Isfoel ni fyddem wedi cael cystal cofnod o'r Cilie cynnar. Roedd ei nodiadau dyddiadurol yn ddiddorol ac yn ddoniol.

> Llun o Paul Robeson yn derbyn llyfr emynau Cymraeg yn Eisteddfod Genedlaethol Glyn Ebwy, Awst 1958, oddi wrth Syr T. H. Parry-Williams:
>
> Yn rhydd, 'da'i gilydd, dau gawr,
> Un trwm ac arall tramawr.
>
> Ni ddaeth John Alun i briodas ei ferch,
> Mae wedi anghofio ffolineb serch.
>
> Digon o cherry brandy, ginger brandy a champagne i nofio'r Mauritania. Nid oedd cinio cyllell a fforc yn y 'Black Lion' ond rhyw ffasiwn syml—pob un yn sefyll a chymryd dognau a symud ymlaen â'r cwpan yn y llaw a bwyta fel twrci, a dianc i gornel rhag i neb arall ei ddwyn. 'Buffet' yw'r gair mae'n debyg ond i'r pâr ifanc:

Isfoel y tu ôl i olwyn y Morris 'bull nose' Cowley enwog. Wrth ei ochr y mae Gerallt a Siors yn y sedd gefn. Mae Fred yn taflu golwg ar y llwyth o wlân yn y treilyr.

Hwyl yng nghysgod sopyn o waith Isfoel ar gae'r cynhaeaf, ar Barc Cartws. Mae Isfoel yn dal stên o de, ac yn y llun gydag ef y mae Olwen, Enid, Mari a Derec.

I'r Ynys Werdd ar nos harddaf
I gofleidio'n hinon haf.

A dyma rai o'i sylwadau am y tywydd:

Diwrnod digon difaners.

Storm neithiwr, y cread yn crynu. Sut safodd sied Pwyll, ys gwn?

Hen fwmbwrth yw November.

Y drws ma's ar agor yn y bore. Y gwynt wedi gwneud melltith yn y nos fel fandaliaid anghyfrifol—dan fantell y tywyllwch.

Gwynt oer, ffraeth yn gantor ffrom,
Anystyriol ystorom.

Diwrnod oer—A'i bladur yn y blodau.

Môr o Gân—y set radio allan o hwyl hefyd. 'Dod a chilio fel tonnau'r môr'.

Sul tawel ond sâl y tywydd
Heddiw, a dwl byddinoedd dydd.
Caddug oer yn cuddio gwên
Yr haul gan sbwylio'r heulwen.
Dim un llais na chlod mewn llwyn,
'A digennad y gwanwyn'.
Uchel fu annel gwennol,
Saer i Dduw'n mesur y ddôl.

Byd Natur (BBC) yn cyhoeddi fod y wennol yn mynd yn ei hôl i'r De yn niwedd Medi gan ddechrau'r hydref . . . a minnau yn gwybod hynny yn barod.

Diwrnod hyfryd iawn i whilibawan.

Sŵn dŵr heb sain aderyn,
Hen ddŵr glaw yn cuddio'r glyn.

A dyma ragor o sylwadau:

Eistedd wrth y tân drwy'r dydd . . . a darllen llyfr o'r llyfrfa ar olwynion . . . *Y Gŵr o Baradwys*. Diddorol a doniol. Cefais flas anghyffredin o'i ddarllen.

Dwyn y sgiw i mewn dan do.

Rhoddais fenthyg hanner cant o englynion i W. R. Evans. Yr oedd yn cynnal dosbarth 'extra-mural' yng Nghaerfyrddin; dylasai hynny dorri'r anhawster arno.

Cefais yr englyn yn Llanuwchllyn, allan o 336 (yn ôl y *Western Mail*)—'Llwch'.
O. M. Lloyd—'Dyna seis hwnna 'to'.

'Disinfectant yr Atlantig'. Y gair mowr, medde fe, yn tynnu sylw oddi ar y gynghanedd! Beth sy'n bod ar y bois 'ma?

Cnither Rosie yn galw—dweud mai John ei mab oedd yn gwasanaethu yn angladd Churchill. Balchder mawr.

John Alun yn dwyn 75 o gopïau o'm llyfr i'w llofnodi ac yn mynd â 75 arall. T. Llew, Alun a Dic yn gwerthu'r gyfrol yn Eisteddfod Tregaron. Eisiau danfon copïau i R. Alun Edwards ac R. E.

Cassius Clay wedi bwrw Sony Liston allan bore 'ma am 3.30 a.m. yn y rownd gyntaf. Ffeit ffrwt iawn—arian mawr. Fe hoffwn i gwrdd ag e—ddeng mlynedd yn ôl.

Alun ar y T.V. yn yr Eisteddfod yn derbyn gwobr £25 am ei lyfr—*Cerddi Alun Cilie*. Islwyn Ffowc Elis yn siarad.

Cwrdd Radio Cymru o Gapel Crannog. Plant yr Urdd yn gwasanaethu. Capten Tomi Owen, Claibach, yn dod â 'Chapan y Pab' im o Hong Kong.

Alun Williams (BBC) yn ein cyrchu i fyny i'r Cilie ynglŷn â hanes fy mrawd 'Jac Canada'. Mae'n debyg fod Lester Pearson, Prif Weinidog Canada, yn cymryd diddordeb.

Yr oedd Isfoel yn llythyrwr di-ail ac yn aml nid oedd yr 'air letter' yn ddigon i ddal ei holl dalent a'i ffraethineb. Dyma ddarn o lythyr oddi wrth Isfoel at Jac Alun yn Calcutta wedi ei gyfeirio 'Par Avion i'r Prifardd' o flaen cyfeiriad yr *Agents*.

20.6.1960

. . . Daeth rhai tocins yma o Lanarth, Talgarreg, Aberteifi, Llangwm, Cwmystwyth a Mydroilyn. Cynhaeaf yn dda meddet ti! Yr wyf wedi gwneud un penderfyniad eleni, nid wyf yn mynd i wneud *dim* rhagor â hi! Nid yw yn deg fod beirniad yn cymryd rhyddid i ddweud beth a fynnan nhw am waith dyn arall. Dyna'r ffolineb mwyaf a berthyn i'r Cymro yn y cystadlu yma. Rwy'n credu mai dim ond y Cymry sy'n gwneud ffyliaid ohonynt eu hunain. Fy marn i yw fod y pethau anfarwol yn aml iawn yn cael pydru yn y fasged. A'r pethau a ddyfernir yn orau na ddônt byth i olwg y byd, ac os dônt i olwg y byd does neb yn cofio llinell ohono, tra mae'r byd sydd at chwaeth y werin yng nghlo ac yn wrthodadwy.

A dyma ddarn o lythyr arall oddi wrth Isfoel at y Capten yn Buenos Aires:

20.1.1959

Rwy'n deall mai o dan y byd oeddet y pryd hwnnw (pan ddanfonaist dy lythyr diwethaf), ple bynnag mae y lle hwnnw os nad yn uffern. Roedd rhywun yn gofyn i Tom Blaenglowon unwaith—'Sut rych yn teimlo?' a medde yntau yn ei ffordd wreiddiol ei hun, 'Rwy'n teimlo y gallwn i gario'r byd ar fy nghefn tawn i yn cael rhywbeth o dan fy nhra'd' . . . Mae rhyw sgrifennu rhyfedd wedi bod amdano [y llyfr newydd]. Daeth y llyfr allan yn orffenedig ym mis Tachwedd ond nid dan y teitl 'Cerrig Dala'. Roedd y bois yn dweud nad oedd hwnnw yn ddigon da. Disgwyl cael mwy o ddwli roedd llawer o bobl mae'n debyg . . . Mae y sensor o Beniel (S.B.) wedi bod yn iwso'i flacled glas yn drwm arno—a da hynny falle.

Clec y cytseiniaid trwy frawddegau llafar oedd cyfrwng cynnar ei awen fentrus ac ni chaniatâi i unrhyw reol fach ddibwys ddifetha ergyd naturiol. 'Nid wyf yn cofio amser pan nad oeddwn yn cynganeddu a sgrifennu barddoniaeth,' yw un o'i sylwadau hunangofiannol. 'Yr oedd y peth yn y gwaed rywsut ac yn rhan naturiol o fywyd yr hen gartref yn y Cilie'.

Yn ôl T. Llew Jones: 'Yr oedd yn fardd deallus a chwim ei feddwl ac yn lluniwr pennill neu gwpled ar amrantiad llygad bron. . . "Mae'r geiriau'n galw ar ei gilydd gyda fi," oedd ei ateb trawiadol. Mae hyn yn wir am feirdd yn gyffredinol, wrth gwrs, ond yr oedd yn fwy gwir amdano ef na neb. Yr oedd penillion ac englynion digri Isfoel ar lafar yn y cylchoedd hyn gynt, yn cael eu hadrodd a'u hailadrodd mewn tafarn, mewn cae gwair, neu ble bynnag yr oedd pobl yn cwrdd â'i gilydd. Yr oedd llawer ohonyn nhw yn rhy fentrus-ramantus i'w gweld rhwng cloriau unrhyw gyfrol, ac o dipyn i beth, fel y bydd cof gwlad yn heneiddio, fe â'r rheiny yn ango' o un i un, ac efalle mai da hynny!'

Y wobr gyntaf a enillodd Isfoel erioed oedd yn Eisteddfod Capel-y-Wig am lunio cân i'r 'Gloncen' a Chynfelyn Benjamin oedd y beirniad. Ef hefyd oedd y beirniad ar yr englyn i 'Samson', ac roedd llawer o'r bois, gan gynnwys Isfoel yn ei arddegau cynnar, wedi cystadlu—'a minnau heb fagu plu y pryd hwnnw'. Dywedodd Cynfelyn fod 'cynghanedd yn y pellter'. Efallai mai'r englyn cyntaf iddo ennill gydag ef ac yntau'n ieuanc iawn oedd yn Llanarth dan feirniadaeth J. M. Howell:

ESGID

Esgid rhy hen i'w gwisgo,—heb arrai
Fe'i bwriwyd hi heibio,
Ond er hyn gwnâi yr un dro
Am bwtyn i dramp eto.

Bu tipyn o ysgrifennu a dadlau ynglŷn â'r 'b' a'r 'p' yn y llinell olaf.

Byddai ef a'i frodyr yn canu mewn 'steddfodau hefyd. . . 'Rwy'n cofio Jack fy mrawd yn ennill ar unawd 'Y Fellten' yn Eisteddfod Horeb a minnau yn canu yn ei erbyn gyda Dado'r Crydd yng Nghapel-y-Wig ar yr unawd 'Pinacl Anrhydedd'. Yn y feirniadaeth dywedwyd, 'Mae gan y canwr yma [Isfoel] ddigon o gorn beth bynnag, fel llawer o greaduriaid eraill'.' Ambell waith byddai cystadleuaeth yn codi dadl â'r beirniaid yn gyhoeddus, ac yntau'n ddigon penwan i ateb yn ôl. Mwy na thebyg y byddai Isfoel yn ychwanegu at y fflamau os nad yn eu dechrau.

Roedd Isfoel wrth ei fodd yn creu barddoniaeth er mwyn difyrru'r gynulleidfa eisteddfodol, a'r gymdeithas yn gyffredinol maes o law. Byddai'r hwyl a'r miri, a chlywed ei englynion neu ei benillion yn cael eu hadrodd gan y werin, yn fwy gwerthfawr iddo ef nag ychydig sylltau o wobr a ddeuai i'w ran, ac mewn ymryson (ar y pryd) câi lwyfan i arddangos ei ffraethineb a'i athrylith. Fel y dywedodd: 'Ma' pob un ohonyn nhw'n ca'l siawns i wneud strôc rywbryd yn ystod yr ymryson chi'n gweld'. Lluniodd yr englyn canlynol mewn ymryson yn Llanarth:

Y PECHOD GWREIDDIOL

Rhyw ddydd cymerodd Adda—y losin
Na ddylasai'i fwyta;
Ond dwedai ef ac Efa
Fod *Bramlyn* i ddyn yn dda.

Deuai'r ergydion i Isfoel fel fflach, a gwir yw dweud ei fod gyda'r cyflymaf os nad y cyflymaf o'r nythaid. Dyma ei bennill i'r olygfa ryfedd y tu ôl i'r llwyfan wrth i'r eiliadau ddiflannu a'r beirdd yn dal eu ffiolau wrth byrth yr awen:

Helo! dacw Alun yn welw a mud
Bron tynnu blewynnach ei aeliau i gyd;
Y Prifardd yn disgwyl â'i lygaid yn dynn,
Y beirdd yn y ffwrnes a'r amser yn brin.

Roedd yn gredwr cryf mewn llunio barddoniaeth ddealladwy, glir ei hystyr a hawdd ei dysgu a'i chofio: "Fachan, fachan, shwt y'ch chi'n mynd i ga'l blas ar y peth os nag y'ch chi'n 'i ddyall e?" Blinder a loes iddo oedd gweld gwaith aneglur, ymadroddi tywyll a delweddau astrus. Ar ben stâr ffermdy'r Cilie roedd dwy ystafell—y rŵm caws a'r rŵm tywyll, ac meddai Isfoel: 'Rwy'n cymharu barddoniaeth yr hen oes i'r rŵm caws a'r farddoniaeth gyfoes fodern i'r rŵm tywyll. Tybed a dorrir lle a gosod ffenestr i'r ystafell hon, pa hyd y cenir ac y cyhoeddir y farddoniaeth dywyll yma? A pha bryd y daw'r beirdd sydd yn ymbalfalu yn y dyfnderoedd tywyll i'r wyneb eto fel eu hynafiaid—a throi allan waith defnyddiol i werin y wlad—fel y gwnaeth Crwys, Wil Ifan, T. Gwynn Jones, Eifion Wyn, Gwilym Hiraethog, Goronwy Owen a llu eraill o anfarwolion coffadwriaethol'. Yr oedd Isfoel yn gollwr gwael, fel llawer ohonom, a dyma sut yr ymatebodd wedi clywed nad oedd ef wedi ennill llawryf mewn eisteddfod leol, ond llwyddiant wedi dod i un o'i frodyr neu i'w neiaint, efallai: "Pwy oedd yr hen ffrwcsyn bach 'na oedd yn beirniadu ffor' 'na nawr?"

Mewn teyrnged i Isfoel dywedodd y Parchedig D. J. Roberts fod Charles Dickens wedi dweud fod rhaid i bob llenor fagu ei gynulleidfa ei hun. Dewisodd Isfoel 'ei gynefin y ganed ef ynddi a bu'r arlwy a wnaeth ei awen o'r defnyddiau yn foddion gras a diddanwch i'r gymdeithas a'i hysbrydolodd. Yn ei gerddi a'i englynion, yn arbennig, derbyniodd fabanod i'r byd a'u bedyddio â gwlith y tylwyth teg, cyfarchodd briodasau'r plwy, ac yr oedd mwy o aur yn y fodrwy dan ddisgleirdeb cywydd serch Isfoel; taenodd y sôn am gampau addysgol, morwrol, amaethyddol, ac eisteddfodol ieuenctid y gymdogaeth a'u 'talent gontinental' a melysodd ddagrau'r galarus wrth goffáu'r marw mewn cwpled neu englyn. Canodd y ffordd i galon pobl yr oedd yn eu hadnabod hyd y drydedd a'r bedwaredd genhedlaeth. Daeth yn gofiannydd i'r plwy, ac ni ellir meddwl am y plwy hebddo'.

Mae ei englynion ergydiol yn cael eu dyfynnu o hyd oherwydd eu pertrwydd a'u sigl, a hefyd am fod clec y cytseiniaid yn bersain i'r glust. Mewn llawer ohonynt mae yna athroniaeth gudd hefyd:

Y DYN EIRA

Un di-fold wedi'i fildio—yn lysti,
Heb glustiau na dwylo;
Dyn di-weud, di-enaid o,
A'i byls oer *below zero*.

Beirniedir Isfoel yn bennaf o 'Fois y Cilie' am gynnwys ambell air neu gymal Saesneg yn ei farddoniaeth, ond mae'n defnyddio'r Saesneg mewn ffordd ddychanol yn aml. Dyma ragor o englynion:

DYN TAL

Pan yw gwryw'n llawn gwryd—i'w gorun
Mae e'n gawr dychrynllyd;
Ond aeth Ianto heibio'r hyd
A thyfodd byth a hefyd.

Lluniodd yr englyn uchod am Ifan Williams, chwe throedfedd a phum modfedd, gŵr o Danycastell, Blaencelyn a ymfudodd i Chinook, yn America.

COFFA'R HEWLWR

Heddiw blinaist ar d'eistedd,—am hynny
Mynnaist le i orwedd;
Rhoed y gof ar dy geufedd
Raw go fawr yn garreg fedd.

MEDDYG

Ei botel gadwodd Beti,—ei gyngor
Rhag angau gadd Mari,
Ei weld ef eli Dafi—
Meddwl oedd trwbwl y tri.

EIRA'R CALAN

Y wlad gaf dan gwrlid gwyn—yn hardd iawn
Ar ddydd cynta'r flwyddyn;
Ar y plot gwelaf smotyn
O faw du—efe yw dyn!

A dyma ymdrech Isfoel i lunio englyn i'r 'Llygoden', testun yr englyn mewn eisteddfod yn Rhydlewis:

Lleddais un a dyllodd y sach,—ond daeth
Eto un gyfrwysach,
Mae hon 'off'—heb—myn yffach!
Ei dala byth, y diawl bach!

Lluniodd bum englyn i 'Gefeilliaid'. Dyma dri ohonynt:

O weld Gerald a Gareth—yn y twb,
Aeth y tad i benbleth;
Ond rhannodd Duw i'r eneth
A'i babi dwbl, bobo deth!

Deuddyn o'r un dueddiad,—o un rhyw
Ac o'r un argraffiad;
Yr un teip, dau o'r un tad,
'Run barabl a'r un boerad!

Deufrawd yn rhannu dwyfron,—a chynnyrch
Uniad *mass-production*;
Daw'n anodd dweud yn union
P'un yw Jâms neu p'un yw John.

Tynnodd arloesi Rwsia yn y gofod ei sylw a lluniodd rubanau o englynion ar y pwnc:

SPWTNIC
(a'r ast 'Leika' ar ei bwrdd)

Difrifol, iasol lusern—newydd ddawn
Y gwyddonydd modern;
Un pwff o'r stwff yn ei stern—
'Buzz off', gan basio uffern!

Bwriodd Krushchev, myn yffach,—ei ergyd
I'r awyrgylch afiach;
Yn dy fost, gwrando fustach:
A roist ti fwyd i'r ast fach?

Rhyw syniad siwpersonic—neu ddyfais
Gan ddiafol yw'r sbwtnic;
Cenel wnaeth rhyw fecanic
I anfon gast i'r nef yn gwic!

Dyma enghreifftiau eraill o'i waith:

SGIW
Sêt aelwyd gynnes y teulu—a garw
Sedd gwerin hen Gymry;
Croeso-fainc yr oes a fu,
Rhagorol i bâr garu.

Y SÊT FAWR

Glyd aelwyd, gwâl duwiolion,—ac o'r grât
Y ceir gwres a moddion;
Reilen gref am gorlan gron
A stâl yr Apostolion.

ANNIBENDOD

Iet y clos heb ei gosod,—tŷ heb dân,
Twba dŵr heb waelod;
Bwrdd hesb a babi ar ddod—
Bwndel o annibendod.

CEILIOG Y GWYNT

Gwelwch y gwalch hy a'i gest,—y ffŵl dwl,
Ond ffowl dewr ac onest;
Os *East* fydd corn yr ornest,
Neidia ei din i'r *dead west*.

EIRA

Maluriodd cwmwl eira,—plu filoedd
Sy'n palfalu'n ara';
Ni wn o ble disgynna
Na phle'r wyf yn y fflŵr iâ.

Ym marn llawer, mewn englynion coffa y daw'r athrylith fawr i'r golwg. Dyma englyn i Dan Lloyd, bachgen ifanc o fro Capel-y-Wig, cantor enwog a morwr a foddwyd yn Bilbao, Sbaen, ar ei fordaith gyntaf. Cludwyd y garreg fedd gerfiedig i Sbaen, trwy garedigrwydd y cwmni llongau, gan y Capten Ifan Jones, Blaencastell.

Cefaist bellennig hafan—o gyrraedd
Dy geraint anniddan,
Hwnt i'r bae yn y graean
Agorodd Duw: gorwedd Dan.

Carreg fedd Daniel Lewis Lloyd, Fron-deg, Llangrannog, yn Bilbao, Sbaen.

Y SAER MAEN

Di-rym gan wylaidd dremor—fu osgo
F'ysgwydd dan dy elor;
Ie, caled iawn fu cloi dôr
Dewin maen dan y mynor.

Gwelir yr uchod ar garreg fedd saer maen lleol, Thomas Jones.

Mae ei weithiau yn frith o ganeuon baledi, caneuon i ddigwyddiadau arbennig, a thelynegion cywrain a phoblogaidd. Ymysg ei gerddi ceir 'Nyth y Wennol', 'Nythod y Brain', 'Shoni Winwns' a'r 'Shili-ga-bŵd'. Clywyd Dafydd Iwan yn canu 'Shili-ga-bŵd' yn ddiweddar ar raglen deledu ac ar ddisg gryno.

SHILI-GA-BŴD

Roedd llwyn bach gan Mam hyd y diwedd
Heb arno na blodyn na chnwd,
Un difalch a hollol werinol,
A alwai yn shili-ga-bŵd.

Gofalai amdano fel plentyn
Bob tywydd, boed oer neu yn frwd,
Gan ddod â'i thicanter o'r cyffur
At syched y shili-ga-bŵd . . .

Aeth Mam yn fethiannus gan henaint,
A'r llwyn a ymgrymodd i'w gwd,
A surodd y sawr a'r sirioldeb
A gariai y shili-ga-bŵd.

Fe nychodd y gwraidd o dorcalon
A chrinodd y dail yn eu pŵd,
A phan aeth ei geidwad i'r beddrod
Aeth yntau—y shili-ga-bŵd.

'Os mai prif nodwedd barddoniaeth Isfoel,' meddai T. Llew Jones, 'oedd digrifwch, yr oedd iddo'i ochr ddifrifol hefyd. Roedd e'n medru canu yn yr un modd â'r hen gywyddwyr clasurol. Mae stamp Tudur Aled a'i gyfoeswyr ar gwpledi yn ei gywydd 'Diolch am Eog', fel petai Isfoel wedi disgyn i'n plith ni o'r bymthegfed neu'r unfed ganrif ar bymtheg. Pe byddai isfoel wedi'i eni bum cant o flynyddoedd ynghynt, pwy a ŵyr nad fe ac nid Dafydd Nanmor a fyddai'n fardd llys i Rys o'r Tywyn yn y Gwbert'.

DIOLCH AM EOG

Rhoist ar fy mord lord o li,
Etifedd ystâd Teifi;
Rhoist i mi gig rhost y môr,
Daeth melysfaeth o lasfor . . .
Gwledd o fawredd y foryd,
A chig rhost marchog y rhyd . . .
Cipiaist y cawr i'm cwpwrdd
A'i rwyfau mawr ar fy mwrdd.

Isfoel yn ei gartref, Derwydd, yn ei hen ddyddiau.

Roedd y teulu ac yntau yn anfon cyfarchion at ei gilydd, ac yn enwedig adeg y Nadolig, a gallai Isfoel fod yn ffraeth neu o ddifri yn ei englynion Nadolig:

NADOLIG

Wedi dwli'r Nadolig—a ffido
  Â phwdin gwasgedig,
 Pechod yw gormod o gig
 A'r boliau'n llawn drybeilig.

Er y ban ar fabanod,—a'r rhuo
  Ar drywydd y Duwdod,
 Caed i rôl Anfeidrol Fod
 Wyrth fawr ar waethaf Herod.

Dywedodd yr Athro W. J. Gruffydd ei bod yn amhosibl cynnal cerdd hir yn llwyddiannus onid oes ynddi thema sy'n datblygu. Dyna oedd un o nodweddion amlwg cywyddau Isfoel, ac un o'i gywyddau gorau oedd yr un a luniodd ar gyfer Cyngor Cynllunio Gwlad a Thref.

Y TŶ DELFRYDOL

Ei batrwm—rhaid cael bwtri
A ffrwd yn rhedeg yn ffri
I gawg tu ôl i'r gegin,
Islaw'r gell seler y gwin;
Sedd budredd, pedwar bedrwm,
A'r haul yn dawnsio 'mhob rŵm!
Rŵm bath a grym i'w boethi
A thrwy'r llawr y rhuthra'r lli,
Digon o sgôb, pob pibell
A'u pennau'n y pyllau pell.
I'r wraig bydd biwro, a rŵm
I bowdro ger ei bedrwm.
Rŵm i bawb, rŵm i bobi,
Ac er trefn, rŵm cefn i'r ci.
Rŵm eang i'r 'gang' i gyd,
Rŵm hir fawr a 'marferyd
Iwso dwrn ar Sadyrnau
Er lles corff, rhwystro llesgáu!
Ar nenmawr, rŵm fawr fo hon
Ar wahân i'r morynion.
Tŷ tebyg, diddig, diddos
Yw ei dŷ byw crand i'r bos!
Hyn fydd prydferthaf hafan
Y plwy, os perchir y plan!

Gofynnodd T. Llew Jones i Isfoel unwaith pa un o'i holl gerddi oedd yr orau yn ei feddwl ef ei hun. Atebodd mai'r gân gyntaf yn ei gyfrol gyntaf, *Cerddi Isfoel*, oedd honno, o'r enw 'Fy Nymuniad'. Ac yn wir mae'r Prifardd T. Llew Jones ei hun wedi cyfaddef ei bod yn cael effaith hyd at ddagrau a lwmp yn y gwddf o hyd wrth ei darllen. Mae'n gân ugain pennill hiraethus am y gymuned a'r gymdeithas glòs hunan-gynhaliol a oedd yn bodoli o gwmpas fferm y Cilie ar ddiwedd y ganrif ddiwethaf a dechrau'r ganrif hon. Mae Isfoel yn dyheu am fynd yn ôl unwaith eto i alw'r fedel ynghyd ar ddiwrnod cynhaeaf yn y Cilie. Dyma dri phennill:

Ar fore gwyn cynhaeaf
  Fe redwn fel yr hydd
I alw'r fedel ffyddlon,
  Sef Beti'r Gweydd a'r Crydd;
Y pen-pladurwr Dafydd
  Anfarwol o Landŵr,
A Mari'r wraig yn dilyn
  Yn dynn wrth sodlau'i gŵr . . .

Mae'r hen gyfeillion annwyl
  Yn ddistaw yn y gro,
Y dwylo diwyd, gonest
  A'r genau ffraeth ynghlo;

A phan af innau atynt
  A gorwedd gyda hwy,
'Fydd neb i ddweud yr hanes
  Am 'run ohonom mwy.

Mae'r hen Gwm-coch yn garnedd,
  Cwmsgôg yn chwalfa sydd;
A'r danadl a'r mieri
  Yn llanw gweithdy'r crydd.
Mae Beti wedi tewi
  A'r Crydd nid ydyw mwy,
Ac nid yw'r darlun heddiw
  Yn gyfan hebddynt hwy.

Nid oedd Isfoel yn feirniad ac roedd mwy neu lai yn derbyn hynny oherwydd dywedai: "Rwy'n gadel y safone i'r dysgawdwyr mowr". Gallai ei ddyfarniadau fod yn gomic. Ceid tri neu ragor weithiau'n gyfartal gyntaf ganddo, mewn cystadleuaeth englyn digri, a dau neu dri'n gyfartal ail, "ac os bydd pwrs y trysorydd 'ma'n dala, dyma'r rhai sy'n rhannu'r drydedd wobr, ac y maent yn werth yr arian bob un!" . . . 'Roedd tipyn o ddrygioni mewn beirniadaeth o'r fath yn ddiamau, a gwell ganddo o lawer fyddai cystadlu,' oedd sylwadau y Parch. D. J. Roberts.

Yn ôl sylwadau T. Llew Jones yr oedd, yn ei swydd fel bardd gwlad, yn gallu bod yn ddisgyblwr llym. Ni welir mo'r agwedd hon yn amlwg iawn yn ei gyfrolau am y rheswm amlwg na chyhoeddwyd fawr ddim o'r cerddi hynny sy'n ceryddu pobl. Rhyddhawyd y penillion ar lafar, ac oherwydd eu pertrwydd, aent o gof i gof gan 'beri gofid ac anesmwythyd i'r unigolyn neu bersonau a ddeuai o dan lach y bardd'. Meddwl am yr agwedd hon ar ei waith a'm hysgogodd i lunio'r englyn canlynol:

COSB

Adnabu'r godinebus,—y meddw
  A'r widw gariadus,
A'i huodledd yn frawdlys
Gyda barn heb godi bys.

Lluniodd Isfoel gân wedi i ddau aelod parchus o Gapel-y-Wig fynd allan i ganu ar nos Galan i godi arian i elusen Dr Barnardo. Ond fe'u disychedwyd yn aml gan gapteiniaid morwrol yr ardal, a thua diwedd y daith, cyn y bore, cysgodd y ddau ganwr ar erchwyn llyn y felin ac mewn clawdd. A phan ddeffrôdd un ohonynt, yr oedd ei ddannedd gosod ar goll. Ailgerddwyd y daith i chwilio am y dannedd ac fe'u disychedwyd eto i raddau cyn dod o hyd i'r dannedd yn y mwd ar ochr y llyn. Mae'r gerdd hon fel llawer o rai eraill digrif wedi aros ar gof gwlad. Defnyddiwyd 'rhywun' yn lle'r enwau iawn rhag ofn digio neb.

Aeth Rhywun, gŵr Rhywun, a Rhywun ei frawd
I ganu wrth ddrysau y bonedd a'r tlawd,
Gan gychwyn yn gynnar cyn deuddeg o'r gloch
A thiwnio'u telynau mewn hwyl yn Glyn Coch.*

*Roedd capten llong yn byw yno.

Roedd pobol yr ardal yn disgwyl ers tro
'Brazell' a 'Caruso' fel arfer trwy'r fro;
Mae'r ddau mor ddyngarol, a'u llafur er lles,
A'r Doctor Barnardo sy'n derbyn y pres.

Roedd llygaid 'Caruso' yn hynod o dlws
Pan welodd y Capten â'r botel yn drws;
'Rôl llyncu dau ddwbler nefolaidd eu smel
Caed cân gan 'Caruso' a dawns gan 'Brazell'.

Canasant yn nrysau pob Capten drwy'r fro
A'u miwsig yn ennill y 'cwpan' bob tro;
Yr emyn a'r faled yn eco drwy'r nen
A'r licer ysbrydol yn codi i'r pen . . .

Disgynnodd y llwydrew a thorrodd y wawr,
A'r ddau yn cyd-chwyrnu'n gysurus ar lawr,
Ond wedyn, a'r barrug yn wyn dros yr oll,
Dihunodd 'Caruso' â'i ddannedd ar goll.

"Rwy'i wedi cael sawl ffowlyn erioed am ganu cân i hwn a'r llall, ond rwy wedi cael llawer mwy o ffowls am beidio!" meddai Isfoel un tro.

Mae pedair cyfrol wedi eu cyhoeddi o waith Isfoel. Derbyniasant sylwadau caredig gan bobl fel William Morris, y Parch. Jacob Davies, Harri Gwynn, Waldo Williams, Gwyn Erfyl, J. M. Edwards, W. D. Williams a Saunders Lewis, er enghraifft:

W. D. Williams (*Cerddi Isfoel*): 'Pwy yw'r Bardd Gwlad? Nid, o angenrheidrwydd, y bardd sy'n byw yn y wlad, ond y bardd sydd â'r wlad yn byw yn ei ganu. Llawenhawn o feddwl fod Isfoel, un o'r goreuon, wedi rhoddi inni ardd o gerddi yn y gyfrol hon'.

Y Parch. W. J. Gruffydd (*Cerddi Isfoel*): 'Ydyw, y mae hwn yn taro'r hoel ar ei chopa ac yn gyforiog o linellau bythgofiadwy. Y mae ei ddarllen yn dylanwadu ar siarad dyn. Aeth halen yn 'seiffon y Pasiffig', y lleuad yn 'lun yr haul fel hanner O', a phan glywir cloc larwm—'disymwth—mae'n bryd symud'—a'r cyfan yn Isfoelaidd naturiol'.

W. Rhys Nicholas (*Cerddi Isfoel*): 'Y mae'n gyfrol y mae eich sir yn falch ohoni, a bydd cenedl gyfan yn ei darllen yn eiddgar. Ni chyhoeddwyd casgliad o gerddi yn hollol fel hwn erioed, a gwyddom y bydd galw mawr amdano'.

J. M. Edwards (*Ail Gerddi Isfoel*): 'Daw tair nodwedd yn weddol amlwg yng ngweithiau Isfoel. Saernïaeth sicr a gofalus, elfen gref o'r hiwmor iachus hwnnw, a dawn elfennol y crëwr sy'n rhodd iddo o'r dechreuad. Mae wedi ei eni'n fardd. Cyfrinach llawer o gryfder Isfoel yw fflach ei ddawn epigramatig. Nid damwain yw hyn ond tarddiad o natur yr iaith ei hun. Mae yma ddychan llym, mewn iaith fyw, geirfa dafod ffres a bywiog ynghlwm wrth graffter gweledіad'.

Nid yn unig roedd ei awen yn fentrus a chellweirus ar brydiau ond hefyd roedd ei sgwrs a'i nodiadau dyddiadurol yn llawn o hiwmor a ffraethineb. Oherwydd iddo ddioddef pwl bychan o *thrombosis* yn y chwedegau, ofnai'r gwaethaf, a gwnaeth baratoadau ysgrifenedig ar gyfer ei angladd. Roedd Isfoel wedi ennill ar yr englyn

'Llwch' yn Eisteddfod Llanuwchllyn, Llungwyn 1957, a Gwyndaf, a oedd yn beirniadu, wedi ei ddarllen yn odidog. Yn ôl Bob Lloyd (Llwyd o'r Bryn), a oedd erbyn hynny yn gyfeillgar iawn ag Isfoel, hwn oedd un o'r englynion mwyaf ysgytwol iddo ei glywed erioed.

LLWCH

Yn y llwch gynt y llechais,—oddi arno
Am ddiwrnod y rhodiais;
"Llwch i'r llwch"—clybûm y llais
I'w chwalu—a dychwelais.

Yn ei ddyddiaduron, cofnododd Isfoel mai'r englyn uchod oedd i fod ar ei garreg fedd flynyddoedd cyn i'r gelyn mawr ei gymryd. Lluniodd restr o enwau'r gwragedd a oedd i fod yn gyfrifol am dendio'r bwyd yn ei angladd, ond roedd llawer o'r arch-gludwyr gwreiddiol wedi marw o flaen Isfoel a chyferbyn ag enw'r trefnydd roedd 'Wyn Lloyd—os bydd hwnnw byw' wedi ei ychwanegu. Roedd yr un mor gellweirus ynglŷn

Mrs Elizabeth Reynolds (mam y Prifardd Idris Reynolds), Catherine, Isfoel, Mrs a'r Parchedig D. J. Davies, Prifardd y Gadair yn Eisteddfod Genedlaethol Abergwaun, 1932, y tu allan i gartref Isfoel, Derwydd.

â lleoliad dwy lath ei fedd, oherwydd roedd gweddill teulu'r Cilie wedi eu claddu yng nghornel waelod 'Macpela', Capel-y-Wig, a oedd yn llecyn gwlyb iawn. Gofynnodd Isfoel am gael ei gladdu ar y llethr ar ochr draw'r fynwent, er mwyn cadw ei draed yn sych!

PEN YR YRFA
Mud yw fy mywyd i mwyach,—a gwan
Yw'r gewynnau bellach;
A bwriaf gamau byrrach
Dan sylw byd—yn slo bach.

Yn ei henaint roedd y bardd yn diodde o'r cryd-cymalau, ond gallai drin ei gyflwr bregus â hiwmor a doniolwch o hyd:

Oer yw hen fardd y werin,—ac irwch
Ei gyhyrau cethrin;
Juice i *hinges* ei enjin,
A rhoi *massage* i'r mashîn!

Bu farw yn ysbyty Aberystwyth wedi iddo ddal annwyd wrth fentro allan ar dywydd oer, a hwnnw wedyn yn troi'n niwmonia. Dywed Gerallt Jones, ei nai, mewn teyrnged iddo mai gydag anwyldeb y cofid Isfoel ac y byddai adrodd yr englyn beddargraff i'r 'Digrifwr' o waith ei ewythr yn addas iawn:

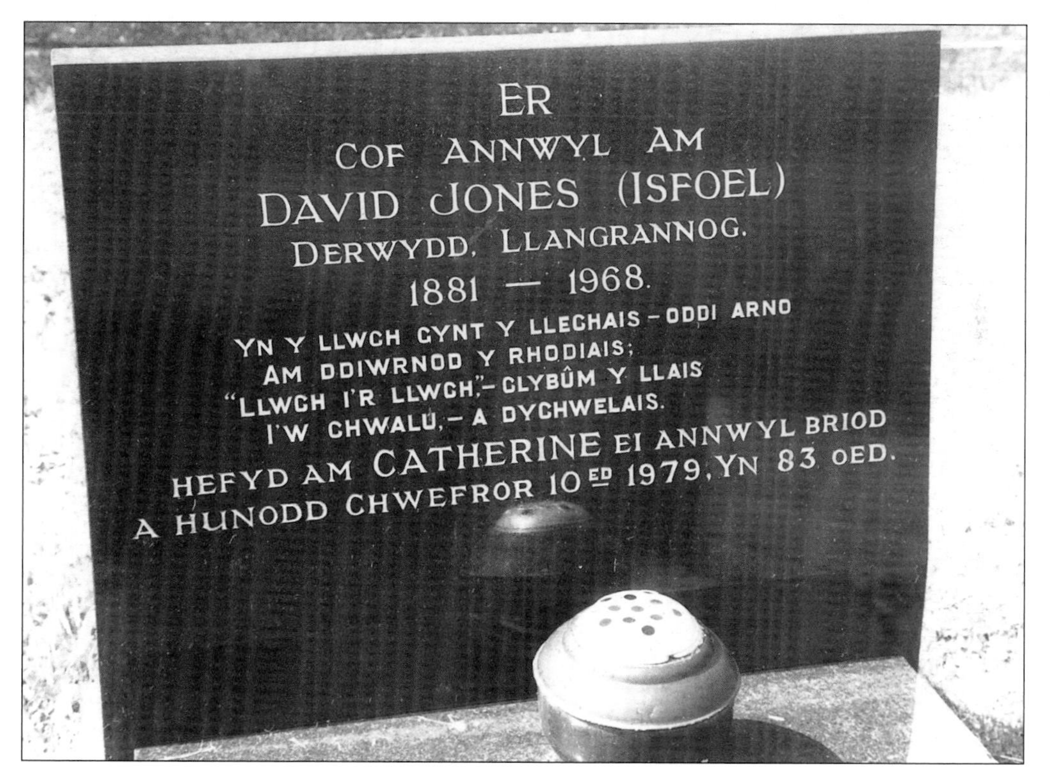

Carreg fedd Isfoel a'i wraig ym mynwent Capel-y-Wig.

Anfarwol ddeol ddewin,—ni thewaist
Yng nghaethiwed coffin;
Melys coffáu'r pranciau prin
A'th iach wyrthiau â chwerthin.

Wedi ymadawiad y dewin lluniwyd marwnadau a theyrngedau i gofio am 'Frenin y beirdd gwlad'.

Ym mhridd y Wig mae oer ddôr
Ar ddrama bardd yr hiwmor.

Cynganeddu fu ei faeth,
Heneiddiodd mewn llenyddiaeth;
Blin oedd o'i bla, 'n ei ddau blyg,
Ond chwimwth y dychymyg;
Mwy rhyfedd na'i ryfeddod
Yw iddo beidio â bod!
Eon ei bill, 'doyen' beirdd,
Eco o henfyd y cynfeirdd,
Oedd wyrth a'n cydiodd wrthynt,
O ystum ap Gwilym gynt.
Iechyd i lên ei genedl,
Fyth yn ei chof aeth yn chwedl.

Dic Jones

Angau a roes yng ngro'r Wig
Haid o 'adar' nodedig;
Beirdd, crefftwyr, pregethwyr gwych,
'Nôl stori'r meini mynych.

Yno'n ei llawr brynhawn Llun
Daearwyd prif aderyn;
Fan draw dan fondo'r ywen
Caewyd llwch am farcud llên!

Ar lawr mae hir alaru,
Tewch â sôn! Mawr dristwch sy'!
Rhoed i'r llwch ymherodr llên
A thawodd gloywiaith Awen;
O'n holl feirdd gwlad clodadwy
Ni ddaw i'n mysg ddewin mwy.

T. Llew Jones

Yn arch Isfoel rhoi hoelen,—garw y dasg,
Ar deyrn rhoi tywarchen;
A barodd hwyl—y bardd hen
A'r llanc ieuanc ei awen.

RHAGLEN

Dathlu Canmlwyddiant ISFOEL (1881-1981)

Dydd Sadwrn, Mehefin 20ed, 1981

Blaen rhaglen dathlu canmlwyddiant Isfoel ym 1981.

A wybu gamp heb ei gêr,—dan ei law
Cadwai'n loyw yr offer;
Segur sarn lle tasgai'r sêr,
'Yn ei goffin y gaffer'.

Fred Williams

Y mae arch yn nhrum y Wig—ac o'i mewn
Ynghwsg mae pendefig;
Yno cloed y dug gwledig
Yn hedd dreng ei newydd drig.

Mae hil y traeth a'r moelydd—yn ddinod
Heb ddoniau ei phrydydd;
Gloyw ei doe ym miragl dydd
Enaid mawr ei lladmerydd.

Arloeswr! cyn i'w barlysol—wewyr
Ei gaethiwo, i 'sgubol
Daenu o'i sedd dan ei siôl
Arabedd diarhebol.

Donald Evans

I'r Derwydd a'r fro daw hiraeth—ar ôl
Athrylith a phennaeth;
Heb siriol bersonoliaeth
Yw'r gadair wag, adre aeth.

Anfarwol lef y werin,—e welodd
Ei galar a'i chwerthin,
Un o'r praidd o Gymry prin,
Wàg-dywysog y dwsin.

Bwrlwm 'rôl bwrlwm o berlau—rannodd
Hyd yr henoed ddyddiau;
Chwim fu'r awen a'r genau
Gan arllwys gwin, er llesgáu.

Tydfor

LLINACH DAFYDD (ISFOEL)

Dafydd
Catherine

Pwyll ap Dafydd

John (Tydu, Ceredigion, Cyrus)

(1.3.1883–14.8.1947)

Y Pumed Plentyn

Yr enaid taer yn torri,
Gymru fach, a gym'ri fi?
John Tydu

Roedd haf 1921 yn hir-sych o ddechrau Ebrill hyd ddiwedd Awst ac nid yn annhebyg i hafau blynyddoedd 1976 a 1995. Aeddfedodd y llafur tua diwedd mis Mehefin ac roedd y gwellt yn gwta iawn. Ond i deulu'r Cilie, ac yn enwedig i'r plant, roedd yn flwyddyn gyffrous, yn wir, yn un fythgofiadwy, oherwydd roedd 'Wncwl Jack'—'Jac Canada'—yn dod adref am y tro cyntaf ers iddo ymfudo yn Chwefror 1904.

Anfonodd Tydu lythyr am ei fwriad i hwylio dros yr 'Herring Pond' yn yr *Empress of Scotland* i Lerpwl, ond cymerodd y newyddion bron i bythefnos cyn cyrraedd y Cilie. Credai ei fam, ac Isfoel wedyn, y gallai ddisgyn ar eu pennau yn ddiarwybod sydyn, a bu paratoi am ddyddiau. Yna daeth brysneges gyda'r wybodaeth fod Tydu wedi dod i Aberaeron ac yr hoffai i rywrai ei 'mofyn oddi yno. Ar y pryd roedd Isfoel yn torri llafur ar ben y beinder newydd ym Mharc Tan Foel. Aeth Tom yn ei ffordyn newydd i gyfarfod â'i frawd. Roedd dwy flynedd ar bymtheg wedi mynd heibio ers i Tydu weld ei gartref a'i hen wlad, a chafodd siom a syndod wrth weld y modur. Meddai, "Sut wyt ti boe? Bachgen! Bachgen! Ble mae'r hen gaseg, Fflower, a'r hen geffyl Bench? Rwy'n gweld fod pethe wedi newid llawn cymaint yng Nghymru ag y maen nhw yng Nghanada".

Roedd ei fam, ei frodyr a'i chwiorydd a'u teuluoedd, cymdogion, ffrindiau ac ardalwyr, yn dorf fawr ar glos y Cilie pan gyrhaeddodd Tydu yn ei gôt ddu hir a'i het uchel yn ffasiwn y Byd Newydd, a choler 'Bala-Bangor'. Rhoddodd ddarn arian chwe cheiniog i Elfan, a dywedodd wrtho ef a'r plant eraill, gan gynnwys plant Tom a phlantos Fred, a oedd ar eu gwyliau o'r gweithfeydd, "Tomorrow, I am going to buy for you all some candy. Lots of candy". Rhedai gwên ar hyd wynebau'r plant fel chwa o wynt yn crychu tywysennau llafur mewn cae ŷd. Estynnodd John Alun ei law chwith iddo wrth ei gyfarch, ond fe'i cywirwyd gan Tydu, "Â dy law dde mae siglo llaw".

'Yr oedd wedi llanw mas,' meddai Isfoel, 'yn ddyn llydan a llewyrchus, ac ni fu ond ychydig ddyddiau cyn ailfeddiannu ei iaith enedigol a'i siarad yn rhugl. Yr oedd yn 38 oed erbyn hyn a chyn gryfed â llew. Aethai o dŷ i dŷ er gweld a fyddent yn ei adnabod, a ffugiai ambell waith i ffermwr mai prynwr gwartheg ydoedd. Ond adroddai bethau rhyfedd am wlad y gorllewin a llwyddodd weithiau i argyhoeddi y rhai mwyaf diniwed i'w gredu'. Dywedodd wrth William Lloyd, y Felin, '. . . eu bod yn cloddio tŷ i fyw ynddo ym mhob coeden, ac ymhen blwyddyn, wedi i'r tŷ hwnnw fynd i fyny gyda thyfiant y goeden, y buasent yn cloddio tŷ arall o dano nes o'r diwedd buasai yn 'eight storey high'. Gofynnwyd iddo 'A oedd y rhai a drigai ar y top yn talu rhent?''

Bu'n haf cyffrous a gwahanol, a threuliwyd llawer o amser ar ben traeth Cwmtydu. Deuai pobl i weld ac i glywed Tydu yn adrodd storïau. "Roedd e'n ddyn golygus iawn, gosgeiddig ac urddasol," yw cof ei nith, Mary Davies. Tynnai sylw'r merched ifanc a gwragedd yn gyffredinol mewn oedfaon ac eisteddfodau, a mannau cyfarfod ar hyd a lled y wlad. Cerddai'n unionsyth ac yn hyderus a fflachiai ei lygaid treiddgar o'i wynepryd.

Mae ei neiaint, y Capteiniaid Dafydd Jeremiah a John Etna Williams, yn cofio amdano ar y morfa yng Nghwmtydu yr haf hwnnw. Byddai haid o gamboau wedi ymgynnull ar ben y traeth ac o gylch y morllyn. Yno ceid sgwrsio, tynnu coes, bragio, rhyfygu, canu, barddoni byrfyfyr a chystadlaethau coetiau a phlygu braich. Cofir un o'r caneuon ar lafar gwlad hyd heddiw, sef 'Cân y Pom' (gweler *Awen Ysgafn y Cilie*). Arferai Tydu gario ei gôt fawr yn ei hyd o dan ei gesail, ac nid yn y ffordd draddodiadol, sef ei phlygu dros y fraich. Dangosai'r bechgyn eu gwrhydri i'r morynion glandeg ond Tydu oedd piau hi pan ddeuai yn gystadleuaeth nofio (er menter a gwroldeb Fred). Diflannai Tydu allan i'r pellter a heriai bawb drwy ddweud ei fod yn anelu at nofio'n ôl i Ganada! Treuliai dair neu bedair awr allan ym mreichiau'r heli. Roedd nith arall iddo, Anne Jane Jones, yn cofio amdano yn smotyn bach du wrth iddo nofio a diflannu o draeth Llangrannog heibio i Drwyn yr Ynys ac allan i'r Atlantig a'r dorf yn dilyn ei orchest ar lwybr y clogwyn.

O'r un cof y daw digwyddiad yn ystod diwrnod lladd mochyn yn Felin Ucha', plwy Llangrannog, lle trigai ei frawd Tom a'i deulu. Roedd Owens Maesypentre, y cigydd, ac Isfoel wedi gorffen eu gwaith. Daeth Tydu i mewn i'r ystafell lle'r oedd carcas hwch pedair sgôr ar bymtheg yn hongian wrth y bachyn. Cyn i'r dynion ddyfalu sut roeddynt yn mynd i gario'r carcas allan i'w halltu cododd Tydu yr anifail dros ei ysgwydd gan ei droi ar ei hyd a diflannu allan drwy'r drws. Rhedai'r elfen ryfygus o ymddangos yn gryf yn ei wythiennau ac roedd yn llawn hyder, menter a chryfder.

Cyffrous y tu hwnt i'r plant oedd cael taith yn y gambo â Thydu wrth y raens. Carlamai dros waelod rhiw Penrhiwrhedyn a throi ar un olwyn wrth bont Benparc cyn cyrraedd yn llythrennol yn yr eigion er lles y gaseg a oedd yn chwys drabŵd a'r plant a oedd yn crynu mewn ofn a rhyddhad. Unwaith, cofiai Enid, ei nith, am Tydu mewn gambo yn mynd dros ben neidr fawr. Clymodd Tydu'r creadur wrth gefn y cart gan ddwyn i gof hen chwedl nad oedd un neidr yn marw tan fachlud haul.

Yn wir roedd ganddo stori liwgar am hen gymeriad o'r enw Ifan Pendderwfach. Töwr oedd Ifan wrth ei alwedigaeth ond fe'i brathwyd gan 'diamond black snake' a oedd yn edrych fel un o'r priciau a ddefnyddiai i doi. Sleisiodd Ifan ddarn o'i law (o faintioli pisyn hanner coron) lle'i brathwyd ac arbedodd hyn ei fywyd. Cofiai Tydu weld y graith ddegau o weithiau rhwng y bawd a'r bys cyntaf.

Roedd Tydu wrth ei fodd yn helpu teuluoedd Gaerwen a'r Cilie gyda'r cynhaeaf. Gyda'i frwdfrydedd a'i gryfder, yn enwedig yn ei ysgwyddau, dywedai rhai ei fod gystal gweithiwr â dau. Ac wrth fwynhau'r gwmnïaeth amser bwyd, llifai'r straeon o'i wefusau a byddai chwilfrydedd yr ifanc yn ysu am ragor. Cofia Margaret Enidwen amdano yn dweud, wrth iddo fwynhau'r bara gwenith a'r ham a'r caws, "Roeddem yn arfer bwyta twrci cyfan amser bwyd ar y 'prairies' yng Nghanada".

Ond roedd un cwmwl ar y ffurfafen oherwydd bod ei chwaer Ann yn dioddef oddi wrth y clefyd siwgr, a bu hithau farw yn sydyn o fewn ychydig ddyddiau cyn i Tydu ddychwelyd i'r Amerig. 'Yn ei marw hi dechreuodd y dadrithiad yn y Cilie . . .'

Er y balchder o'i weld 'nôl yn y Cilie yn 38 oed am y tro cyntaf ers iddo ymfudo i Ganada, nid oedd pob un ar yr aelwyd yn gytûn. Roedd yna siarad plaen. Dywedodd Simon ei frawd wrtho, "Oni bai amdanat ti, a beth wnest ti, byddai teulu'r Cilie yn un o'r teuluoedd mwyaf parchus yng Nghymru". Wedi hynny cyfeiriai Tydu (mewn llythyrau) at ei frawd fel 'Simon Ddu'. Nid oedd aelodau eraill o'r teulu 'chwaith yn or-awyddus i gael eu brawd yn ôl yn barhaol ar aelwyd y Cilie. Byddai hynny efallai'n disodli eu safleoedd yn y teulu ers colli eu tad. Ni wyddai eu mam ddim am yr anghytundeb yma, a bu Fred yn gyfrwng pwysig i dawelu'r dyfroedd. Yn ystod ei wyliau yn yr ardal treuliodd Tydu lawer o'i amser ar aelwyd Esther (ei hoff berthynas) a pharhaodd i ysgrifennu ati tan ddiwedd ei oes. Adeiladodd gwrt o flaen ffermdy Gaerwen o bopls llyfn o draethell Cwmtydu i gofio am ei ymweliad. Arferai ddweud, "Bob tro y doi di allan o Gaerwen, mi fyddi di'n cofio am dy hen frawd Tydu".

Dychwelodd i Ganada ar 2 Medi, 1921, yng nghwmni Gwenfron Owen, Tanycastell, Blaencelyn, a oedd yn mynd i Chinook, Washington, i ymweld â'i modryb, rai diwrnodau cyn angladd ei chwaer Ann. Ychydig a feddyliai'r Capten Jac Alun (ac yntau'n dair ar ddeg ar y pryd) y gwelai ef eto ym Montreal ym 1934.

John Tydu, ar ddechrau'r ganrif.

Roedd golwg lewyrchus braf arno ac ni roddodd yr argraff ei fod mewn trybini ariannol. Ond wedi iddo lanio ym Montreal anfonodd lythyr at Isfoel yn gofyn am gymorth ariannol gan ddweud pe cawsai ugain punt y dôi allan o gyfyngder. 'Anfonasom arian iddo, ac fe atebodd a diolch ei fod yn 'o dda bellach' ond nid anfonwyd rhagor iddo', ysgrifennodd Isfoel. Ond ysgrifennodd Tydu at D. O. Evans, Ffynnon-lefrith, i ofyn am fenthyg arian. Roedd Evans yn ŵr cefnog, yn frodor o Sir Benfro, yn warden yn Eglwys Dewi Sant, Blaencelyn, ac yn ffrindiau â Jeremiah Jones. (Gwelwyd y llythyr gan y Capten John Etna Williams, nai Tydu). Bu'r Athro John Hughes ar ei ymweliadau â'r Cilie a'r Helygnant (cartref Myfanwy, chwaer Tydu) yn gofyn hefyd am gymorth ariannol i'w brawd allan yng Nghanada.

Ond roedd stori ddiddorol, anturus a diflas y tu ôl i ymfudiad 'deryn brith' y Cilie i'r Byd Newydd. Ganwyd John ar ddydd Gŵyl Ddewi, 1883, yn bumed plentyn i Jeremiah a Mary Jones, yn yr efail, Banc Elusendy. Yn Ysgol Pontgarreg roedd yn ddisglair iawn yn ei ddosbarth a thu hwnt o aeddfed yn ei gyrhaeddiad. Roedd yn rhifyddwr cyflym a disglair, yn ddarllenwr cywir a medrus ac 'yn gwneud fel y mynnai ar yr wyddor ac ar raddfa'r 'modulator',' yn ôl Isfoel. Fel ei frodyr roedd yn grwtyn bywiog, direidus a mentrus. Cwympodd unwaith o ben clawdd Arthach a'i waed yn llifo'n rhydd. Daeth Dr Jones (Cilgynlle, Ceinewydd) i weini arno gan ddweud y byddai yn dod â phen newydd iddo y tro nesaf. Meddai Isfoel: 'Disgwyliem yn eiddgar i weld y pen newydd'. Yn bump oed, symudodd i'r 'continent' (fferm 300 erw y Cilie) gyda'r teulu, a dysgodd gyda'i frodyr i drin y tir ac i daro'r haearn yn yr efail. Fe'i magwyd hefyd yn sŵn cynghanedd, barddoniaeth a chystadlu eisteddfodol, ac yn ifanc iawn yn ei arddegau cynnar, dangosodd ddawn y tu hwnt i'r cyffredin, hyd yn oed ymysg ei frodyr talentog. Cofnododd Wil Ifan mewn erthygl ym 1913: 'ef yw'r mwyaf talentog efallai o'r plant talentog i gyd . . . a chanddo dalent i ddewis geiriau tlws, syml, e.e. ar ôl storm ynghanol haf, wrth weld y difrod' a rhoddodd enghraifft neu ddwy o'i waith:

TACHWEDD
Coed irion tirfion eu tw
Hyd y môr wedi marw!

Y DDANNODD
Iasau ebill diseibiant—yn ddyfal
Ddiddofi ffyrnigant,
Neu arfau llym, gynhyrfant
Enaid dyn ym môn y dant.

Cipiodd wobr am hir-a-thoddaid yn Eisteddfod Capel-y-Wig, ac yntau ond yn bymtheg oed ar y pryd, ym 1898.

FFARO
Creulon frenin, rhyfelwr diflino
A'i filoedd hynt fel rhewynt yn rhuo;
Y wlad o'i ôl adawai i wylo,
Glân heddwch fathrai fel gelyn iddo;
Ond cwympwyd yr anwar Ffaro—i'r llwch—
Duw fwriodd dristwch y dyfroedd drosto.

Yn ei lythyrau hiraethus o Ganada, cofiai am y dyddiau cynnar pan 'ddeuai'r awen heibio yn ddiffwdan a rhwydd' iddo. 'Cofiaf amdanaf yn aredig yn y Parc Mawr ac â phob cŵys a drown yr oedd gennyf englyn newydd wedi ei gwpla, a phlethais filoedd ohonynt, cofiwch, englynion gorau yr iaith Gymraeg oeddent hefyd; yn wir, byddaf yn tybied weithiau y dônt i fyny ryw ddydd eto o'r ddaear yna yn y Parc Mawr . . . Watshed Tydfor yr ysgall a phethau eraill sydd yn tyfu yn y Parc Mawr, synnwn yn fawr na ffeindith ef englynion yr hen Dydu ei ewythr yn eu blodau rhyw ddydd cynnes o Fehefin . . . Gwelais y dydd ar feysydd Cilie y gallwn ffrydio englynion gorau yr iaith fel y dŵr yn rhedeg o bistyll Cilie. Mi rown y byd, a Hitler a Mussolini, pe gallwn englynu fel y gellais englyna yn yr hen ddyddiau dedwydd hynny'.

'Yr oedd eisteddfod ym Mlaenannerch,' meddai Isfoel, 'ac un arall yn Llandysul, ar yr un noson, ac wedi trosglwyddo'r ffugenwau euthum i Flaenannerch ac aeth Jac fy mrawd i Landysul, ac nid oedd dim ond cerdded amdani yn niwedd y ganrif ddiwetha. Sarnicol oedd yn beirniadu llên yn Llandysul a Brynach ym Mlaenannerch. Wrth gwrs, yr oedd yn bell ymlaen yn oriau mân y bore arnom yn cyrraedd adre. Yr oeddwn yn cysgu'n drwm pan ddeffrowyd fi gan ysgytwad drwsgl—Jac wedi cyrraedd ac wedi colli ar yr englyn i'r 'Bidog' ac yn fy nghyhuddo ar gam fy mod wedi dwyn ei syniadau ef yn fy englyn. Nid oedd wiw iddo godi ei lais gan fod 'nhad am y pared â ni, a phan ddwedais ei fod ef yn fuddugol ym Mlaenannerch i'r 'Peiriant Torri Gwair', lleddfodd hynny ef yn foddhaol iawn. Dyna fel y treuliem ein bywyd yn y dyddiau pell hynny, tua thro'r ganrif, a chaem ddifyrrwch anghyffredin yn dadlau a chyfansoddi a cholli ac ennill ar yn ail, fel y mae byth'. Hwn oedd yr englyn buddugol y noson honno:

PEIRIANT TORRI GWAIR
I'r amaethwr y mae weithian—beiriant
I bori'n dra buan,
Â'i gyllell miniog allan
Fel y mellt yn y sofl mân.

John Tydu, oddeutu ugain oed.

Unwaith enillodd John lawryf am bryddest yn 'steddfod Llanarth, a Chynfelyn Benjamin yn beirniadu, ar y testun 'Harri'r Seithfed'. 'Pryddest syml yn disgrifio amgylchiadau â thipyn o ramant' oedd y sylwadau. Enillai hefyd ar yr englyn yn aml, ac weithiau ar yr unawd bariton, sain ar y glust ac araith ddifyfyr. Yn eisteddfod Capel-y-Wig gofynnodd yr arweinydd iddo, a John ar fin canu unawd: "Wyt ti am sŵn, John?"

"Nac wyf, syr, dim ond distawrwydd, os gwelwch yn dda," atebodd. Ac wrth gystadlu yn eisteddfod Maenygroes ar yr araith fyrfyfyr, siaradodd ar y testun 'Nid wrth ei big yr adwaenir cyffylog' am bron i awr a rhagor. Byrdwn ei araith oedd: 'Peidiwch byth â barnu beirniad wrth ei goler a'i gyffs—nid yw'r rheiny yn dweud fod dim mwy yn ei ben, mwy na bod pig cyffylog yn dweud fod cig arno'. A phwy oedd ar y llwyfan ond Cynfelyn, a'i goler fawr a'i gyffs—yn mwynhau pob munud. Casglodd John ei wobr o swllt a chwech ond ychwanegodd Dr Powell (Castellnewydd Emlyn) hanner coron at y swm.

Meddai Isfoel: 'Fe'n curai ni i gyd mewn dau neu dri o bethau—llawysgrifen, nofio a nerth braich'. (Nid yw Isfoel yn cydnabod ei ddawn farddonol, ac nid rhyfedd gan fod Isfoel gyda'r collwr gwaethaf ar wyneb daear). 'Yn y gamp o dynnu ein gilydd mewn peth elwid yn godwm tîn, eisteddem ar lawr ar gyfer ein gilydd, a darn o bren tew i dynnu arno, ac roedd yn gampwr. Codai ni i gyd ag un llaw'.

Mae'n werth cofnodi yma fod Jeremiah Jones wedi cymryd cae ar rent ar dir Brynhyfryd, Banc Elusendy, yn ymyl yr efail. Yn ystod y cyfnod cyntaf hwn nid oedd y gof, nac Isfoel a John, yn tynnu ymlaen gydag un Capten David Griffiths, Brynhyfryd, er mai materion plentynnaidd a achosodd y gwrthdaro rhwng y bechgyn ac ef. Rhoddwyd clipsen i John ar ôl i'r perchennog ei ddarganfod yn agor ei drowser yn ei gae gwair. Ond roedd y Capten, a adwaenid yn lleol fel 'Adda'r Tar', yn adrodd hanesion aflednais am Jeremiah drwy'r ardal. Honnid iddo gael ei hongian gan ei forwyr â'i ben i lawr ar yr 'yard arm', ac yna cafodd driniaeth 'tar and feather' gan ei griw ei hun. Felly y cafodd ei ffugenw, yn ôl yr hanes. Cythruddwyd John yn fawr gan straeon maleisus y Capten, a theimlai atgasedd tuag ato. Yn wir, cyfeirid at y Capten gan forwyr Ceinewydd fel 'Furioso'—un gwyllt, cwerylgar.

Hyd nes i Jeremiah Jones a'i deulu ddod o dan ddylanwad gweinidog Capel-y-Wig, sef y Parchedig Lewis Evans, roedd y patriarch a John yn mynychu eglwysi lleol. Aent i eglwys Dewi Sant, Blaencelyn, ac i Sant Marc, Gwenlli, a hefyd i Lanllwchaearn ac i Landysilio ar achlysuron arbennig. Roedd ei dad yn cefnogi John yn ei fwriad i fynd i'r offeiriadaeth, ac yn ei arddegau byddai John yn darllen llithiau yn gyson yn eglwys Dewi Sant. Conffyrmiwyd John yn Eglwys Dewi Sant, Blaenporth, yn y flwyddyn 1896 gan Esgob Tyddewi. Dechreuodd bregethu a defnyddiai rai o hen bregethau Fred, ei frawd, a oedd yn llechu ar y silffoedd llyfrau ar storws y Cilie. Ychwanegai ddarnau ei hun atynt a bu yn gymeradwy iawn yn ei gymorth i'r eglwys, yn enwedig wrth ganu a sianto. Dadleuai yn frwd iawn dros yr 'hen fam' ac nid oedd wiw i neb ddweud gair o sarhad amdani. Anaml iawn y deuai adref ar y Sul. Âi naill ai i Arthach neu i Benrhiw ac weithiau gyda'r offeiriad, y Parch. Daniel Griffiths, i'r Rheithordy, Llangrannog yn ei gerbyd phaeton a'r gaseg felen. Deuai Griffiths i hela ar dir y Cilie ac nid oedd dim gwell gan Tydu na dangos y ffordd iddo. Cofiai Isfoel amdano yn estyn dau swllt i Jeremiah, a dweud wrtho, 'Halwch hôl galwyn o gwrw i'r Fedel.' Ond roedd Capten David Griffiths yn anfodlon iawn ar y sefyllfa, a theimlai mai anaddas iawn oedd John i fod yn offeiriad.

Roedd y Capten Dafydd Jeremiah Williams (nai) yn cofio am ei dad yn adrodd yr hanes a honnai fod y Capten yn ysgrifennu geiriau cableddus y tu fewn i'r llyfrau gweddi a'u llofnodi ag enw Tydu. Cythruddodd hyn John ymhellach a dywedid iddo fethu cysgu am nosweithiau wrth iddo gynllunio i gyfarfod â'r Capten a dysgu gwers iddo.

Yn ôl tystiolaeth John (Tydu) ei hunan, roedd ef yn ffefryn mawr gyda'i dad ac roedd ei dad yn arwr mawr iddo yntau, ac yn berson a edmygai ym mhob peth. Mae'r edmygedd hwnnw yn amlwg mewn esgyll englyn a luniodd John pan oedd ei dad yn clafychu o glefyd y siwgr:

> Fi oedd y mwya'n ei fyd,
> Ef y mwya'n fy mywyd.

Wedi i'r teulu symud i'r Cilie byddai'r Capten yn treulio cryn dipyn o amser yn yr efail dan reolaeth newydd Rees y gof, yn seiadu'r byd a'i bethau. Arhosodd John am gyfle i'w 'wynebu' wrtho'i hunan, ac ar nos Fercher, 4 Rhagfyr, 1901, aeth allan gyda'r hwyr; ond cyn mynd dangosodd gwlltwr, sef darn o haearn aradr, i'w frawd Isfoel a'r saer maen a oedd yn cysgu yn y storws bryd hynny. Dywedodd ei fod yn mynd i ddysgu gwers i'r 'Hen Gapten' y noson honno. Nid oes tystiolaeth fod un o'r ddau arall wedi ceisio ei berswadio i beidio â mynd nac wedi ceisio ganddo adael y darn haearn gartref. Ac ar ôl iddo fynd aeth Dai (Isfoel) gyda'r gwas neu fab Tynewydd i rywle tan un o'r gloch y bore drannoeth (yn ôl ei dystiolaeth ef ei hun o flaen y llys yn ddiweddarach). Aeth John i Fanc Elusendy drwy'r tywyllwch. Roedd y Capten yn yr efail lle'r oedd y gof yn gweithio'n hwyr. Pan adawodd yr efail i fynd adre' tua hanner awr wedi saith, ymosododd John arno a'i glwyfo'n ddrwg. Fe wyddai pawb yn yr ardal fod atgasedd rhwng John a'r Capten. Felly fe aeth yr Heddlu i'r Cilie i holi John. Bu'r

John Tydu: llun a dynnwyd gan yr Heddlu ar ôl ei gipio i'r ddalfa. Mae'n gwisgo côt fenthyg.

Cwnstabl James, New Inn, a P.C. David Jones, Ceinewydd, yn holi'r crefftwr am yr eildro a chasglwyd tystiolaeth ganddo fod John wedi cael gwared â'r darn haearn drwy ei daflu i'r llyn. Wedi gwagio'r llyn daethpwyd o hyd i'r darn a hefyd ragor o dystiolaeth ddamniol, oherwydd y gwaed oedd ar ran o'r darn. Cludwyd John i'r ddalfa yng Nghastellnewydd-Emlyn ac fe'i cyhuddwyd o ymosod yn ffyrnig ar Capten David Griffiths. Dywed y *Welsh Gazette*, 11 Rhagfyr, 1901: '. . . He was fiercely assaulted from behind by an unknown person and mauled almost beyond recognition. With the effort of despair he managed to reach the house and open the door'. Yna mewn 'Stop Press' fe geir yr adroddiad pellach hwn: '. . . On Saturday [dridiau ar ôl y digwyddiad] at Newcastle Emlyn, before Dr Lloyd and Dr Powell [ynadon], John Jones, a farmer's son of Cilie, was brought up in custody charged with cutting and wounding the above. Mr J. E. Evans defended'. Eto, er difrifoldeb adroddiad y wasg, nid oedd gwraig Capten Griffiths wedi galw'r Heddlu na'r meddyg tan y diwrnod wedyn, ac yn wir, pan ymddangosodd Capten Griffiths yn y llys ar 13 Mawrth, dywed gohebydd y *Gazette*: 'He was looking remarkably well and appeared to be but little the worse for his injuries. His wounds had healed leaving hardly a scar'. Aeth Dai i weld ei frawd ar 14 Rhagfyr, ac yn ôl tystiolaeth Inspector Rogers, Ceidwad y Celloedd, dywedodd iddo glywed y sgwrs ganlynol: "Mae'r polîs yn gwybod y cwbwl. Cyfaddefa'r cwbwl a chymra dy gosb, beth bynnag fydd hi". Er bod Jeremiah Jones yn wan iawn ar y pryd, trosglwyddwyd yr hanes iddo a'i ymateb oedd (trwy gof y Capten John Etna Williams): 'Ewch ag e i ffwrdd; mae'n rhaid iddo dderbyn ei gosb'. Mewn brawdlys yn Aberteifi plediodd yn ddieuog ac fe'i dedfrydwyd i ymddangos mewn llys pellach ym mis Mawrth. Ond gorffennwyd â gwasanaeth Mr J. E. Evans, Castellnewydd-Emlyn, oherwydd y gost. Yna, tra oedd John yn disgwyl ymddangos mewn brawdlys, bu farw ei dad. Roedd hon yn ergyd drom iddo ac wylodd yn hidl gan gyfaddef y cwbl. Ond, yn rhyfedd iawn, pan ddaeth John o flaen ei well mewn brawdlys ym Mehefin 1902, roedd dau far-gyfreithiwr yn ei amddiffyn. Un ohonynt oedd Mr Lloyd Morgan M.P. Tybed o ble y daeth yr arian i dalu iddynt, o gofio nad oedd teulu'r Cilie yn gefnog? Dywedodd y Barnwr wrth basio'r ddedfryd: "The attack was a murderous one . . . the accused is a man who nursed old grudges". Efallai fod atgasedd crwtyn ifanc wedi datblygu dros y blynyddoedd yn afiechyd peryglus ym meddwl John.

Mae'n anodd credu mai'r un person a ganodd mor angerddol am ei hiraeth am Gymru, am farwolaeth ei chwaer, ac mor delynegol am y cwm a phrydferthwch Natur, a'r dyn a ymosododd mor fileinig ar y Capten y noson honno. Mae fel petai yr holl helynt wedi glanhau ei bersonoliaeth a'i ryddhau o bwysau ei ddicter.

Tra oedd John yn y ddalfa yng Nghastellnewydd-Emlyn ysgrifennwyd englynion a phennill ar fur ei gell rywbryd rhwng dydd Iau, 12 Rhagfyr, a dydd Sadwrn, 21 Rhagfyr, 1901:

Cyrchwyd Tydu i'r carchar—yng nghanol
Ing enaid yn gynnar;
'Does naill na chyfaill na châr
Yn y gwely ond galar.

Heibio i mi daeth *Bobbies*—rhyw foreu
Ar fyr mi ges 'notice';
A'r dagrau yn berlau o bys
A lifent fy hael wefus.

Rwyf yma mewn unigedd mawr
Yn drist fy ngwedd mewn galar,
A rhoi pysgodyn ar dir sych
Yw rhoddi bardd mewn carchar.

Nodwyd fod y llinell olaf yn y pennill yn defnyddio'r 'd' glasurol lle nad yw yng ngweddill y pennill fel petai rhywun arall wedi ei hysgrifennu.

Treuliodd John ryw flwyddyn (o gosb llafur caled) yng ngharchar Caerfyrddin er i'r ddedfryd fod yn hwy. Bu'n rheoli ac yn rhedeg llyfrgell y carchar. Ond gwaith undonog ac anniddorol oedd y gwaith yn y carchar ar y dechrau, ac un o'r tasgau gwaethaf oedd datrys a datgymalu'r hemp o hen raffau i wneud ocwm. Dyma ddau englyn a luniodd John pan oedd yn y carchar.

OCWM

Ocwm! O elyn pacar,—dy bigo
Lwyda bagan anwar;
Ti yw ceirch plant y carchar,
Cynllw'n tyff! ac yn llawn tar.

Y CARCHAR

O hyll ac erchyll garchar,—dy gelloedd
Sy'n dy gylla anwar,
Eto ni feiddiaf watwar
O roi twll yn 'Adda'r Tar'.

Anfonodd Isfoel lythyr ato yn y carchar a gynhwysai'r englyn isod:

O'r carchar anwar yna,—datodir
Di, Tydu, o'th rwyma';
Yn nhywyll nos llawenha,
Daw hedd o wado Adda!

Bu Fred ei frawd yn ymweld â Thydu yn y carchar ac mewn llythyr dywedodd yntau fod y ceidwad a'r carcharor yn ymddangos yn gyfeillgar iawn. Roedd John wedi dangos cân i'w frawd, Fred, cân a luniwyd yn arbennig erbyn dydd mawr y rhyddhad wedi i 'ffrwd ac awen uwchraddol ymsaethu yn groes drwy'r bariau heyrn a'r byllt pres!' Nid oedd Fred yn cofio ond un pennill (er bod y gân gyfan ar glawr erbyn hyn):

Bydd y cymyl fry yn duo
Yn y nef, yn dryllio'r dellt,
A'r taranau yn cyhoeddi
Rhyddid wrth gynffonnau'r mellt.
Holl alluoedd nef a daear
Ar y bythgofiadwy ddydd
Yn rhoi bloedd nes cryna'r carchar,
Pan fydd Jack yn mynd yn rhydd.

Ac meddai Fred: 'Nid yn aml y clywir am y mellt a'r taranau yn dod i orfoleddu yno . . . Ond mae sŵn y bardd Tydu ym mhob llinell, mab y daran ydyw—rhyw *Boanerges*—heb hanner oeri—ond fe oera yr ysgol hon dipyn arno bid siwr'.

Nid oes tystiolaeth fod unrhyw un o'r teulu agos wedi mynd i gyfarfod ag ef pan ddaeth allan o'r carchar. Aeth i ffwrdd o'r ardal am gyfnod byr i fyfyrio ac i benderfynu beth i'w wneud yn y dyfodol. Wedi colli ei dad, roedd yn teimlo'n euog fod ei drosedd wedi creu mwy o bryder i'w dad ac wedi cyfrannu at ei farwolaeth. Ni allai wynebu ei fam am gyfnod, a thybed a oedd croeso iddo yn ôl i'r Cilie gan ei frodyr? Anfonodd gerdyn post at ei ewythr, John George, a'i wraig yn Henllan, ac arno'r cwpled canlynol (a gadwyd ar gof gan y Parchedig J. Edward Williams, Aberhonddu):

Dwed dagrau hallt, rhaid mynd i ffwrdd;
Dwed golau gwyn, cawn eto gwrdd.

Cafodd ei garchariad a marwolaeth ei dad gryn effaith arno. Roedd wedi edifarhau ac am symud y sen a ddisgynasai ar y teulu trwy ei gamwedd, a phenderfynodd ymfudo i Ganada. Hwyliodd o Lerpwl ar yr *Empress of Canada* yn Chwefror 1904, a glaniodd yn Halifax Nova Scotia. I wastadedd de Ontario yr aeth gyntaf a bu yn llythyru â hen ffrind o fardd o'r enw 'Brythonydd': '*Fundamental change* oedd fy amcan, ac mae wedi bod yn gaffaeliad mawr i mi eisoes. Bore bywyd garw fu bore fy mywyd i—bywyd o bleserau eithafol, a bywyd o ofidiau a helbulon eithafol . . . Nid yw y blodau mor lliwgar, amrywiol ag yng Nghymru. Hefyd nid yw'r adar mor ddedwydd yma. Nid oes gymoedd ac afonydd yma, nid oes fynyddoedd a chreigiau yma, na grug ac eithin. Yr wyf yn teimlo rhyw ymddyhead gwyllt ynof am fynydd a chwm eto,—y mae yn eithaf gwir i chi, teimlad rhyfedd ydyw'. 'Yr wyf tua 250 o filltiroedd o'r lle roeddwn yn yr haf nawr,' meddai eto. 'Pellter mawr i Gymro ond cam ceiliog yng Nghanada. Cynigiwyd swm enfawr o arian i mi yn Toronto gan gwmni yn y busnes coed'.

John Tydu gyda thri o'i gyfeillion yng Nghanada.

Bu'r cyfnod cynnar (1904-21) yn llewyrchus i John Tydu ac roedd yn ŵr cefnog er na ddatgelodd lawer mewn llythyr. Er hynny mae yna dystiolaeth trwy gof a lluniau ei fod wedi teithio'n helaeth i flasu moethau'r byd yn y 'Prairie Provinces'. Wedi iddo gasglu ychydig arian y tu cefn iddo, fe aeth i goleg arbennig yn Toronto. Graddiodd yno, a'i gymwysterau academaidd a sicrhaodd swyddi pwysig iddo. Llanwodd swyddi cyfrifol iawn, a bu'n ŵr blaenllaw mewn cwmnïau mawrion, gan ennill cyflog uchel. Bu am gyfnod yn Banff ar odre'r Rockies—canolfan ffasiynol ar y pryd, ac roedd ei fywyd yn bleser i gyd. Neilltuwyd yno 2564 milltir sgwâr o ffynhonnau poeth ym 1885—'for the sanitary advantage to the public'. Dywedid iddo fod yn rheolwr ar westy ac yn berchen digon o arian i'w buddsoddi. Cafodd gwmni cyson y 'rhyw deg' ac roedd cwmni llawen o'i amgylch yn feunyddiol. Yn ôl yr hyn a ddywedodd wrth fy nhad (y Capten Jac Alun), priododd rywun o'r enw Lilian, a gwelir Tydu yn gwisgo modrwy briodasol yn un o'i luniau. Roedd hithau am gyfnod yn gweithio yn yr adran wnïo yn 'workshop' ffatri ddillad un o'r teulu Pryce-Jones. Mae stori amdano, o gof Elfan James Jones, pan ddychwelodd i'r Cilie ym 1921, yn torri llun yn ei hanner gan roi'r llun ohono'i hunan ar y silff ben tân cyn briwio'r hanner arall, sef llun o'i wraig, a'i daflu i'r tân. Yn sicr, nid oedd am ddatgelu llawer ynghylch ei briodas na siarad am ei wraig, ar ei ddychweliad i'r Cilie ym 1921.

Roedd wedi buddsoddi llawer o arian gyda gŵr o'r enw 'Cyrnol' Pryce-Jones—perthynas i'r teulu enwog o fasnachwyr o'r Drenewydd, Canolbarth Cymru. Ond daeth y dirwasgiad a newid byd iddo a bu bywyd yn frwydr galed gyson. Aeth busnes y Cyrnol i drybini a rhedodd i ffwrdd gyda buddsoddiadau llawer o bobl. Ni lwyddodd Tydu i adennill ei safle a safon y bywyd blaenorol, 'a'r pictiwr sydd gennym yw o ryw ddrifftiwr neu garreg a dreigla, ni fwsogla'.

Yn sicr chwaraeodd ffawd driciau digon creulon â John Tydu. Bu'n chwilio am aur yn yr Yukon pell, yn gweithio fel 'lumberman' yn y coedwigoedd, ac yn gweithio mewn swyddfeydd. Ar brydiau roedd mor dlawd â llygoden eglwys.

Yn ystod y deuddeng mlynedd olaf o'i fywyd nid oedd ei iechyd yn dda, a symudai o fan i fan yn y dinasoedd mawrion—yn enwedig Montreal. Un o'i gyfeillion pennaf oedd yr Athro John Hughes—Athro Addysg, Prifysgol McGill, Montreal. Yn ôl John Hughes: 'We met often, and poetry was the main theme of the conversation. He was proud when some of his work appeared in an old country anthology in 1939. He was even more delighted when his brothers, in a B.B.C. radio broadcast, some years ago, quoted some of his best verses. He was an omnivorous reader of Welsh and English literature. Robert Burns was a special favourite'. Roedd hyn yn dangos fod Tydu yn ŵr diwylliedig ac yn medru cynnal cyfeillgarwch â phobl ddysgedig. Mab Mr a Mrs Timothy Hughes, Pentop, Llanllwni, ydoedd yr Athro John Hughes, ac fe'i haddysgwyd yn Ysgol Ramadeg Llandysul a Choleg Prifysgol Aberystwyth. Wedi saith mlynedd fel athro yn Ysgol Ramadeg Abergwaun dychwelodd i'w hen goleg i ddarlithio yn yr Adran Addysg. Bu yno am ddeng mlynedd. Yna, hyd 1935, bu yn Athro yn yr Adran Addysg ac fe gymerodd gadair Sir John Adamson C.M.G. ym Mhrifysgol Rhodes Island, Grahamstown, De'r Affrig. Aeth i Brifysgol McGill, Montreal, a sicrhau'r Gadair a wacawyd gan Sir Fred Clark.

Oherwydd ei symudiadau crwydrol cyfeirid llythyrau'r teulu at John Tydu, c/o John Hughes. Nid oes llawer o'r llythyrau ar glawr tan 1935, efallai oherwydd nad oedd am gyfleu ei drybini yn ystod y dirwasgiad, ac efallai i lawer ohonynt gael eu llosgi, yn enwedig pan godwyd tŷ a chartref newydd yn y Cilie ym 1936. Yn ystod y tridegau diweddar a dechrau'r Rhyfel, ymwelodd dau o'i neiaint, y Capteiniaid Jac Alun a Dafydd Jeremiah, ag ef yn rheolaidd ym Montreal, ac efallai fod y digwyddiadau hyn wedi ei ysgogi i ysgrifennu mwy o lythyrau hiraethus wrth i'w iechyd a'i hyder ballu.

Ar 26 Mehefin, 1941, ymwelodd ei nai, y Capten Dafydd Jeremiah Williams, â Thydu ym Montreal. Nid oedd yn ei adnabod ar y dechrau ond cofnododd y digwyddiad mewn pennill a anfonodd at deulu Dafydd Jeremiah:

Un bore ym Mehefin
Daeth cnoc ar ddrws fy nôr,
Pwy oedd y boe ond Dafydd,
Mor ffres â dŵr y môr.

Yn y Gymraeg gofynnodd,
"Y'ch chwi'n fy nabod i?"
Edrychais a gwrandewais
Am help o'r dyddiau fu.

Ac yn y man mi welais
'Dan Felin' yn ei wên,
A gwelais fy chwaer Marged
Yn gyffro yn ei ên.

John Tydu (y trydydd o'r chwith) gyda ffrindiau ger pwll nofio y Canadian Pacific Railway, Banff, Canada, 1923.

Galwodd y Capten Jac Alun arno ar amryw droeon ym Montreal. Cawsai ei gyfeiriad gan ei fam, Esther, ac ar fwy nag un achlysur bu Tydu yn cysgu ar y llong am ddiwrnodau neu wythnos ar y tro. Meddai Tydu yn un o'i lythyrau: 'Cofiaf fi yn mynd lawr i'r docks yma ddwy flynedd yn ôl i edrych am John Alun yn yr hen long o'r enw 'Pengreep'. Nid oedd J.A. arni mwyach ond ni wybum i hynny. Gwelodd hen foi bach o Sais fi yn dod i'r bwrdd. Yr oedd y Sais bach yn golchi potiau cwcio ar y pryd. Pan ofynnais yn Saesneg ydoedd Capten J. A. Jones ar gael, edrychodd yn synn arnaf a daeth rhyw ysgryd drosto—gan fy mod yn rhy debyg i Jack Alun. Meddyliodd y Sais mai ysbryd oeddwn, a dyma fo yn jwmpo dros y bwrdd fel broga i lyn Gaerwen, ac ni welwyd mohono mwyach. Amen'.

Adnabyddid Tydu fel 'champion of the underdog', ac roedd ganddo enw fel 'un a allai edrych ar ei ôl ei hunan'. Ar achlysur arall, roedd gan y Capten J. A. dri diwrnod ym Montreal cyn dadlwytho glo a chodi llwyth arall o goed yn Labrador i'w gludo i Gaerdydd. Aeth i chwilio am ei 'Wncwl Jac' gan ddilyn cyfeiriad a gawsai eto gan ei fam: J. T. Jones, c/o John Horne, ar gyrion yr ardal Ffrengig, Montreal W. Tafarn yng ngofal Almaenwr o dras Iddewig o'r enw John Horne oedd y lle, a defnyddiai'r dafarn fel canolfan casglu ei lythyrau yn gyson. 'Cerddais am awr cyn dod o hyd i'r lle a phetrusais am chwarter awr cyn mynd i mewn. Ar hyd y bar hir roedd rhesi o gwsmeriaid oriog, ond mentrais i mewn a 'nghyflwyno fy hunan fel perthynas i Tydu. Cefais groeso mawr, a dywedodd John Horne wrthyf . . . "Chi'n gweld, mae fy nghwsmeriaid yn rhai lliwgar ac ar adegau byddwn yn cael ffwdan. Bryd hynny bydd John Tydu Jones yn fy helpu. Lawer gwaith y gwelais ef yn cydio yn un o'r bwlis yma, un llaw ar ei goler a'r llall ar ben-ôl ei drowser, ac allan ag ef drwy'r drws acw fel bwrn o wellt". . .'

Ysgrifennai Tydu lythyrau rhamantus a lliwgar a thuedd ynddynt i orliwio neu 'fystyn pethe', fel y dywedwn yng Ngheredigion, yn aml. Yn sicr roedd dawn y cyfarwydd a chyfaredd y llenor ar ei ymadroddi a fflachiadau cynganeddol yn gymysg â'r hiraeth di-baid. Llanwai dudalen â'i ysgrifen glasurol gan danlinellu a dyfynnu o'i gof weithiau'r beirdd enwog. Efallai mai poen ac ing ei hiraeth yw'r elfen fwyaf grymus yn ei lythyrau. Dro ar ôl tro soniai am ei hiraeth am ei 'Gilie' a'i 'Gymru'. Ond efallai mai'r un hiraeth a'i cynhaliodd pan oedd ei amgylchiadau yn isel iawn, ond teimlwn hefyd trwy ei eiriau fod yr hiraeth yn ei orlethu ar brydiau: 'Diolch yn fawr i chwi am ysgrifennu ataf i—hen alltud mewn gwlad bell. Mae cael y gair o Geredigion fel cawod o wlaw tyner i'r cae gwenith ar ôl tymor hir o sychter . . . Pan yr atebwch hwn gwnewch gyfeirio i c/o Proff. John Hughes, M.A., McGill University, Montreal, fel o'r blaen, canys ansefydlog wyf fi o hyd, fel drudwsyn yn disgyn ar hen lwyni bron Beti'r Gweydd ac yn aros am ennyd fer cyn mynd wedyn i gyfeiriad Cilie Hwnt neu Pendderw neu Llety Cymro . . . Cofia fi at bawb a feddyliant yn garedig ohonof. Mae llawer ohonynt yn sur ac yn genfigennus ond jawch pan fo ni yn cerdded i lawr rhwng corau y nefoedd bydd yr hen Jack yn gallu canu cystal ag un ohonynt, a thelyn fawr ar ei ysgwydd fel yr ydoedd yn hogi ei bladur yn Parcblaenpantyci yn yr hen ddyddiau . . . Yn aml gwnaf hedfan ar edyn atgof yn ôl i'r hen fangre, treuliaf eto oriau hamddenol ar Ben-y-Foel yna yn tremio allan dros y bae i gyfeiriad gwlad machlud haul; gwelaf y gwylanod yn llithro ar adenydd gwynion a gloywon ar eu taith i Barc y Bariwns a Pharc Llain; yr awyr yn las a'r awel yn fwyn a chariadus'.

Byddai ei lythyrau at ei frawd Sioronwy a'i nai Gerallt yn frith o sylwadau am eisteddfodau, beirniaid, enillwyr a thestunau, fel y gallai anfon ambell beth i mewn, a hynny yn gyfrinachol. Ac os teimla'r darllenwr fod y cythraul barddoni yn bresennol yn ei eiriau onid yw yn rhan ohonom i gyd? 'Next Baled ap Fychan. Baled wael ar andras yw hon enillodd—gwael iawn! Mor stiff â bwlyn cart heb ei resho am chwe mis. Damo, be sydd ar y taclau hyn? Paham na ddywedant stori arbennig yn naturiol fel dau ddyn yn siarad. Fe redais i faled 'off' un noswaith yma ac anfonais hi i mewn hefyd. Nid yw yn gyfleus i'w chofio i chwi heno ond y mae fy maled i ganwaith yn well na'r faled fuddugol . . . Nid oes llawer o ots, myn diawl i, am yr Eisteddfota yma, canys 'crooks' yw'r beirniaid pob diawl ohonynt, ac ni cheir cymaint ag ŵy dryw bach o ddiolch am bethau anfonir i fewn er bod rheiny weithiau yn 'o dda'.'

John Tydu yn glanio ei ganŵ, 'Isabel', ar draethau un o lynnoedd Canada.

Cafodd fywyd anturus iawn ac roedd ei ddisgrifiadau yn lliwgar: 'Cofiaf yr amser, rhyw bum mlynedd yn ôl, pan oeddwn yn yr Yukon bell, weithiau aem allan o fwydydd yn y camp a rhaid oedd mynd allan a hel rhywbeth i'w fwyta. Un diwrnod cofiaf yn dda am hynny, aethum allan i'r anialwch mynyddig efo'r 'rifle' i'm hysgwydd a gollyngais 30.30 bullet i fywyd yr arth honno a neidiodd hithau i fyny i'r awyr tua pymtheg llathen ac yna disgynnodd ar y ddaear yn farw. Arth tua naw mis oedd hi ac yno ar y spot dyma fi'n dechrau ei blingo, ac ar ôl cael y croen 'off' i gyd dyma fi yn dechrau bwyta'r cig coch a melys hwnnw. Jawch roedd yn flasus iawn a minnau yn newynog ac heb fwyta am dri diwrnod. Wrth gwrs, cig amrwd oedd y cig hwnnw a phan orffennais fwyta nid oedd dim ar ôl ond y trwyn a'r palfau mileinig hynny. Teimlwn yn dda iawn ar ôl hynny a chysgais yn drwm am ddau ddiwrnod. Yr wyf yn adrodd yr hanes gwirioneddol hwn wrthych i ddangos fel y mae dyn yn dueddol i golli ei nerth drwy'r byd helbulus hwn; petae yr arth honno yn cwrdd â fi heddiw tebyg iawn mai'r arth fyddai yn gwneud y bwyta ac nid yr hen Dydu'.

Darllenai Tydu y papurau a anfonid ato yn fanwl a byddai ambell ddigwyddiad yn ysgogi'r awen.

2020, City Councillors St
Montreal

27.6.37

Ysgrifennais i'r Rev. Basil Williams (chaplain yn Wormwood Scrubs Prison), lle mae y tri cenedlaetholwr gwrol yn dihoeni am losgi beudy John y Tarw yng ngwlad Lloegr. Mab i Glynfab, Abergwaun yw Basil wyddost a ches y wybodaeth gan John Hughes. Rhaid oedd gwneud englyn bach i Basil i'w adrodd i Saunders Lewis, Lewis Valentine a D. J. Williams.

Amrwd yn wir i Gymro—yw'r carchar
A'r ceirch sâl i ginio;
Ha frawd, cei yn dy hen fro
Daten mewn rhyddid eto.

Deallaf dy fod tithau wedi priodi hefyd ac fod gennyt deulu llewyrchus iawn fel llwyn yn blodeuo ar lôn Cwmsgog ym mis Mehefin . . .

Pan oedd Tommy Farr yn ymladd â Joe Louis anfonodd Tydu ddau englyn i wersyll Farr yn Palm Springs:

A pounder from Tonypandy—is Tom,
He is tough and foxy;
On this side of the sea—he's a winner:
Well may the miner claim the money.

Joe Louis, the savage lion,—is sore,
We've seen him in action;
Come, Tom, unbag the dragon:
Tame his jaw with Thomas John.

A dywed Tydu ymhellach mewn llythyr at ei chwaer Esther o Montreal (22 Mai, 1937): 'Bu Farr yn y ddinas hon wythnos yn ôl a rhoddwyd 'banquet' fawr iddo gan Gymdeithas Dewi Sant. Yr oeddem yno ac adroddent englynion a phenillion yn y Gymraeg a Saesneg'.

Rhedai elfen gref o heddychiaeth trwy enaid Tydu ac roedd erchyllterau'r Ail Ryfel Byd a'r colledion wedi ei ddiflasu'n fawr. Lluniodd englynion, mewn dicter yn fwy na dim, ac fe'u cyfeiriodd at Mackenzie King, Roosevelt, Churchill, Hitler a Stalin.

BEDDARGRAFF RHYFEL

Agorwyd hen gist trugaredd;—yma
Gwas Mamon sy'n gorwedd;
O! felys, ddwfn orfoledd,
Dawnsio wnawn ar fawn ei fedd.

John (ar y dde) gyda chyfaill (Winnipeg, 1915).

Anfonai Tydu erthyglau ar bob pwnc dan haul, o'r S.P.C.A. i'r Rhyfel Cartref yn Sbaen, o Ddewi Sant i brotest 'Triawd Penyberth'—i'r wasg yng Nghanada. Oherwydd ei syniadau heddychol cythruddodd lawer o bobl (drwy'r erthyglau yn y papurau) a rhaid oedd i un gŵr o'r enw J. C. Jones symud o'i dŷ i ddianc rhag y galwadau ffôn aflednais yng nghanol y nos. Bu Tydu hefyd yn cyfrannu'n rheolaidd i'r wythnosolyn *Tivy-Side* (yn Aberteifi).

Mewn llythyr at ei chwaer, Esther, o Polymer, Ontario (5 Tachwedd, 1943) meddai Tydu: 'Yr wyf yma, sef pentre bach, saith milltir o'r Niagara Falls yn gwneuthur 'synthetic rubber' . . . Yr wyf yn mynd i weled Jake nawr, er mwyn gwybod sut mae'r gasgen yn dod ymlaen. Mi nofiais y Niagara 'whirlpools' o'r blaen yn 1922 ac os câf lwc mi ddôf allan eto yn llwyddiannus'. Dengys cynnwys y llythyr fod ei natur anturus, ei ddychymyg a'i ddireidi cynhenid yn parhau yn gryf, er bod ei iechyd yn gwaethygu, 'Yr wyf wedi ysgrifennu i'r awdurdodau yma am ganiatâd i fyned dros y 'Falls' yma fy hun, mewn casgen arall. Yr wyf wedi ffeindio dyn i wneuthur y gasgen i mi, o bren derw cryf; y mae'r gasgen yn wyth troedfedd o hyd a thair troedfedd o ddyfnder, hefyd bydd lot o 'badding' y tu fewn er mwyn bod yn gyfforddus. Bwriadaf wneud hyn tua'r ugeinfed dydd o Ragfyr nesaf ac fe fydd miloedd ar filoedd o bobl yno o bob cwr yn y cyfandir i weld y 'feat' fawr hon. Hefyd yr wyf wedi bargeinio â dyn mawr yn New York i brynu'r gasgen oddi wrthyf. Os dôf drwy'r cyfan yn fyw, pris casgen iddo ef fydd 250,000 doler, sef chwarter miliwn. Ysgrifennaf i chwi eto cyn dyfod y bythgofiadwy ddydd!'

Rhaeadr Niagara, ochr Canada. Gwnaeth Tydu gais i fynd dros y rhaeadr mewn casgen arbennig. Roedd eisoes wedi nofio'r trobyllau.

Wedi i'r meddygon ei rybuddio yn y General Hospital ym Montreal ei fod yn dioddef o afiechyd y galon, penderfynodd gofnodi ei gynnyrch barddonol mewn llyfryn du yn ei lawysgrifen ei hunan. Anfonwyd cyfres ohonynt at ei frawd Sioronwy, a Thydfor, ac at ei neiaint, Pwyll, Jac Alun a Dafydd Jeremiah. Ar ddechrau'r casgliad ceir y canlynol:

AELWYD Y TEULU

[englynion a chaneuon yn y Gymraeg ac yn y Saesneg—gan John Jones (Tydu)]

Ar ddistaw edyn atgo
Mi âf drwy'r glaw a'r gwynt,
Câf weld y teulu'n gryno
Ar aelwyd megis cynt.
Mae bonyn bras o onnen
Yn canu yn y tân,
A ninnau oll yn llawen
Yn uno yn y gân.

'Nid ymgais i fod yn enwog yw y gyfrol hon,' meddai, ond 'yn hytrach adroddiad ydyw yn y cof, adroddiad o'r hen englynion a luniais pan yn hogyn yng Nghilie, cartre nghalon, ynghyd ag englynion a blethais ar diroedd tramor yn alltud'.

Dyma rai enghreifftiau o gynnwys y casgliad, ac mae ei hiraeth am y Cilie a Chwmtydu yn dod i'r amlwg dro ar ôl tro:

CWMTYDU

Cwm Cymraeg, cwm cam yr Iôr,—paradwys
Y prydydd a'r llenor,
A'i arffed fawr o borffor
Yn gollwng ar fwng ei fôr.

CWMTYDU

Home of the bard and the Cardi,—a mint
Of romantic beauty;
A village in the valley
Smiling by the surging sea.

Leisure in deep seclusion—far away
From the world's mad passion;
In so lush isolation
I would live and die alone.

NATURE'S BEAUTY

Dew on the newborn morning,—on the heath
The hawthorn is blazing,
Eternal youth returning,
Sprayed by the sunshine of spring.

CEREDIGION

Sir yr afonydd a'r gelltydd gwylltion,
Diludd a'i gerddi ger dolydd gwyrddion;
Hedd ei unigedd yw nawdd enwogion
A bri ei glannau yw braw gelynion.
Ar dawel orwel gwlad dirion—yn fflwch
Erw o degwch yw Ceredigion.

YR HAF

Y winllan yn gân i gyd;—ar y môr
Mae tawelwch hyfryd;
Y llawr yn enfawr wynfyd,
O na fai yn haf o hyd.

HIRAETH

Hiraethaf am haf Mehefin—draw draw
Dros y tonnau gerwin,
Yr hen foel a'r hen felin
Mor braf a'r gofid mor brin.

NADOLIG

Yn eu gwedd gwelwn heddyw—ieuenctid
Sanctaidd a diledryw;
I'r rhai bach yn dechrau byw
Dydd bendigedig ydyw.

[O.N. O na bawn yn blentyn eto am flwyddyn.]

Llun olew o John Tydu, o waith yr arlunydd a'r cyn-garcharor rhyfel o'r Eidal, Mario Ferlito, alltud arall.

Yn ystod ei alltudiaeth lluniodd englynion i gymeriadau a digwyddiadau'r dydd. Ceir englynion i Roosevelt, Garibaldi, Lloyd George a Neville Chamberlain, er enghraifft. Dyma ragor o englynion:

YR ATHRO JOHN HUGHES

Llenor o fro Llanllwni—yw'r athro
Aruthrol ei egni;
Tyfodd ar lannau'r Teifi,
Ond yn awr mae gyda ni.

MYNYDD ROBSON B.C.
(Uchder 12,972 troedfedd)

Brenin oesol y bryniau,—mawreddog
Ei gaerog esgeiriau;
Eira hen addurna frig
Ei osgeiddig ysgwyddau.

Y GROES AR MOUNT ROYAL (MONTREAL)

Ernes y Mab sydd arni,—yn gynnar
Mi genais i'w thlysni;
Yn ffordd y Groes gwnaf oesi
Efo'r oen o Galfari.

Y NIAGARA

Yr afon fad ofnadwy—yn neidio
Yn nwydwyllt o'i chyfrwy,
Twrf yr anferth ryferthwy
Braidd hollta'r ddaear yn ddwy.

Cyfieithodd lawer o delynegion Saesneg i'r Gymraeg megis 'The Winds of Fate' (Ella Wheeler Wilcox), 'Forgotten Rendezvous' (Eva Buik), 'The Gorse Bush' (Eva Buik).

Lluniodd lawer o englynion a rhai caneuon yn Saesneg hefyd, er enghraifft:

THE MAPLE LEAF OF CANADA

Sweet emblem I saw you tumbling—afar
In the field this morning;
Now on my breast you're resting
In my care, and I am king.

CANADA (SHALL BE FREE)

My Canada, queen of the heavenly snow,
I see thy praises wherever I go;
Four thousand miles without a bristling gun,
Ten thousand more of forest, field and sun,
Thy graceful arms extend from sea to sea,
Welcome to all, be loyal and be free.

Ond hefyd ymysg y testunau (dros gant o englynion) mae llawer ohonynt yn hiraethu am ei hoff Gwmtydu, ei deulu, hen gymeriadau bro'i febyd, a hen olygfeydd. Wrth fynegi ei deimladau dwys ymhell o aelwyd y Cilie y lluniodd yr englyn trawiadol hwn:

HIRAETH AM GYMRU

Megis y llin yn mygu—yn araf
Yw'r hiraeth am Gymru;
Tywodyn o Gwmtydu
Yn hollt y rhwyf ydwyf i.

John Tydu y nofiwr eto, yn Banff, Alberta (Awst 1917).

John Tydu y tu allan i Neuadd y Ddinas, Montreal, ar ddydd Gŵyl Ddewi, 1936.

Er ei holl drallodion, ac er na ddaeth unrhyw enwogrwydd iddo am ei farddoniaeth yn gyffredinol yn ei wlad fabwysiedig, erys un peth 'a fydd byw gyhyd â Chanada'. Ar fwa mewnol yn y Siambr Goffadwriaethol yn y Tŵr Heddwch yn Senedd-dy Canada yn y brifddinas, Ottawa, gwelir cwpled o waith Tydu (yr olaf yn y gân, 'The Returning Man') i gofio am y syrthiedig yn y Rhyfel Mawr, 1914-18:

Strange silence mightier than the cannon's thud
Has taken Flanders Field;
The boys are shaking off the friendly mud,
It clings and hates to yield.

While dreams and memories they leave behind,
A blank November spell,
Beyond the hills the clearer day they'll find,
For which their comrades fell.

To save democracy they played their part
Under the Union Jack;
You gave your dollar, now you'll give your heart,
The boys are coming back.

Down the old road, alone he reappears,
His promised word he keeps;
All's well, for over there among his peers
A Happy Warrior sleeps.

Adeiladau'r Llywodraeth yn Ottawa: Tŷ'r Cyffredin a'r Tŵr Heddwch ar y chwith, lle gwelir cwpled enwog John Tydu ar y bwa i'r Siambr Goffadwriaethol.

Ac meddai Tydu mewn nodyn: 'I composed the above way back in 1919 or 1920 when I was living in Calgary, Alberta. I showed them to Sir Robert Borden and to two or three of my friends. I composed many verses and 'englynion' in those days when 'the boys' were returning to their native Canadian shores after having been for a long time in the land of war and ungodliness—France. I have no idea how the architect John Pearson came to see the lines and make such effective use of them'. Roedd John Tydu yn hyddysg iawn yng ngwaith Robert Burns, er mai adleisio Wordsworth a wneir yn y cwpled clo enwog:

> Who is the Happy Warrior? Who is he
> That every man in arms would wish to be.

Wedi ymweliad Stanley Baldwin, Prif Weinidog Prydain, â'r Senedd-dy yn ystod yr 'Imperial Conference' yn y tridegau a'i ddiddordeb yn awdur y cwpled, bu ymchwiliadau cynhwysfawr gan y Gwir Anrhydeddus Martin Burrell a'i weithwyr yn Llyfrgell Carnegie, Adran Hanes yr Adran Amddiffyn, ac eraill. Hysbysebwyd am wybodaeth mewn tri chylchgrawn llenyddol yn Llundain ac Efrog Newydd, y *John O'London's Weekly*, 'Notes and Queries', er enghraifft, a gofynnwyd i Colonel H. Osborne (Comisiwn y Beddau Rhyfel Ymerodrol), ac i'r pensaer a'i ysgrifenyddes am wybodaeth.

Anfonodd Martin Burrell, Llyfrgellydd Seneddol Canada, lythyr at Olygydd y *John O'London's Weekly* yn 8-11 Southampton St., Llundain, gan ofyn y canlynol:

> In our Memorial Chamber in the Parliament Buildings there is one line carved round the entrance to the door reading:
>
> All's well, for over there among his peers
> A Happy Warrior sleeps.
>
> This quotation was used by King Edward VIII when he spoke at Vimy Ridge last summer. I have tried in vain to find the source of the words. Would any of your readers know?

Pwy a feddyliai y byddai darpar-frenin Lloegr a'r Ymerodraeth Brydeinig yn dyfynnu gwaith un o 'Fois y Cilie'! Atebodd John A. Pearson (y pensaer) ei fod wedi clywed gŵr a thad a gollodd fab ar faes y gad yn adrodd y cwpled gyda'r bwriad o godi colofn i'w fab wedi ei harysgrifio â'r geiriau. Penderfynodd Charles J. Charlton (Swyddog Llywodraeth) anfon llythyr i'r *Montreal Daily Herald* ar 2 Chwefror 1939 yn gofyn am darddiad y geiriau, ac ymhen dau ddiwrnod roedd Tydu wedi ymateb yn rhannol i'r abwyd.

Meddai Tydu: '. . . This inscription is part of a verse written by a 'man' in Calgary, Alberta, in 1919 . . . The inscription in question is the 'esgyll' of the following verse . . .'

Ac mewn llythyr arall ar 10 Chwefror, 1939, at Major Cummins (Dept. of National Defence, Ottawa) ysgrifennodd Tydu ei fod wedi anfon y gerdd wreiddiol at Sir Robert Borden am ei fod yn ei edmygu yn fawr oherwydd nad oedd Borden yn gofyn am ddialedd yn ystod y trafodaethau heddwch. Dehonglodd Tydu y cwpled olaf yn yr un llythyr fel hyn:

> You ask me who the man is, and what road, and to whom was he keeping his promise. When I sat down to sing the verses, I saw myself back at Scarborough Junction, Ontario, in

> 1904, a young fellow I was then, working for George Taylor, a farmer living about ¼ mile from the railway station there.
>
> I visualized the 'returning man' coming down that road from the station towards home—alone, a kit on his shoulder and a smile on his face—but alone. He had told them all before going away across the billowy sea that he would come back some day and he hoped that the old tree bearing the 'early Augusts' would be there when he returned.
>
> He came back, down the old road again, he reappears. His promised word he keeps. All's well, for over there, among his peers, a Happy Warrior sleeps. The price was paid, the bargain was sealed, or the covenant was sealed and all was well. His warrior friend was left behind.

Ac am y ganmoliaeth i'w gerdd gan Cummins:

> Before I go further, I want to tell you I like the word 'gem'. Thanks. This word is in a verse I composed last week:
>
> There is a gem across the sea
> Fashioned in hills and dales;
> This gem is all the world to me—
> My home, my native Wales. (John Tydu)

Ac erbyn 20 Chwefror, 1939, roedd Major Cummins wedi derbyn mai Tydu oedd awdur 'The Returning Man', â'r geiriau canlynol:

> I think we can accept his claim to the Happy Warrior lines . . . making a perfect gem of a verse. No, I have no doubt in my own mind.

Mewn llythyr arall i'r *Journal* gan Tydu, meddai:

> During the last six or seven years, a great deal of fuss has been made about these two lines and their origin . . . I have enjoyed watching the tactics employed and admire the gall of those responsible for the inscription's adaptation in the Chamber.

Parhaodd y diddordeb ac ymddangosodd erthygl ddiweddarach yn yr *Ottawa Journal* (15 Mehefin, 1946) gan y gohebydd James McLaren:

> When Stanley Baldwin and Edward VIII both cited the lines in public declarations, the situation became even more involved, and harassed librarians were about to give up the struggle in despair when a still, small voice arose out of all the tumult and shouting. It was not Kipling or Wordsworth, as popularly supposed, but one John Ceredigion Jones, a Montrealer of Welsh descent, who claimed authorship of the inscription.

Yn dilyn cyfres o erthyglau yn y papurau newydd ar ddiwedd y tridegau, datgelodd Tydu ei hun yn y *Montreal Herald*, y *Citizen* a'r *Ottawa Evening Journal* mai ef oedd yr awdur, ac wedi cyfres o lythyrau tanllyd rhyngddo ef a Major Cummins, profodd ei hawlfraint trwy ddangos copi gwreiddiol o'r gân gyfan o'r 'Calgary Albertan', ac yn ddirmygus iawn cyflwynwyd wyth doler iddo. Cyhoeddwyd y gân gyflawn, ac ymddangosodd mewn papurau newydd a chylchgronau. Ar ddiwedd yr ohebiaeth waedlyd yn y papurau newydd cyhoeddodd Tydu y geiriau canlynol yn y *Citizen*: 'Editor Citizen, re. Mr P Cummins. I think he is making a fuss about nothing. Those Happy Warrior lines are twenty years old now and I must ask the critics and would-be bards to refrain from further comments'.

Ar 4 Gorffennaf, 1947, anfonodd llythyr, ei lythyr olaf, at ei chwaer, Esther, yn Nhrecregin East, Pontgarreg. Ysgrifennodd ati i ofyn am gopi o'i dystysgrif geni o Somerset House gan iddo golli ei holl eiddo (nid am y tro cyntaf). Gan ei fod yn agosáu at oedran pensiwn byddai'r dystysgrif yn gymorth i gael taliadau rheolaidd gan y llywodraeth.

John Tydu ym Montreal.

Er iddo ddioddef o glefyd y galon a chael ei rybuddio gan yr ysbyty ym Montreal i beidio â chymryd gwaith beichus, aeth i chwilio am waith. Cofrestrodd yn swyddfa Shepherd and Morse, Lumber Company, yn Sudbury, a theithiodd ar y trên i le o'r enw Sultan—lle diarffordd yng ngogledd y dalaith. Dechreuodd ar ei waith ym melin lifio McFadden, a gweithiai gyda Phwylwr o'r enw Sam. Ar yr ail ddiwrnod, wrth i Edgar Desbois a'i frawd Alida symud wagennau gyda'r 'shunting engine', sylwodd y ddau fod yna rywun yn gorwedd ar un o'r 'flat cars'. Gwaeddodd y ddau arno, ond ni symudodd. Yna daeth Sam allan o'r swyddfa a'u hysbysu ei fod wedi marw. Gyda chymorth Bob Holiday, y rheolwr, rhoddwyd corff Tydu mewn blanced a'i gario ar lori fechan i'r tŷ iâ. Yn y prynhawn cyrhaeddodd Dr Young o Chapleau gyda'r Ontario Provincial Police, ond ni lwyddwyd i ddod o hyd i gefndir na theulu Tydu. Fe'i rhoddwyd mewn bocs pren o wneuthuriad cwmni seiri Frank Vallaincourt yn ei ddillad llawn ac wedi trafodaeth gyda'i gyflogwyr, cadwodd ei esgidiau a'i fenig newydd. Oherwydd ei gyfenw (Jones), penderfynwyd mai Protestant neu 'other denomination' ydoedd, a'i fod i'w gladdu yn y fynwent ar gwr y goedwig i fyny'r bryn o orsaf Sultan mewn llannerch fechan yn hytrach nag ym mynwent gymen y Catholigion yng nghanol y pentref.

Ond i John Pousette, rheolwr y felin lifio yn Sultan, mae'r diolch pennaf. Cymerodd ddiddordeb mawr yn hanes John Tydu, ac wedi cysylltu â'r Athro John Hughes, rhoddodd bedwar postyn haearn a chadwyn i nodi'r fan lle gorweddai ym mhen pellaf y llannerch. Cofia merch John Pousette, a hithau'n naw oed ar y pryd, fynd i ymweld â'r bedd bob penwythnos yng nghwmni ei rhieni gan osod tusw o flodau gwyllt y goedwig arno. Wedi ymweliad Mr Lester Pearson, Seneddwr yr ardal, ar ymgyrch etholiadol ym

1952, dangoswyd y bedd iddo. Roedd Lester Bowles Pearson yn fwy na gwleidydd a Gweinidog Materion Tramor; roedd dawn y llenor yn ei wythiennau ac roedd unwaith yn athro hanes. Trwy gymorth E. P. Galpin a'i gysylltiad â'r Athro John Hughes y daethpwyd o hyd i'r gwirionedd, ac o hyd i gefndir Tydu. Yn dilyn cymorth Pearson rhoddwyd carreg arw, fwy o faint, i gofnodi'r fan. Cysylltwyd ag Isfoel ac anfonodd swm bychan o arian er mwyn cynnal y bedd. Gydag amser daeth tipyn o gyhoeddusrwydd ac enwogrwydd i Dydu mewn erthyglau, a bu cynlluniau ar y gweill i symud ei weddillion i Ottawa. Ond er yr holl ymgynghori, nid yw'r adran henebau wedi gosod cofeb iddo na symud ei weddillion.

Meddai J. E. Belleview mewn erthygl ar Tydu, 'The Immortal Vagabond', a gyhoeddwyd yn y *Star Weekly Magazine*, 10 Tachwedd, 1956, naw mlynedd ar ôl marwolaeth Tydu: '. . . yn rhyfedd iawn, rhyw ddeng milltir ar hugain o'r lle mae John Tydu yn gorwedd mae yna lenor arall yn gorwedd mewn mynwent Gatholig. Mae yna golofn farmor uchel iddo er na wyddys ymhle y'i claddwyd. Hwnnw yw'r Ffrancwr Louis Hemon a ysgrifennodd nofel glasurol, *Maria Chapdelaine*. Cyfieithwyd hi i lawer o ieithoedd gan gynnwys y Gymraeg fel *Ar Gwr y Goedwig*. Ac felly yn Algoma bell, ymhell o dwrw a mwstwr Canada, mewn rhan o Ontario a boblogir yn helaeth gan frodorion o dras Ffrengig, mae dau arwr llenyddol, sy'n cynrychioli'r ddau ddiwylliant, yn gorwedd nid nepell oddi wrth ei gilydd. Fe ysgrifennodd un ohonynt lyfr yn Ffrangeg a ddaeth yn glasur; ysgrifennodd y llall un cwpled yn Saesneg a fydd byw cyhyd â Chanada'.

Y felin lifio yn Sultan.

Cofeb Louis Hemon.

Profiad arbennig oedd teithio i bellafoedd anialdir talaith Ontario, Canada, ar ddechrau Mai 1995, yng nghwmni cefnder i mi a chyfarwyddwr Ffilmiau'r Nant, Alun Ffred Jones. Ni oedd y ddau aelod cyntaf o'r teulu i gael golwg ar fedd ein hewythr enwog. Wedi gorffen ffilmio a symud yr offer technegol o'r goedwig, dychwelodd Alun a minnau i dawelwch y llannerch lle gorweddai gweddillion John Tydu, i anadlu ei thawelwch a cheisio deall a phrofi peth o rin ei chyfrinachau. Dyma oedd uchafbwynt y daith. Dau berthynas, yr aelodau cyntaf o'r tylwyth, yn sefyll uwchben bedd a gweddillion hen ewythr ac un o aelodau mwyaf lliwgar teulu'r Cilie. Gosodais dair carreg ar ei fedd—un o Ben Foel Gilie, un o sail hen ffermdy'r Cilie ac un o draethell Cwmtydu, llecynnau aelwyd, breuddwydion a direidi ei febyd. Dros lonyddwch y llannerch treiddiodd geiriau'r Apostol Paul (Cor. 1: 13.2) trwy enau Alun Ffred o Destament poced, sy'n gydymaith parhaol iddo, dros golofnau tal y pinwydd. Y funud honno daeth yr holl elfennau ynghyd: sancteiddrwydd ac ystyr y ddwylath, gerwinder Ontario a'r gorchudd eira, cynhesrwydd aelwyd y Cilie a'i diwylliant, lleithder llygad a chyfamod 'cariad' o eiriau'r Apostol . . . 'A phe byddai gennyf broffwydoliaeth, a gwybod ohonof y dirgelion oll, a phob gwybodaeth; a phe bai gennyt yr holl ffydd, fel y gallwn symudo mynyddoedd, a heb gennyt gariad, nid wyf fi ddim'.

Roedd yn uchelgais gennyf erioed ymweld â bedd fy hen ewythr, John Tydu, ond ni feddyliais y cawn y profiad. Un o'r profiadau nad anghofiaf byth oedd arllwys tywod o draethell Cwmtydu dros fedd Tydu wrth adrodd ei englyn enwog i 'Hiraeth'. Y funud honno teimlais dangnefedd dwfn yng nghadeirlan naturiol y coed pinwydd. Teimlais hefyd enaid yr hen Dydu yno yn rhan gytûn o ryddid a gwylltineb y goedwig. Yna, yn sydyn, daeth wylofain hwter y trên i hollti'r tawelwch ac i ddiasbedain drwy'r coed gan yrru ias i lawr fy nghefn. Ymhen munudau, wrth i'r tawelwch ailfeddiannu'r llannerch, adroddais yr englyn canlynol yr oeddwn wedi ei lunio iddo:

WRTH FEDD JOHN TYDU

(Sultan, Ontario, 30 Ebrill, 1995)

Drwy giliau y dirgelwch—ei enaid
Sy'n un â'r llonyddwch;
Calon llin y Cilie'n llwch—
Yn delyn o dawelwch.

Carreg fedd John Tydu.

O Walia werdd rhannwyd clod—a geiriau
O Gariad yr adnod,
Uwch oer wal a lluwch yr ôd
A maen yr hirlwm hynod.

Jon Meirion Jones

Joe Lepine a Peter Hamel (hen ewythr Pete Vallaincourt—oedd â chysylltiad a gwneuthuriad arch John Tydu). Roedd Joe Lepine yn byw yn Chapleau pan fu farw Tydu. Aeth amryw o'i gydweithwyr i'r angladd a oedd dan ofal y Parchedig H. W. Strapp (United Church).

Lorri 'Mack' yn halio coed yn Sultan, Mawrth 1948, rai misoedd wedi marw John Tydu.

John Tydu yn y tridegau.

Pedwarawd o Ferched y Cilie

Ann (Boleyn)

(10.10.1884–31.8.1921)

Y Chweched Plentyn

Cofiaf Ann, fy chwaer annwyl.
John Tydu

Cofrestrwyd plentyn hynaf teulu'r Cilie, Frederick Cadwaladr, yn y swyddfa a rhwng clasbiau'r Beibl Mawr â dau enw, hefyd y pedwar ola' a anwyd ar y fferm. Ond oherwydd y 'dalent gellweirus' tadogwyd ail enw answyddogol ar lawer o'r saith arall. Cafodd Ann yr ail enw rhyfedd 'Boleyn' ar ôl ail wraig Harri'r Wythfed ac yn sicr roedd ei chymeriad dipyn yn wahanol a glanach na'r ffigwr hanesyddol hwnnw. Defnyddiwyd yr enw mabwysiedig yn hollol agored, megis yn y cerdyn post a dderbyniodd oddi wrth un o'i hedmygwyr, Corporal Dafydd Rees, Military Mounted Police, mab Erwanfach: Miss Ann Boleyn Jones, Cilie Farm, Cross Inn, o faes y gad, Ffrainc, 14 Mawrth, 1918 .

Carden a anfonwyd at Ann Boleyn gan ffrind a chymydog iddi, o faes y gad, Ffrainc, Mawrth 1918.

Cyfeiriwyd at Ann fel y 'dalent fawr'. Roedd yn ddynes dal, osgeiddig, a chymen iawn o ran natur, a gwisgai ddillad ffasiynol ar bob achlysur. Wedi marwolaeth ei thad ym 1902 ac ymadawiad ei chwaer hynaf, Marged, trwy briodas, bu ei dylanwad yn drwm ar fywyd y fferm, yr aelwyd a'r ardal.

Bendithiwyd hi â thalent gerddorol arbennig iawn. Gallai ganu'r harmoniwm a'r piano, a ffurfiodd gôr merched lleol a arferai gystadlu yn eisteddfodau'r ardal. Cafwyd cryn hwyl pan gododd 'S.B.' gôr yn ei herbyn. Trwythodd genedlaethau o blant ac ieuenctid yn y 'sol-ffa' fel cyfeilyddion y cysegr yng Nghapel -y-Wig. 'Anti Ann' oedd â'r gofal am y bwyd, a gosod y byrddau a'r dodrefn pan ymwelai dieithriaid, megis gweinidogion, beirdd ac awduron, â'r Cilie. Câi pregethwyr wahoddiad ganddi i ddod draw o'r cwrdd yng Nghapel-y-Wig a byddai'r teulu'n cynnal dyletswydd wrth y bwrdd. Hi fyddai'n arwain y canu ar yr aelwyd.

Roedd yr harmoniwm fel pin mewn papur ac yn sgleinio'n braf dan haenen o gŵyr gwenyn. Wrth y gris yn y gegin fach roedd rhesi ar resi o glocs wedi eu golchi a'u hiro. Byddai basn mawr o ddŵr glân a thywel a sebon y tu allan yn y gegin fach a chrib wedi ei glymu wrth gortyn wrth ffrâm y gwydr ar y wal. Ni châi neb ddod i mewn yn anniben a heb olchi peth o'r chwys i ffwrdd.

Anti Ann oedd yn gyfrifol am wneud caws a menyn yn y gegin fach. Yn y wal roedd hollt y lowsed a thrwy hwn roedd gwerthyd a rhod droi a phowl a cheffyl y tu allan. Pan oedd eisiau aros trawai Ann y drysau a'r werthyd â phastwn ac ufuddhâi'r ceffyl ar unwaith. Gyda chnoc arall cychwynnai'r anifail eto i droi'r fuddai.

Yn ystod cinio Sul, ac efallai ddeg ar hugain yn bwyta, deuai Ann â phadell anferth o bwdin reis i mewn i'r ford â thrwch haelionus o hufen yn fodfeddi ar ei wyneb.

Ann Boleyn Jones,
y Cilie (ar y chwith),
a ffrind iddi.

Wrth baratoi 'picnics' ar ben yr odyn yng Nghwmtydu ar ddydd Iau Mawr ac achlysuron arbennig, byddai llond basgedi o fara gwenith, pancws yn llawn hufen a menyn, afalau, plwms, a tharts o bob math yn dod o'r Cilie. Cynheuid tân yng nghesail yr odyn, a byddai'r cwbl yng ngofal 'Anti Ann', ond nid oedd llygaid a gofal ei mam ymhell iawn!

Wedi noswaith o eisteddfota nid oedd y 'bois' yn fore-godwyr arbennig o dda. Tacteg Mary Hannah oedd taro'r nenfwd dan fan cysgu'r bechgyn ar y storws, yn rymus â choes brws nes bod y clocs yn dawnsio. Gwaeddai ar waelod y sta'r cyn mynd i'r storws, ond ni symudai'r breuddwydwyr dyfnion. Ond roedd gan Anti Ann dacteg arall, ac un effeithiol iawn. Gwisgai glocs Jeremiah Jones (dair gwaith yn rhy fawr iddi) am ei thraed a cherddai dros y popls o flaen y tŷ. Cyn pen dim rhuthrai'r 'bois' i lawr y grisiau fel cwningod.

Diwydrwydd, ymroddiad a disgyblaeth oedd ei phrif nodweddion. Cafodd Ann brofiad dychrynllyd wedi iddi gael ei chwrso a'i chornelu gan darw yn un o'r caeau.

A hithau wedi croesi'r pymtheg ar hugain, clafychodd a bu farw'n annhymig o glefyd y siwgr ar 31 Awst, 1921. Bu farw flwyddyn cyn i *insulin* ddod yn ddefnydd cyffredinol ym myd meddygaeth. Bu marwolaeth Ann yn drobwynt yn hanes y teulu, a'r fam a gafodd y golled fwyaf, a hithau'n 68 oed ar y pryd. Newidiodd yr awyrgylch yn gyfan gwbl yn y Cilie ac aeth y storïau a'r chwedlau ar ddifancoll, a distawodd y chwerthin a'r miri. Daeth distawrwydd dolurus y nos i'r tŷ ac i'r holl amgylchfyd. Collodd yr haul lawer o'i ddisgleirdeb a chafodd y bechgyn ysgytwad a cholled.

Dywedodd y Parch. D. D. Jones (gweinidog Capel-y-Wig) yn angladd Mary Jones y Cilie am farwolaeth Ann ei merch, naw mlynedd ynghynt, ei bod 'yn un o ferched gorau Cymru, ac nid yw hynny yn dweud gormod'.

Ym 1921 roedd côr merched Capel-y-Wig yn ei anterth, ac ar y blaen mewn cymanfa, ar y Sul ac ym mhob eisteddfod. Yr oedd Ann wedi dysgu'r côr ar gyfer eisteddfod y Wig ac wedi ei berffeithio i'r eithaf, ond bu raid gofyn i'w brawd Simon B. i'w arwain gan fod pwysau ei hafiechyd arni. Yr oedd Ann yn bresennol i weld ei llafur yn cael ei wobrwyo.

Daeth ei brawd, John Tydu, adref yn ystod yr haf, 1921, ond yn anffodus bu raid iddo ddychwelyd i Ganada cyn diwrnod angladd ei chwaer, Ann, ar 5 Medi, 1921. Yn ei dristwch lluniodd Tydu yr englyn canlynol i'w chwaer:

Cofiaf Ann, fy chwaer annwyl,—yn ingoedd
Angau trwm ei forthwyl;
A chofiaf, yr olaf ŵyl
Yn Iesu, brydferth noswyl.

Ac ar y cerdyn angladdol argraffwyd dau englyn coffa o waith ei brawd, Simon:

Dy bêr alaw ddistawyd—a'r trist ro
Tros dy rudd a daenwyd,
A thirion atgofion gwyd
Rwyg a galar gwag aelwyd.

Ond er dy roi tan gloion—du orchudd
Y dywarchen weithion;
Daw i'r golau'r dirgelion,
Bore'r Dydd hwnt berw'r don.

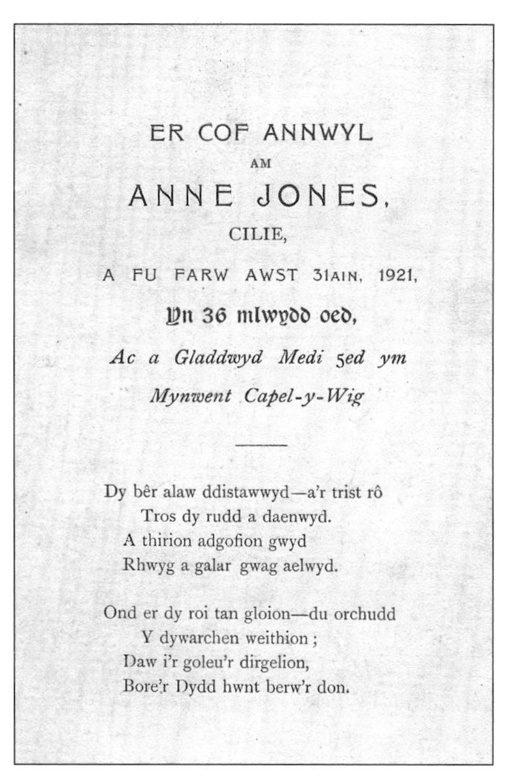
ER COF ANNWYL

AM

ANNE JONES,

CILIE,

A FU FARW AWST 31AIN, 1921,

Yn 36 mlwydd oed,

Ac a Gladdwyd Medi 5ed ym

Mynwent Capel-y-Wig

Dy bêr alaw ddistawwyd—a'r trist rô
Tros dy rudd a daenwyd.
A thirion adgofion gwyd
Rhwyg a galar gwag aelwyd.

Ond er dy roi tan gloion—du orchudd
Y dywarchen weithion;
Daw i'r goleu'r dirgelion,
Bore'r Dydd hwnt berw'r don.

Cerdyn angladdol Ann Boleyn.

Esther

(14.8.1886–11.4.1964)

Y Seithfed Plentyn

'. . . a'r llances oedd weddeiddlwys, a glân yr olwg.' (Esther 2.7)

Fe'i ganwyd yn seithfed plentyn i Jeremiah a Mary Jones yn yr Efail, Blaencelyn, ac roedd yn dair oed pan symudodd y teulu i'r Cilie. Yn ei phlentyndod a'i harddegau câi ei hystyried yn berson hawddgar a llawen, ac roedd yn boblogaidd iawn gyda'i chyfoedion a'i brodyr a'i chwiorydd. Roedd yn weithgar ar yr aelwyd ac yn cyfrannu mewn hwyl a gweithgarwch at ddiwylliant ei bro, yn enwedig yng Nghapel-y-Wig.

Wedi byw yn y Cilie am gyfnod byr ar ôl priodi (yno y ganwyd John Alun, y crwt hynaf) ymgartrefodd Joshua ac Esther yn Craig Villa, Nanternis, cyn symud i'r Gaerwen, yn ymyl y Cilie, lle ganwyd Elfan, Margaret, Mary Gwladys (a fu farw'n faban), Rachel, Myfanwy a Jeremy. Crachen o fferm fach ydoedd y Gaerwen ar dir y 'continent'. Er hynny, roedd tir pori da yno, ac yn ôl Jeremiah Jones, 'roedd lluo ar dir Gaerwen yn well na llond bola yn y Cilie'. Pe collech ffon neu bastwn ar dir Gaerwen prin y'i gwelech drannoeth gan mor glou y tyfai'r borfa. Cadwai'r teulu bump neu chwech o wartheg godro, rhyw ugain o ddefaid, pump o eidionnau, hwch ac ychydig ieir. Nid nepell i ffwrdd, ryw led cae neu ddau, roedd y Cilie.

Roedd Joshua Jones yn gyn-forwr, yn amaethwr cydwybodol ac yn athro Ysgol Sul dawnus iawn, ond bu farw'n sydyn pan oedd ei fab hynaf ond yn naw oed a'r cyw, Jeremy, heb ei eni. Bu'n helpu ei frawd i aredig (mewn glaw trwm) ar fferm y Wig ac yntau'n llawn annwyd. Datblygodd hwn yn niwmonia, ac o fewn rhyw dair wythnos bu farw, gan adael ei wraig, Esther, i grafu bywoliaeth wrth ofalu am y pum plentyn. Yn ystod ei salwch cofnodir i Tom Jones, saer maen lleol, dynnu llechi i ffwrdd oddi ar y to mewn ymdrech i ostwng ei dymheredd. Roedd fferm Gaerwen yn eiddo i deulu o'r Rhondda, ac roedd y baich o ofalu am y fferm i weddw a chwech o blant yn drwm iawn. Wedi i John Alun fynd i'r môr, dychwelodd yr ail fab, Elfan, o'r Cilie i weithio gartref, a phenderfynodd Esther gymryd y fferm ar ei henw hi ei hunan a chael morgais drwy ddwylo caredig capten llong lleol.

Oherwydd galwadau'r fferm, carthu'r beudy, bwydo'r anifeiliaid, godro, certio glo, pedoli a chasglu briwydd ac eithin, cyn brecwast weithiau, roedd y bechgyn yn aml yn hwyr yn cyrraedd yr ysgol a chosb o 'slab' yn y fargen. Gwerthid menyn a wyau i fasnachwyr lleol, postid crwyn gwahaddod mewn parsel i Birmingham, ac i sipsiwn gwerthid crwyn cwningod, a hefyd rawn ceffylau i wneud coleri a brwsys paent. Prynai masnachwr lleol rhwng ugain a deg cwningen ar hugain yr wythnos am swllt y pen. Saethid sguthanod a thrapio petris ar gyrion y sofl yn atodiad i stoc y pantri. Yr eidionnau oedd ffynhonnell gyfoethoca'r fferm ond bu colli pedair buwch dros y graig i ebargofiant yn drychinebus i'r fam a'i theulu yn eu tlodi.

Priodas Esther Jones a Joshua Jones. Mae Isfoel yn eistedd yn ei hymyl, yr ail o'r dde yn y rhes flaen, a Myfanwy, ei chwaer, yn y rhes gefn.

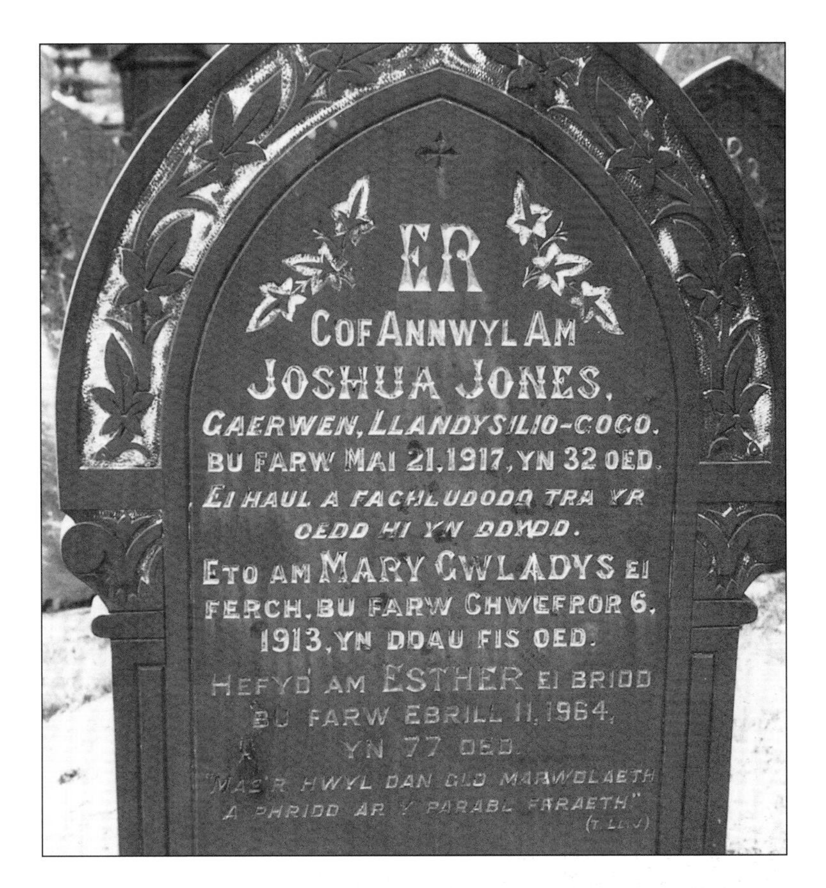

Carreg fedd Esther a Joshua Jones a'u merch, Mary Gwladys, ym mynwent Capel-y-Wig.

Yn aml telid dyledion i siop Pontgarreg trwy gyflwyno hanner mochyn neu siec a gafwyd trwy werthu eidion. Ar y llaw arall siom fawr oedd dychwelyd o ffair ddofednod yn Hwlffordd heb werthu dim a'r un peth yn digwydd eto yn ffair Llandysul y diwrnod wedyn, ac ar achlysur arall y dyn menyn yn gwrthod prynu'r cynnyrch ar dywydd twym.

Nythaid go ddireidus a drygionus oedd bechgyn Gaerwen a byddai gosod eithin y graig ar dân yn rhan o'r hwyl. Ond mwy difrifol o dipyn oedd y tro hwnnw pan fu John Alun yn ymguddio yn y cae gwair am ddiwrnod cyfan ar ôl torri pen bys ei frawd, Elfan, i ffwrdd yn y peiriant siaffo.

Wedi i John Alun fynd i'r môr yn grwt ifanc iawn, lluniodd Isfoel gân enwog i ymbil ar y corwynt i fod yn drugarog wrtho. Galwodd y gân yn 'Gân Esther':

Gan bwyll, y gwynt!—pob parch i'th allu mawr
A'th rwysg urddasol, heliwr ffroengoch, ffôl;
Mae'r crwt, Jac Alun, ar y môr yn awr,
Paid gyrru dy fytheiaid ar ei ôl.

. . . Mi hoffwn innau sŵn dy utgorn cry'
A'th donnau gwallgof yn y dyddiau gynt
Yn taro'r creigiau oni chrynai'r tŷ
I'w sail—ond nawr, gan bwyll, gan bwyll y gwynt!

Diwrnod tynnu tato yn y Gaerwen. Yn y llun (o'r chwith i'r dde) gwelir David Tom Jones, Jeremy, Isfoel, Rachel, Esther, Myfanwy, Margaret (Magi) a Pegi.

Er caleted bywyd, roedd aelwyd Gaerwen yn afieithus a'r profiadau yn gyfoethog gyda 'bois y Cilie' yn gymdogion ac yn rhan o'r teulu. Un o'r cymeriadau a ddeuai i Gaerwen yn ei thrap a phoni ar enedigaeth oedd y fydwraig, Mari Williams, Aberdauddwr. I gael gwared â'r plantos drygionus taflai bupur i'r awyr gan achosi peswch a rhwbio llygaid, a dweud, "Drabetsi! Ma's â chi'r jawched bach!"

Wedi symud i Drecregin East a Castle Hall, Llangrannog, cofia pawb am Esther fel cymdoges dda, garedig a serchog, ac un gymwynasgar iawn. Cariai wên barhaus ar ei hwyneb dros ei gruddiau cochion. 'Roedd yn roli-poli o gymeriad,' meddai rhywun, a hyfryd oedd ei gweld yn chwerthin yn braf ac yn corco lan a lawr (fel ei mam, mae'n debyg). Cadwai aelwyd agored i deulu eang y Cilie ar bob achlysur.

Roedd fy mam-gu, Esther, yn feddylwraig ddofn. Yn aml rhoddai'r argraff ei bod yn cyfansoddi neu yn bell iawn ym myd dychymyg a myfyr. Daeth ei merch, Myfanwy, adref o Lundain ar ôl clywed nad oedd iechyd ei mam yn arbennig o dda, ond ar gyrraedd ei chartref, Castle Hall, ni fentrodd i fyny'r llofft gan fod lleisiau i'w clywed yn dod o'r oruwch-ystafell. Wedi aros bron i dri chwarter awr, mentrodd i fyny'r grisiau, a dyna lle'r oedd ei mam, Esther, yn siarad â hi ei hunan ac yn adrodd rhigymau a phenillion, efallai wedi eu llunio ar y pryd.

Yn gynnar iawn, er, efallai, yng nghysgod ei brodyr athrylithgar, byddai'n llunio penillion, brawddegau a limrigau, ac yn ennill yn gyson mewn eisteddfodau lleol. Yn sicr, roedd yn ymwybodol o arbenigrwydd teulu'r Cilie, a dangosai falchder wrth arddel ei llinach. Pan oedd Margaret Enidwen a'i gŵr newydd, T. Llew Jones, yn rhannu'r aelwyd nes iddynt gael tŷ iddynt eu hunain, deuai Esther ar draws rhaglenni eisteddfodau wedi eu casglu gan ei mab-yng-nghyfraith. Anfonai limrigau a brawddegau i'r 'steddfodau bychain. Cofia T. Llew Jones am Esther yn ennill ar y limrig yn eisteddfod Seilo, Llangeler:

Dywedodd hen lanc o Fanc Seilo:
'Mae meddwl am wraig yn fy mlino;
  Pe cawn un fel mam
  Fe redwn bob cam
Ar fargen i Seilo i'w selio.'

Teulu'r Gaerwen a pherthnasau. O'r chwith i'r dde: Margaret, Jeremy, Elfan, Mari, Beti Rees, Esther, Myfanwy, a'r groten fach, Nest.

Capel yr Annibynwyr, Crannog, lle bu Esther yn aelod ac yn athrawes Ysgol Sul.

Bu'n aelod ffyddlon o Gapel Crannog pan oedd yn byw yn Llangrannog, ac yn enwedig gyda'r Ysgol Sul. Ac roedd cyfundrefn yr ysgol honno yn draddodiadol iawn, ac yn gadael i'r gwrywod reoli pethau yn y Gymanfa Bwnc. Y dynion oedd yn holi'r cwestiynau ac yn cael yr hawl cyntaf ac olaf i ateb. Ond roedd Esther yn benderfynol o roi'r 'doctoriaid' yn eu lle, hyd yn oed yn y gymanfa. Perthynai iddi farn bendant a pharodrwydd i fod yn llafar ar unrhyw adeg yn y drafodaeth. Nid oedd yn gefnogwraig frwd i'r apostol Paul oherwydd ei athroniaeth tuag at y rhyw deg, a dywedai hyn yn gyhoeddus. Roedd yn hyddysg iawn mewn materion ysgrythurol a dyfynnai adnodau pwrpasol i gyfarch, i ganmol, ac i geryddu. Ymfalchïai'r teulu ynddi hithau hefyd, a diddorol ac arwyddocaol yw cofnodi mai at Esther, ei chwaer, yr anfonodd John Tydu, y 'deryn brith', ei lythyr olaf. Hi oedd ei ffefryn ac roedd wedi dangos mwy o dosturi tuag ato nag unrhyw aelod arall o'r teulu. Er ei fod mewn iechyd bregus roedd yn edrych ymlaen at gael pensiwn yn ei hen ddyddiau ond oherwydd ei symudiadau, afiechyd a diffyg trefn, roedd wedi colli ei dystysgrif geni a phob modd i brofi'i eirwiredd gyda'r awdurdodau. Ymbiliodd ar ei chwaer i ysgrifennu at 'Somerset House' ac anfon copi o'i dystysgrif geni ato trwy law'r Athro John Hughes. Roedd gan 'yr hen bagan', fel y galwai ef ei hun, ychydig dros wyth mis wedyn i drefnu'r pensiwn ond trwy law rhagluniaeth bu farw Tydu yn sydyn yn Sultan, Ontario. Un peth sy'n sicr, byddai Esther wedi gwneud ei gorau glas i helpu ei brawd, er mor helbulus oedd ei gefndir.

Meddai Esther ar ddawn adrodd stori, a chofiaf ymweld â Threcregin East yn aml er mwyn gweld y darluniau o arwyr parti Capten R. Falcon Scott ar eu taith i Begwn y De a oedd ar fur ei chartre'. Gofynnem iddi adrodd y stori ond rywsut roedd elfen newydd ffres arni bob tro, ac i feddwl ifanc chwilfrydig roedd hynny yn atyniad mawr, yn enwedig gan fod Cymro o'r enw Evans yn eu plith. Rwy'n credu y byddem yn barod i fynd i'r Pegwn pell—dim ond ar sail rhyfeddod dawn dweud Mam-gu. Uwchben y tân roedd llun o David Lloyd George a hefyd cofiaf weld 'Y Swper Olaf'. A phan briodais, fe'm cyfarchwyd gan Fred Williams: 'Un lysti o hil Esther'.

Roedd Esther yn fatriarch ym mhob ystyr, a thrwy ddoethineb a chraffter, roedd ei dylanwad da yn eang a thros sawl cenhedlaeth o'i theulu. Cadwai'r ddysgl yn wastad trwy drafodaeth a chyngor. Roedd ei llys bob amser yn llawen a synnai'r wyrion at ei gallu i greu achlysuron dathlu trwy wneud pancos i bawb. Yng nghwmni'r wyrion, a oedd wedi derbyn addysg ysgol ramadeg a choleg, medrai gynnal trafodaeth ar unrhyw bwnc. Hi fyddai'n tywys ac yn rheoli rhediad y sgwrs. Roedd yn wraig ddeallus iawn, ac roedd ei chefndir a'i gwybodaeth ysgrythurol, ei gallu i ymresymu a dadlau, yn ddifyr, a'i hannibyniaeth barn yn syndod mawr i bob myfyriwr ifanc, ond nid i'w chyfoedion a'i hadnabu yn dda.

Wedi colli ei gŵr yn ifanc bu'n fam arbennig o dda i'w phlant, a gwnaeth y gorau drostynt. Ond oherwydd amgylchiadau ni fedrai'r plant gael yr addysg a haeddent. Er hynny mae nifer o'i disgynyddion wedi cael eu cyfle ac yn awr yn dal swyddi nid annheilwng o'u Mam-gu!

Esther.

'Ac y byddai y dyddiau hynny i'w cofio, ac i'w cynnal trwy bob cenhedlaeth, a phob teulu . . .' (Esther 9. 28).

Esther yn eistedd rhwng dwy gymdoges, Ithwen Briggs a Mary Thomas, y tu allan i'w chartref.

LLINACH ESTHER

Esther Joshua Jones

John Alun Elfan James Margaret Enidwen Mary Gwladys
Rachel Anne Myfanwy Caroline Joshua Jeremiah

Tri brawd. O'r chwith i'r dde:
Elfan, John Alun a Jeremy.

Y Capten Jac Alun
yn gwisgo'i hoff het wellt.

Plant Esther a Joshua Jones ar glos y Cilie. O'r chwith i'r dde: Jeremy, Elfan, Margaret (Magi), Myfanwy, John Alun a Rachel Anne.

Myfanwy

(15.3.1888–9.5.1973)

Yr Wythfed Plentyn

Hedd y mynydd a mwyniant
Helaeth y plwy' 'mhlith y plant.
Isfoel

Roces gymharol dal a thrawiadol oedd Myfanwy, ac yn ei hieuenctid yn meddu ar ben llawn o wallt melyngoch fel dail y ffawydd yn yr hydref. Roedd dylanwad ei chwaer, Ann, yn drwm arni, a gwisgai yn drwsiadus ac yn ffasiynol iawn yn ei horiau hamdden. Yn wir, gwisgai merched y Cilie i gyd yn drwsiadus iawn, gan efelychu eu chwaer hŷn a gydnabyddid fel arweinydd y ffasiwn yn y bröydd. Cyn gwisgo'r wisg allanol rhaid oedd tynnu canol y corff i mewn yn sylweddol gyda chymorth gwast. Wrth fynd i'r cymanfa-oedd canu adeg y Pasg cofnodir i Ann a'i chwiorydd Myfanwy ac Esther aros ym mhob bwlch a phob sticil ar eu ffordd i Gapel-y-Wig gan ymbil yn daer am ryddhad o'r wasgfa:

'O! Arglwydd dyro awel
A honno'n awel gref' . . .
'O am awel o Galfaria fryn,
Rwy bron â mogi, ma' 'ngwast i'n dynn.'

Fe'i ganwyd yn wythfed a'r olaf o'r 'dorred' gyntaf yn Efail Blaencelyn (y 'Green Dragon'). Ganwyd y pedwar olaf yn y Cilie. Roedd, fel ei chwiorydd, yn gymorth i'w mam ac yn gwneud y 'dwt' a gorchwylion ysgafn oddeutu'r fferm. Wedi gadael ysgol Pontgarreg a threulio ychydig amser gartref yn y Cilie, symudodd Myfanwy i fferm Parc y Meurig (ger Brynberian, sir Benfro) yng nghesail y Preseli i wasanaethu fel morwyn i Benjamin John a'i wraig Esther (chwaer Jeremiah Jones).

Bu farw Esther John o flaen ei gŵr, ac felly diddymwyd y cytundeb llafar fod Myfanwy i etifeddu Parc y Meurig. Er hynny, trosglwyddid swm anrhydeddus o bedair punt yn flynyddol i Myfanwy drwy gydol ei hoes oddi wrth deulu Parc y Meurig. Dewisodd y tâl blynyddol yn hytrach na chytundeb terfynol o ganpunt ac elwodd yn ddirfawr.

Ym Mharc y Meurig y cyfarfu Myfanwy â Gruffydd Phillips—un o bedwar o blant Hafod Tydfil, tyddyn bychan gydag ychydig o dir (30 erw) a lechai mewn llecyn dyfriog fry ar lechweddau Banc yr Hafod. Bugeiliaid a hwsmyn gwlad oedd Gruffydd ac Evan ond bu'r brawd arall, John, yn weinidog gyda'r Bedyddwyr yn Llanfair-talhaearn a Saron, Cas-mael. Gŵr hynaws, pwyllog oedd Gruffydd a chanddo fwstás bach du, eithinog, ar ei wefus ucha'. Tynnai fel megin ar ei bibell, fel ei frawd Evan, a rhoddai wichialad fach fer ar ddiwedd pob brawddeg wrth siarad. Arhosodd ei chwaer, Mary, yn yr hafoty wedi i'r brodyr hedfan o'r nyth. Arferai Mary hongian 'shiden' wely neu lywannen (cyn dyddiau ffôn) ar y lein y tu allan i'r tyddyn ar achlysuron arbennig, sef argyfwng, salwch, marwolaeth, a macsu cwrw cartre'. Gwnâi'r Hafod, Glanrafon, y Droifa, Llwynbedw a Phen-sarn yr un peth.

Roedd gan gartref Gruffydd Phillips draddodiad arbennig am wneud bara. Cofia Mary Hannah (plentyn hynaf Gruffydd a Myfanwy) amdani yn ymweld â'r Hafod, a gweld ei modryb Mari yn paratoi bara planc wedi ei bobi ar ben y dribe uwch y tân o redyn brown gwywedig. Pladurid y rhedyn yn yr hydref wedi iddo rydu. Agorid y bara allan fel bynen hir ac roedd yn flasus dros ben gyda haenen drwchus o fenyn cartre'. Dilynwyd y teulu gan John a Lizzie Rees, arloeswyr pobi bara 'mate' mewn gilwrn gast dan dyweirch mawn yn yr awyr agored.

Priododd Myfanwy i mewn i ffordd unigryw o fyw. Roedd hud y ddaear yn gadarn yng ngwythiennau'r bugail, a buan iawn y daeth hithau yn rhan annatod ohono. Fel y dywed sylwebaeth yr hen ffilm deledu ardderchog ar fugeiliaid y Preseli: 'Dyma loches y plentyn a'r bachgen, yma'r oedd hapusrwydd a thristwch, direidi a cherydd, stori a chân yn iaith bersain Penfro!' Roedd haul a chwmwl a chysgod y Preseli ar eu gwedd ac ym mêr eu hesgyrn. "Fe fu 'y nheulu i yn byw yno am gan mlyne', 'nhad i a

’nhadcu,” meddai Gruffydd, “we’ milltir a hanner o ffordd gen i i ddod lawr o ganol y myny’ cyn mynd i’r ysgol, nac un cwrdd na siop nac un man arall.”

Wedi priodi, a heb aelwyd, bu Myfanwy yn byw yn y Cilie am gyfnod. Ganwyd eu plentyn cyntaf, Mary Hannah, yn y Cilie. Yna sefydlwyd eu cartref cyntaf yn yr Hafod gan ffermio pedwar o berci bach ym Mrynberian. Ganwyd yr ail blentyn, Margaret Ann (Pegi), yn Nhŷ Canol. “We’n ni’n deulu cysurus a we’ ni’n tynnu mawn . . . a chael tân ardderchog . . . cystal ag un tân glo.” Yna cyfnewidiwyd cartrefi; symudodd Dafi Dafis, brawd gof Brynberian, yn ôl i Dŷ Canol a symudodd Myfanwy a’i theulu i Helygnant a chael yr hawl i bori wyth erw ar hugain ar y myny’: “We’ ni’n prynu cwlwm a’i gymysgu â chlai o byllau Ffynnongroes. Diwrnod pwysig a phrysur fyddai sengu y clai a’r cwlwm trwy ei faeddu’n gyson â chlocs. Byddai tân cwlwm wedi ei stwmo’n dda yn ‘para’ am oes.”

Cedwid pedair buwch odro, ambell fustach, ieir, dau fochyn (un ar gyfer ei hongian yn y simne) hwyaid a gwyddau. Porai tri chant o ddefaid a haid o bonis ar y myny’, hefyd y gwyddau, ac fe’u pesgid yn ychwanegol ar gyfer ffair wyddau Crymych. Un flwyddyn dychwelodd Mary Hannah o’r ffair, ac meddai’i mam wrthi:

“Wel, werthest ti nhw?”

“Eu rhoi nhw, gwlei!” oedd yr ateb, ar ôl cael pris isel amdanynt.

Yr oedd tri cheffyl parhaol yn Helygnant a’r rhai enwocaf oedd Dandy (y ceffyl broc), a Scott a Darby, a fyddai’n aredig, llyfnu, hau a rowlo. Cronnai Gruffydd y nant ger Glanyrafon ar gyfer ei gollwng trwy’r binfarch i droi’r rhod er mwyn tsaffo eithin a gwellt i’r ceffylau.

Ffermdy Helygnant, Brynberian, yn y canol rhwng y tai allanol a’r byngalo ar y dde.

Ar galendr fferm fynydd Helygnant a'r fro roedd rhai diwrnodau mawr. Oddeutu Alban Hefin ac yn arbennig ar 27 Mehefin, cynhelid y Stra' Fowr (Strae Gneifio) i gasglu holl ddefaid y myny' ar gyfer eu cneifio. Roedd yn amser prysur ac yn ddyletswydd ar feili'r myny' yn ôl traddodiad i baratoi ar gyfer y Strae, neu unrhyw gyfarfod arbennig ar y myny'. Rhaid oedd paratoi ar gyfer y sychedig trwy facsu cwrw, a pharatoi cyflenwad o fyns i'w bwyta . . . "Rhaid oedd cael cwrw a fedrai gynhyrfu'r gŵr mwyaf difrifol, a fedrai lorio y cryfa', ac a fedrai dynnu gwên o'r salwa'!" yn ôl Gruffydd.

Fel Evan Phillips, ei frawd, beili myny' oedd Gruffydd; roedd yn adnabod y tirwedd hyd yn oed yn well na'i frawd ac yn medru lleoli tir pori pob dafad wrth edrych arni. "Mi gerddais i'r myny' ganol nos—heb golli'r llwybr yn unman. O Foel Drigarn i Foel Eri, golles i mo'n ffordd erioed mewn niwl. Croeses i'r myny' i Fynachlog-ddu a Glynseithmaen a chanol nos fel canol dy' i fi . . . mae'r bugail yn adnabod ei lwybrau . . . fel y mae eraill yn adnabod eu llên . . . Llyfr yw'r myny' a'i goleg, a natur sy'n gosod yr arholiad. Dyma'r cymhwyster penna'." Ym mis Awst cynhelid y Dwarnod Dipo mewn ambell bwll dwfn ym Mharc y Bryn ac roedd yn rhaid i'r heddgeidwad lleol fod yn bresennol. Yn Strae'r Hydre' cesglid yr ŵyn ynghyd i sicrhau fod nod clust ar bob creadur. Trwy'r nod hwn y cadarnheid perchnogaeth pob dafad. Ac ym mhoced y beili roedd y llyfr bach a oedd yn cofrestru holl nodau clust yr ardal. Nod clust Helygnant oedd dwy gilhollt dan y glust ar y dde a thorri blaen y glust aswy.

Gruffydd Phillips—
bugail godre'r Preseli,
gyda Bob a Ciper.

Byddai'r hwsmoniaid, y perchnogion tir, y beili a'r stiward yn bresennol mewn llys arbennig, y Cwrt Lît yn Felindre Farchog, i drafod problemau'r ffermwyr. Meddai Evan Phillips: "Roedd y beili yn go bwysig pan ddeuai'r cwrt ynghyd. Roedd deuddeg o ddynion ar y 'jury' a'r Stiward o Aberteifi a'r Beibl ar gornel y ford er mwyn cymryd y llw. Rown innau fel beili wedi swmanso deuddeg o bobl ar gyfer y 'jury'. Os oedd pobl gwaelod y myny' am ddwy neu dair erw o dir ychwanegol rhaid oedd rhoi'r cais i mewn ym Mehefin, yna mae yn Gwrt yn yr hydre' . . . Yn hwnnw maen nhw'n penderfynu a ydyn nhw'n i' ga'l e ne' a oes gwrthwynebiad."

Perchennog y tir yn y cyfnod cynnar hwnnw oedd Syr Marteine Lloyd (Plas y Bronwydd, Henllan) a newidiodd y brîd a gwneud anifail cryfach a chaletach drwy gael y defaid i gyplu â hwrddod o Lanybydder ac Aberystwyth. Ac meddai Evan Phillips, y beili, ymhellach: "Pob stra' 'ma, wedi cwpla'r job, y'n ni'n cymryd 'da'n gilydd 'home brew' a 'buns'. Yna ma' digon o lawenydd 'da'r cwmni. Ac i swper llond plât o ham cartre', dail gwynion a digon o datws a bara—cwrw gydag e a bobo blated o bwdin reis. Ardderchog. Heddi 'sdim amser i dano ffag. Pedwar ar ddeg yn crafu, tri yn cario'r defed i ni a thair neu beder menyw yn casglu'r gwlân a'i bacio . . . Roedd Strae'r Ponis ganol Tachwedd a deuai un gŵr o'r enw Harry Chatham o Gaerloyw i brynu'r ponis myny'. Chwiliai am 'feirch teire' (teirblwydd) i'w torri mewn ar gyfer gwaith yn y pyllau glo yn Ne Cymru. Cofia'r teulu am Frederick Donald (Fred—pumed plentyn Helygnant) ar gefn ei bonis gwymon, 'Bob' a 'Grey', wrth y strae cyn eu harwain i Ffair Feigan. Roedd yn un o 'gowbois y Preselau', a'r unig arfau oedd ganddo oedd ffraethineb ei dafod a gwybodaeth reddfol o'r myny'. Oherwydd ei bryd tywyll roedd yn debyg iawn i'r Parchedig Fred, a gofynnwyd i'w chwaer Alice mewn festri leol ger Maenclochog, "Beth ma'ch Fred chi yn 'neud lan fan 'na 'da'r gweinidogion, 'te?" Pe gwisgai Fred farf, byddai'n debyg i Huw Ceredig, mab Gerallt, hefyd. Roedd diwrnodau plufio ychydig cyn y Nadolig yn nodedig am yr hwyl cymdeithasu—felly y diwrnodau macsu ar gyfer y flwyddyn newydd".

Yr oedd y ffordd yma o fyw ac o amaethu yn ddieithr i Myfanwy ac yn wahanol iawn i'r hyn yr oedd hi wedi'i weld ar fferm y Cilie. Ond, am ei bod yn wraig ddoeth a phwyllog, ni fu'n hir cyn cynefino â'r bywyd newydd. Ganed ei phlant, Tom, Alice, Fred, Olwen, Martha ac Elfan, yn Helygnant, ac yna George a Rhiannon yn y byngalo newydd a adeiladwyd ar gyfyl y clos. Tŷ bychan deupen oedd Helygnant o gegin a pharlwr (heb un llofft), ond yn y cefn adeiladwyd asgell fechan a rŵm ford, llaethdy a rŵm bach. Ac i ychwanegu at y llefydd cysgu roedd ystafell-braich-simne a rhywfodd neu rywsut rhoddwyd lloches a tho dros y teulu niferus a'u codi yn aelodau iachus, llawen a gwerthfawr o'r gymdeithas. Meddai Martha: 'Sut lwyddodd mam a 'nhad i godi deg o blant mor gysurus ac i roddi iddyn nhw eu gwaddol dyddiol o fwyd a dillad glân, 'dwi'm yn gwybod. Ond 'rwy'n gwybod 'mod i'n siarad dros y teulu i gyd—roedd ein rhieni yn gynnil a darbodus ac eto mor garedig a hael yn eu haberth. Roedden ni'n tyfu popeth, ac roedd digon o goed yn yr allt i gynnau tân i wresogi. Yr unig arian rheolaidd a ddeuai i mewn oedd trwy werthu ŵyn a defaid, ambell eidion a pherchyll. A'r unig sofrenni a welais erioed yn y cyfnod hwnnw oedd y darnau melyn a guddiai Anti Mari (chwaer 'Nhad) mewn drôr gudd yn yr hen nob. Ond roedd Wncwl Evan (brawd 'Nhad) ar awr sychedig wedi darganfod ffordd i siglo'r dodrefnyn i 'neud i'r sofrenni dreiglo lawr i'r cefn. Âi Evan i mewn ar ei benliniau wedyn, i gasglu'r wobr pan nad oedd ei chwaer obiti'r lle . . . Cofiaf glywed fod brawd fy nhad-cu (Evan Phillips yr arwerthwr) yn fwy cyfoethog na'r cyffredin ac efallai trwy etifeddiaeth llinach wedi sicrhau fod 'nhad yn cael fferm fach Penwernddu, Brynberian, ac Evan, ei frawd, Helygnant. Ond ni lwyddodd Evan yn Helygnant a phrynodd Gruffydd yr eiddo oddi ar ei frawd am wyth gan punt'.

Ac meddai Rhiannon: 'Roedd pawb yn gweithio drwyddi draw a phob un yn gwneud popeth'. Wedi pladuro'r rhedyn a'i grino byddai Rhiannon (fel ei brodyr a'i chwiorydd) yn cario'r bwndeli mewn llywannen i'r dowlad. Cesglid tanwent o goed eithin a mân ddarnau o'r myny' ac eithin i'w tsaffo ar gyfer bwydo'r ceffylau. Ac roedd digon o waith ar ddiwrnod cneifio, lladd mochyn a macsu. Defnyddid padell fawr a thwba i gymysgu'r cynhwysion cyn eu costrelu mewn jariau crochenwaith—yn ddiod gref a diod fain. Penderfynai'r achlysur a phrofiad ac oedran yr oedolion a'r plant pa gryfder o ddiod a gaent. Byddai bechgyn direidus Helygnant, yn enwedig Elfan, yn mynd â pheth o'r ddiod fain yn ei shwc ar gyfer cinio ysgol yn Llwynhirion. Wedi ei holi gan Ifor Davies, yr ysgolfeistr, "Be' sy' 'da chi, bois, yn y shwc heddi?" ateb Elfan, wedi agor y caead a dangos y cynnwys, oedd "Te heb la'th, Syr!" Cyfarchwyd ei chwaer a'i frawd-yng-nghyfraith gan Isfoel:

Gruffydd Phillips gyda'i deulu. O'r chwith i'r dde: Fred, Mary Hannah, Gruffydd, Rhiannon, Alice a George (Georgie).

I GYFARCH GRUFFYDD A MYFANWY PHILLIPS
(ar ddathlu ohonynt ddeugeinfed pen-blwydd eu priodas)

Cawsoch bob cam yn rhamant,—a rhodio
'Mharadwys Helygnant;
Hedd y mynydd a mwyniant
Helaeth y plwy' 'mhlith y plant.

Difyr ym mröydd y defaid—yw'r craffaf
Gruffydd a'i fendigaid
Fyfanwy, a phwy na phaid—foli'r hil,
A di-ffael epil haid o Philipiaid?

Myfanwy gyda Buddug, wyres iddi, ar fferm Clun.

Gallai Myfanwy gynnal sgwrs safonol ar amryw bynciau, a llifai barddoniaeth o'i chof—gwaith ei brodyr a'i chwiorydd, gwaith beirdd cydnabyddedig, cenedlaethol a hyd yn oed beth o'i gwaith ei hunan. Daeth y darn isod o waith Myfanwy i law trwy garedigrwydd Diane Phillips a'r papur bro, *Y Lliain Gwyn*.

BRO PONTFAEN

Y mae llawer ardal swynol
Yma a thraw trwy Benfro lân,
Ond mi gredaf nad oes curo
Ar brydferthwch bro Pontfa'n.

Ffermwyr cadarn sy'n trigfannu
Yn y fro ers amser maith;
Trin eu tiroedd wnânt yn fedrus,
Ac ni flinant ar eu gwaith.

Saif yr ysgol yma'n gadarn
Lle daw'r plant o do i do,
Ac mae'r dalent seiliwyd ynddi
Heddiw'n amlwg drwy y fro.

Mae yn enwog am ei gelltydd,
Nid oes neb mewn angen tân,
Os am bolion, clwyd neu folga—
Dewch i gyd i allt Pontfa'n.

Os bydd arnoch chwant cwningen
Pan fo'r bacwn braidd yn wyn,
Maent i'w cael yn dew a graenus
Wrth y miloedd yn Nhŷ-gwyn.

Yn y cwm mae merched hawddgar:
Clymwyd yma lawer pâr,
Ac mae llawer eto'n barod
Oddi yma i Lanycha'r.

Dewch i'r Cwm ar nos Hen Galan,
Bydd yr ardal oll yn fyw,
A chewch groeso ar bob aelwyd
Gyda glased o 'Home Brew'.

Wedi i'r rhyfel fawr fynd drosodd
Bydd melysach seinio cân;
Pan ddaw'r bechgyn yn iach adre'
Fe gawn hwyl ym mro Pontfa'n.

Ardal enwog a chyfoethog,
Cwm prydferthaf yn y wlad;
A'r trigolion fydd hapusach
Pan ddaw'r bechgyn 'nôl o'r gad.

Yn ystod cyfnod y Nadolig a'r Calan byddai plant Helygnant, wrth gasglu calennig, yn canu caneuon gwreiddiol a gwahanol bob blwyddyn o waith eu mam. Yn ôl David Jenkins, Aberystwyth, mewn papur bro arall, *Y Gambo*: 'Brawd i Dan oedd Jo Pwll-gwair . . . ac aeth hwnnw i Sir Ddinbych lle'r oedd e yn arwerthwr ac yn un o gyfeillion I. D. Hooson. Adroddodd Dan i mi gân a ganwyd i Jo gan un o ferched y Cilie, Myfanwy, ac mae hynny'n go anghyffredin'.

CÂN FFOLANT

Fel mae comet yn rhagori yn orielau heirdd y ne'
Felly mae y bendigedig Jo, yn fwy na neb drwy'r lle;
Hogyn hyfwyn a direidus, llawn o ddiniweidrwydd gwiw,
Caiff ei barchu megis Ioan yn yr ardal lle mae'n byw.
Dwfwn dreiddiol ei gyneddfau, llawn o nwyd a llawn o dân,
Llygaid cun i weled natur yn datblygu mewn merch lân.

Medda Jo y swyngyfaredd sydd yn gallu denu merch,
Ac mae Jo yn bur gyfarwydd â holl ystafelloedd serch;
Mae'n serchiadau i yn gyndyn, ambell hogyn wnaiff y tro,
Ond mae'r allwedd fedrai'u hagor wedi'i gwneud ym mherson Jo.
Un gipolwg ar ei wyneb siriol fel y seraff gwyn
Sydd fel tân yn dryllio'r dorau sydd yn cadw'r serch mor dynn.
O! na chawn i brofi'r gwynfyd nefol sy'n dy fynwes, Jo,
Aiff y gofid a'r ystormydd, wedyn, megis cwch ar ffo.
Gennyt, Jo, mae'r llygaid denol, gennyt ti mae'r wefus bêr
Sydd yn twyllo bryd fy nghalon, comet wyt ymhlith y sêr.
Jo, mae 'nghalon wedi blino, Jo, mae f'einioes bron ar ben,
Jo yn unig ydyw'r meddyg all fy nghadw tu yma i'r llen.
O! fy annwyl Jo ystyria, ar fy neisyf gwrando, Jo;
O fy Jo, paid mynd â'm bywyd, tyrd â'r allwedd at y clo.

Eglwys y Bedyddwyr, Bethabara, a'r fynwent lle gorwedd gweddillion teulu Helygnant.

Bu farw Gruffydd ar 12 Ionawr, 1960, yn 73 mlwydd oed, a chladdwyd ei weddillion ym mynwent Bethabara. Roedd Mrs Rees, Llwynbedw, cymdoges, yng nghwmni Myfanwy ddiwrnod yr angladd a chofia amdani yn dweud, "Mae'n rhaid i ni fod yn ddewr nawr". Oherwydd ei dallineb gwrandawai yn y drws wrth i gorff Gruffydd fynd allan, a sŵn crensian olwynion yr hers ar y graean wrth i'r cerbyd ddiflannu i fyny'r feidir. "Mae e wedi mynd o 'ma nawr," meddai.

Dyma englynion coffa i Gruffydd Phillips o waith Isfoel:

Ein Gruffydd hawddgar, hoffus—a alwyd
O'r teulu cysurus ;
Gor-sydyn ac arswydus
Fu angau a'i lef, ingol wŷs.

Cynefin pen y Frenni,—aderyn
Ei dyrys glogwyni;
Cywrain onglau Carn Ingli
Ar dramp wyddai gamp ei gi.

Mynd yn si geni gwanwyn,—dyddiau hud
Ei ddiadell addfwyn;
Dydd disgwyl cog i'r clogwyn
A brefu braf y bwrw ŵyn.

Yn naear Bethabara—daweled
Ei olaf gorffwysfa;
Fedd unig, fe ddaw yna
Dystion brwd i'w enw da!

Mewn dallineb, ond eto'n gysurus yng nghwmni ei theulu ffyddlon a charedig, bu Myfanwy fyw am dair blynedd ar ddeg arall wedi marwolaeth Gruffydd.

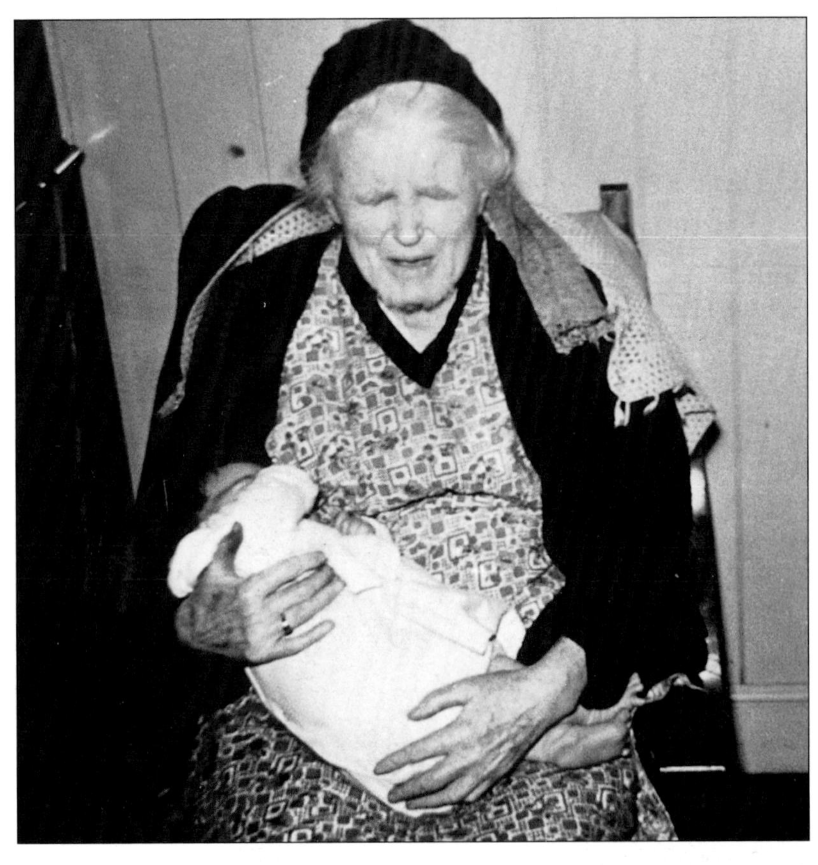

Myfanwy Phillips yn ei hen ddyddiau, yn magu ei hŵyr, Dilwyn, sydd bellach yn berchen ac yn ffermio Helygnant.

LLINACH MYFANWY

Myfanwy Gruffydd Phillips

Mary Hannah, Martha, Margaret Ann, Elfan, Tom, George, Alice, Rhiannon, Fred, Olwen

Mary Hannah

(2.3.1890–23.2.1954)

Y Nawfed Plentyn

Yr anwylaf o blant y Cilie.

Gerallt Jones

Dynes brin ei geiriau oedd Mary Hannah a adlewyrchai swildod cynhenid y teulu efallai yn fwy na neb o blith y merched. Wedi i Wil Ifan glodfori campau 'S.B.' ar ôl iddo ennill coron yr Eisteddfod Genedlaethol yn Wrecsam ym 1933, meddai Mary Hannah. . . "Pyh, do, roedd yr hen Beb (llysenw S.B.) yn ddigon bras o'r bla'n.

Be ddaw ohono fe'n awr, dwy i ddim yn gwybod". Yna ychwanegodd mewn goslef ddigon diraddiol: "Odych chi'n meddwl fod rhywbeth ots i'r cyffredin yn yr hen fois 'ma 'te?"

Yr oedd gan y plant lysenwau ar ei gilydd, a defnyddia Isfoel ddau ohonynt yn yr englynion canlynol a luniwyd ym 1905, ychydig wedi i John Tydu ymfudo i Ganada. William oedd Mary Hannah, yn rhyfedd iawn, a Mathla oedd Margaret (neu Marged), y ddau enw yn dod o deulu Mary (eu mam), y Siorsiaid o Sir Benfro. Gelwid Fred yn 'Sopas'.

HOFF FWYDYDD Y TEULU

Caws i mi, pancos i Mam,—a cheiliog
Coch i Alun wenfflam;
Salad a ffowls i 'William'
Ond rhowch i George drwch o jam.

I Ann amryw gacennau,—i 'Mathla'
Cawl maethlon a llysiau;
Mae John aeth dros y tonnau
Ar y sŵps wedi brasáu.

Bu Mary Hannah yn athrawes ysgol elfennol ym Mhontardawe, Maesteg a Felindre (ger Abertawe). Cofnodir ei harhosiad yn y pentre' bach ger Abertawe gan Wil Griffiths, bwthyn y Rhosyn, Felindre: "Ffindiodd Miss M. H. Jones ei ffordd i dŷ fy mam a bu hi a'i ffrind Morfudd Jenkins a Ben-dre, Aberteifi, yn athrawesau yn yr ysgol

Y diweddar Wil Griffiths, Felindre, gydag Alun Jones, gor-nai i Mary Hannah, ar iard Ysgol Felindre, lle bu Mary Hannah yn dysgu.

yma (Ysgol Gynradd Felindre) ac yn lletya yn ein tŷ ni". Rhyfedd o fyd, Alun Jones (gor-nai i Mary Hannah) yw'r prifathro presennol yn yr un ysgol:

Mae rhinwedd Mary Hannah—yn yr haen
O'r enwog fagwrfa,
A thrwy dwf prifathro da
Acw'n hau y cynhaea'.

Jon Meirion

Ond mae un digwyddiad ynglŷn â Mary Hannah wedi dod yn rhan o lên gwerin bröydd oddeutu Felindre. Aeth i eisteddfod capel y Bedyddwyr, Gerasim, pentre' Cwm Gerdinen, sydd ar y ffordd sy'n arwain o Felindre dros Fynydd Pysgodlyn i Rydaman. Yn ystod y noson, trawodd rhywun ei ben yn erbyn lamp baraffîn a gwympodd yn garlibŵns, a chydiodd y fflam yn y mat coco ar yr ale. Diffoddwyd y tân mewn eiliadau ond gwaeddodd un wàg a welodd ei gyfle: 'Tân! Tân! Mae'r lle ar dân!' Cododd hyn fraw a thagwyd grisiau'r oriel gan bobl yn ceisio ffoi. Ond rhoddodd yr un wàg ei droed drwy'r ffenestr ar ben y grisiau gan annog Mary Hannah i fynd drwyddi. Roedd hithau yn wraig o gorffolaeth nid ansylweddol ac fe aeth yn sownd yn y ffrâm. Oddi tan y ffenest roedd William Thomas (Wncwl William i'r Parchedig Meirion Evans) ac anogodd Mary Hannah i neidio i'w freichiau yn y 'dyfnder islaw'.

Mary Hannah (ar y dde), a Morfudd Jenkins, ei ffrind o Aberteifi a chyd-athrawes yn ardal Abertawe.

"Nidwch chi, Miss Jones . . . pidwch bod ofon . . . fe ddala i chi!"

Ond wrth iddi geisio ymryddhau, plannodd troed y wàg yng nghefn yr athrawes i'w helpu ar ei thaith. Glaniodd y corpws helaeth yn glwt ar ben William ym mynwent Gerazim. Am rai munudau bu ymrafael rhwng y meini cyn codi o'r ddau ymhlith y blodau yn gwbl ddianaf.

Gadawodd Mary Hannah ei swydd fel athrawes yng nghymoedd y gweithfeydd a dychwelodd i'r Cilie yn ystod haf 1921 wedi marwolaeth ei chwaer Ann (Boleyn). Dywed Gerallt Jones yr ystyrid Mary Hannah fel yr anwylaf o blant y Cilie, ond 'byddai cathod a chŵn y Cilie, os oedden nhw'n prowla o gwmpas y llaethdy neu rywle cysegredig arall ar y fferm, yn sgathru i bob cyfeiriad pan glywent sŵn ei chlocs yn nesu. Gellid dweud yr un peth am forynion a gweision y fferm . . . os nad am y bois'.

Hi oedd yn gyfrifol an weinyddu'n feunyddiol ar yr aelwyd o dan lygad craff ei mam. Rheolai'r bois direidus yn rhyfeddol, a thynnai hwythau ei choes yn ddidrugaredd gan mai hi oedd yr unig chwaer a oedd ar ôl ar yr aelwyd. Cofir amdani wedi iddi ddychwelyd i'r Cilie fel dynes gref, sylweddol o gorffolaeth gyda thalcen sgwâr uwch ei hwyneb crwn a dau lygad serennog, direidus. Er iddi dorri ei braich unwaith wrth gasglu ffrwythau'r ysgawen, gallai odro mwy o wartheg ag un llaw nag y gallai'r brodyr eu godro â dwy.

Yn ei hymdrech i roi trefn ar anhrefn y bois, diflannodd llawer o 'graffiti' talentog oddi ar furiau'r Cilie ynghyd â chylchgronau a llyfrau llyfrgell y storws. Roedd 'tân uffernawl' yn gyffredin ar ben y domen wrth iddi losgi'r 'bwndel o annibendod', ac ynddynt, mwy na thebyg, gynnyrch prydyddol amhrisiadwy.

Wrth y bwrdd hir yn y rŵm ford roedd Mary Hannah yn enwog am ei chiamocs, a byddai yn wrthrych ac yn destun llawer o hwyl a sbort. Hoffai dorri'r bara yn dalpe tewion cyn eu taflu fel soseri gwib ar draws y bwrdd gan obeithio y byddai'r bechgyn yn eu dal wrth iddynt hedfan heibio. Taflai'r cyllyll, y ffyrc a'r llwyau allan dros y bwrdd yn bendramwnwgl fel petai'n chwarae bowls. Ond ei thechneg fwyaf cofiadwy oedd ei ffordd o arllwys te allan o'r tebot enamel anferth; fe'i codai i fyny i uchder rhyfeddol cyn ei raeadru i lawr—yr hyn a alwai yn 'high tea'. Symudai o gylch y ford yn y dull hwn gan lanw'r basnys a gwlychu ambell un ar y ffordd. A chan mai o fasnys yr yfai'r 'bois', roedd mwy o 'sblash' na'r cyffredin a llai o waith iddi hithau na phetaent yn yfed o gwpanau.

Dwy chwaer: Ann Boleyn a Mary Hannah.

Roedd yn weithwraig awyddus, a rhan o'i gorchwylion beunyddiol oedd godro bore a phrynhawn, casglu wyau, bwydo'r ieir a'r lloi, heb sôn am waith tŷ. Byddai yn chwilio am nythod ieir a fyddai'n dodwy ma's, ond darganfu fod yr wyau yn diflannu wedi i'r iâr adael y nyth. Dychmygodd fod Harri Pinner (a arferai weithio fel gwas yn y Cilie) yn eu dwyn a'u llyncu fel yr arferai ambell was ei wneud i ychwanegu at y bwyd. Penderfynodd Mary Hannah adael nodyn yn yr iaith fain ar ddarn o gerdyn yn y nythod.

'Leave these eggs alone, Harry Pinner!'

A phan ddaeth hwnnw i mewn i'r gegin yn bytheirio'r nodyn:

"Why do you blame me for stealing the eggs?"

Roedd gwên fawr ar wyneb Mary Hannah.

Teulu'r Cilie, cymdogion a chyfeillion yn mwynhau picnic ar Ddydd Iau Mawr ar draeth Cwmtydu ym 1921. Yr ail o'r dde yn y rhes o ferched ar y gwaelod yw Mary Hannah. Yn y rhes gefn, y cyntaf o'r chwith, y mae John Tydu, ar ei unig ymweliad â'r Cilie o'i alltudiaeth yng Nghanada. Mae Alun (yn y canol) ac Isfoel (ar y dde eithaf) hefyd yn y rhes gefn. Mae Sioronwy yn y rhes flaen, yr ail o'r dde.

Dyma un o'r cerddi a luniwyd i Mary Hannah gan ei brodyr—penillion 'Blwyddyn Naid' gan Isfoel ar achlysur ei charwriaeth â 'Gruffy'—brawd Ianto'r Post.

Deffro, Mari, o'th ddibristod,
Rwyt ar fin dy ddeugain oed;
Daeth dy gyfle, gwisg dy sidan,
Bydd yn ysgafn ar dy droed.

Gwêl y llanc yswil yn rhodio
Heibio'r sticil wrth y nant;
Gwisg dy swynion ar dy dafod,
Gwisg dy nectar ar dy fant.

Cuddia grychni dy aeafau
Â ffasiynol hud yr o's;
Cymer hudlath hen draddodiad,
Rho dy gynnig gyda'r nos.

Mary Hannah gyda'i nith Ardudfyl.

Bydd yn gyfrwys, bydd yn eofn
I roi bywyd yn ei waed,
Taena bedwar deg o hafau
Yn garpedi dan dy draed.

Deffro, Mari, gwisg dy sandal,
Dawnsia dros wyrddlesni'r ddôl:
Odid fawr na fydd dy Ruffydd
Yn dy fraich yn dod yn ôl.

Symudodd Mary Hannah o'r Cilie i dŷ teras yn y Ceinewydd, Rhif 1, Mason Row—wedi i Alun briodi Elizabeth (Lizzie Davies), Glanhawen. Yno y bu weddill ei hoes. Perthynai iddi natur garedig, gymwynasgar ac roedd yn cadw ymwelwyr—heb sôn am aelodau'r teulu a hoffai lond ysgyfaint o awyr iach arfordir y Ceinewydd. Treuliodd Trefor a Martha Vaughan (nith iddi) eu mis mêl gyda hi yn ei thŷ bach twt. Profiad arbennig oedd galw arni oherwydd byddai'r cyfarchiad cyntaf yn 'doc' ac yn ddigon i yrru dieithryn i ffwrdd gan mai dim ond cilagor a wnâi'r drws cyn yr ebychid mewn llais cryf drwy'r hollt—"'Ma ti'n dod 'te?" Unwaith, wrth iddi hithau a'i nai gyd-gerdded tua Chapel Towyn, y Ceinewydd, i wasanaeth Sul hwyrol, meddai Mary Hannah yn sydyn wrth ei pherthynas, gan ei wthio 'mlaen â hergwd â'i hymbarel, "Cer di miwn o fla'n dy Anti salw. Mi ddo' i miwn wedyn".

Claddwyd ei gweddillion ar 27 Chwefror, 1954, ym medd y teulu ym mynwent Capel-y-Wig.

Hen ffermdy'r Cilie a'r gegin fach. Yn y llun y mae Edith Cross a Mary Hannah, ar bwys clawdd y cwrt.

Mary Hannah, gyda'i brawd Fred ar y dde a'i ail wraig Eunice yn y canol, yn y Cilie.

Evan George (Sioronwy, Siors)
(4.4.1892–4.4.1953)
Y Degfed Plentyn

Sioronwy, y meudwy mawr.
John Tydu

Pe byddech yn ymweld â'r Gaerwen yng nghyfnod Sioronwy, heb eithriad byddai o gylch y lle yn rhywle. Ychydig islaw, o fewn tri chae, gwelir cyrn simneiau'r Cilie ac ni fu Sioronwy o'u golwg drwy gydol ei oes. Saif Gaerwen, fferm ddeugain erw, ger Cwmtydu, uwchben dwnshwn Cwmbwrddwch a Phwll Mwyn ac mewn saser ddyfriog yng nghysgod Pen Foel Gilie. Nid nepell o'r ffermdy mae olion caer Oes yr Haearn, rhan o gadwyn o amddiffynfeydd arfordirol cyn-oesol a redai o Gastell Bach i'r gogledd a Phen y Badell, Pen Loyn a Moel y Mwnt i'r de. Erbyn heddiw mae'r byngalo newydd, Caertydanfor, i'w weld ar bwys yr ydlan yn ymyl yr hen dŷ, a draw ar erchwyn yr Hirallt, uwchben y ddau, mae heddiw dŷ arall wedi ei naddu o'r graig, sy'n dipyn o ryfeddod. Enw hwn yw Caerwenfor.

Sioronwy oedd y mwyaf swil o'r deuddeg ac eto yn ei gynefin gwerinol, anghysbell, meddai rhai, roedd wrth ei fodd yng nghwmni'i gyfeillion agos. Hyd yn oed mewn rhai ffotograffau cynnar o'r teulu gwelir Sioronwy yn ifanc iawn yn gwgu fel pe na bai'n hoffi sylw, nid yn unig o flaen dieithriaid, ond hefyd o flaen ei deulu ei hunan. Yn y rhes gefn yr hoffai ddangos ei ben yn unig, yn y ffordd fwyaf diymhongar. Ac mewn un llun cuddiodd y tu ôl i'r llwyn o flaen y tŷ gan sbïo ar y camera trwy'r deiliach!

Roedd Sioronwy yn wreiddiol ac yn wahanol iawn i'w frodyr a'i deulu, yn wir, yn wahanol i bawb. Ni ddilynai rigolau amser y cloc; byddai'n byw yn ôl yr haul, a phe deuai rhywun i'w weld, roedd yn 'down tools' am y prynhawn. Ac wrth sgwrsio, buan iawn y deallai rhywun fod ganddo syniadau gwreiddiol a llawer o wirionedd ynddynt.

Credai fod gwleidyddion yn creu rhyfel er mwyn gwneud elw mawr a chadw'r werin yn dawel drwy greu gwaith iddynt—er mai gwneud arfau yr oeddynt. Gofynnwyd iddo unwaith beth oedd ei syniad am fywyd tragwyddol. "Wel, mi ddweda'i wrthoch chi. Byddai byw am byth yn codi dychryn arna' i."

Roedd yn eithriadol o hoff o bethau melys, ac nid yn ddifeddwl y bu i Isfoel greu'r llinell 'A rhowch i George drwch o jam'. Er i'w chwaer Mary Hannah guddio ei chacennau blasus drwy'r tŷ, ni bu Siors yn hir cyn darganfod y cuddfannau ac ysbeilio'r danteithion cyn y diwrnod pwysig—pen-blwydd, y Nadolig neu'r cynhaeaf. Eisteddai Siors yn yr hwyr o flaen tân mawr yn y gegin fach gan losgi ei glocs yn aml wrth ymgolli yn ei ddarllen a bwyta pantri Mary Hannah i'r gwaelodion. Ac ni fyddai plant Gaerwen na phlant Fred Jones (ar eu gwyliau) yn fwy lwcus yn y cae gwair ychwaith, oherwydd byddai Siors yn bwyta'r ffrwythau a'r cacennau i gyd cyn y brechdanau! Wrth fwyta basned o gawl ar ei ginio unwaith, tynnodd bot jam a gawsai yn anrheg gan rywun a'i fwyta gyda'r cawl. Cofir amdano hefyd yn cymysgu ei bwdin semolina gyda'r tatws a'r grefi, ei brif gwrs . . . "Bachan 'run man i ti enjoio bwyd pan wyt ti yn galler, gwlei".

Cofiaf ymweld â Gaerwen a chael y profiad cyfareddol o gwmni Sioronwy yng nghanol yr offer ceffylau, y gwair a'r gwellt yn ei ysgubor. Perthynai'r 'stumiau mwyaf doniol iddo, a'i ffraethineb trwy air byr neu stori yn peri i'r suraf chwerthin. Dan het uchel Americanaidd yr olwg, cysgodai'r aeliau trwchus, y llygaid byw a'r wyneb barfog. Nid oedd yn ysmygu'n rheolaidd ond mwynhâi danio sigaret mewn cwmni weithiau, a byddai bob amser yn gwneud y 'stumiau rhyfeddaf wrth bwffian. O gwmpas y fferm gwisgai, gan amlaf, lywionnen neu sach, ac oddi tani gôt neu ddwy, mwffler coch, crys gwlanen a throwsus rhip brown a phâr o glocs cryfion wedi eu hiro'n dda. Weithiau byddai'n gadael y gwaith yn ddisymwth ac yn mynd i'r sgubor lle'r oedd ganddo 'organ' (harmoniwm fach) a brynodd mewn arwerthiant eglwys, a dechrau chwarae'n gelfydd, ie, a'i draed elyrch a'i glocs yn ddom i gyd! Cyn hir byddai'n canu i'w gyfeiliant ei hun, ac roedd ganddo lais soniarus. Ni chafodd hyfforddiant erioed i chwarae'r offeryn nac i ganu. Roedd yn berchen ar ddwy organ a byddai'n barod iawn i chwarae'r llall, gynt o eiddo ei nith Pegi, yn y gegin fyw. Hoffai eistedd ar y sgiw dan lwfer y simne fawr a byddai'r sgwrs yn troi at wleidyddiaeth, athroniaeth, bywyd yr ardal, natur a'r tymhorau, barddoniaeth a chwestiynau am y teulu. Byddai gwell llewyrch ar bethau os oedd sigaret wrth law, yn enwedig yn rhodd gan rywun arall.

Gallai fod yn fyrbwyll iawn ar brydiau ac eto mor ddiniwed. Nid oedd unrhyw fympwy dichellgar yn rhan o'i enaid; roedd mor addfwyn a diymhongar ei natur.

Brodyr a chyfeillion. O'r chwith i'r dde: Albert Jones (Dolgou), Jim Williams (Cefncwrt), Alun a Sioronwy.

Un haf poeth dychwelwyd tshyrns llaeth Siors am fod y cynnwys wedi suro. Ni dderbyniai'r ddedfryd, gan haeru fod y gyrrwr yn hwyr yn eu casglu a bod y cynnyrch wedi gadael y fferm yn berffaith. Penderfynodd arllwys y cynnwys yn y fan a'r lle ar ganol y ffordd.

Rhyw dro arall cyfarfu â Tom Davies, Bon Marche, gwerthwr dillad teithiol, ar y ffordd i Flaencelyn. Â Siors yn ei gambo, dechreuodd y ddau siarad a chyn bo hir aeth y sgwrs yn fusnes a seliwyd bargen am un trowsus rhip newydd. Diosgodd Siors ei hen drowsus ar ganol y ffordd a'i daflu dros ben clawdd a gwisgo'r un newydd yn y fan a'r lle gan ddweud wrth Tom, "Ewch draw i Gaerwen, mi dalith Lilian," fel y galwai ei wraig, Hetty.

Ganwyd Evan George Jones yn y Cilie yn bumed mab ac yn ddegfed plentyn Jeremiah a Mary Jones, 4 Ebrill, 1892. Ei enw barddol oedd Sioronwy, ond gelwid ef gan bawb yn Siors. Dywed T. Llew Jones, mewn portread o Siors: 'Gŵr swil yn caru'r encilion oedd Siors. Fe briododd Hetty Griffiths a chymryd fferm Gaerwen. Mae tir Gaerwen yn ffinio â'r Cilie a'r ddau le yng ngolwg ei gilydd. Felly, er i'w frawd Tydu o'i flaen grwydro i bellteroedd byd, nid aeth Siors o olwg y Cilie. Roedd Gaerwen yn gweddu i Siors i'r dim. Lle bach a lle digonol i gadw un dyn a'i deulu, a lle tawel o gyrraedd y byd a'i ffws a'i fwstwr . . . Ni chredaf iddo glywed am syniadau Thoreau, ond fe gredai ynddynt yn reddfol ac fe fu byw yn naturiol y bywyd syml'.

O'r chwith i'r dde: Alun Jeremiah, Simon, Evan George (Sioronwy), ac un o'r gweision.

Mynegodd Sioronwy athroniaeth y bywyd syml mewn telyneg fechan:

Rhyfedd fod dyn, y dylaf
O greaduriaid byd,
Yn poeni ei ysbryd gwirion
Â moel ddychmygion mud.

Ei feddwl rhwydd yn rhedeg
Trwy eangderau'r ffin,
I gasglu a phentyrru
Rhyw ffiloregau blin.

Ei fywyd bach yn uffern
O wag gredoau'n llawn,
A phob creadur arall
Yn byw'n naturiol iawn.

'Credai mai bywyd y tyddynnwr neu'r amaethwr oedd y ffordd orau a'r ffordd naturiol i ddyn fyw. Credai yn gryf hefyd fod gwaith yn rhywbeth mwy na ffordd o ennill bywoliaeth ac ennill arian'. Fe gredai mai trwy waith yr oedd dyn yn gwireddu ei ddelfryd. "Ac y dylai pawb, yn enwedig y rhai sy'n honni bod yn arweinwyr mewn unrhyw gylch, weithio â'r 'mysls' a cholli chwys," meddai'.

Ysgrifennodd Sioronwy stori gan ddychmygu sut y byddai pethau yn ei angladd ef ei hunan, ac mae syniadau athronyddol yr awdur ei hun am fywyd yn dod i'r golwg yma ac acw . . . 'Cododd y gweinidog ei destun o ddau fan yn ei bregeth i'r ymadawedig: 'Y mae fy Nhad yn gweithio' a 'Teyrnas Nefoedd o'ch mewn chwi'. Gwaith yw hanfod y greadigaeth, bydysawd yn broses o weithio'r Crëwr, ac mai gwaith yw'r nefoedd orau y gall dyn gael gafael arni'. Soniodd fel yr oedd yr ymadawedig wedi llosgi'r graig ar ddydd Sul pan oedd y gwynt yn ffafriol, i gael y defaid i fyny o Bwll y Gwylanod ac nad oedd yr Efengyl yn gwahaniaethu rhwng Sul, Gŵyl a gwaith . . . Yn yr ail gymal soniodd am Deyrnas Nefoedd sy'n golygu edrych ar ôl ein dyletswyddau, ac nad oedd dim mewn edrych yn gysglyd i gyfeiriad Jupiter a Mars a'r anifeiliaid yn brefu a hanner starfo a'r ardd heb ei gosod. Soniodd am symlrwydd ymarferol yr Efengyl a rhoddodd ergyd i'r bobl hynny sy'n credu nad yw pethau fel y Bregeth ar y Mynydd yn ymarferol. Pethau ar gyfer bywyd beunyddiol ac ymarferol dynion yw gwaith y Proffwyd o Nasareth, meddai.

Fe'i haddysgwyd yn ysgol elfennol Pontgarreg, a bu farw ei dad pan oedd Sioronwy yn ddeg oed. Felly, pan ymadawodd â'r ysgol yn bedair ar ddeg roedd y gofynion gwaith yn drwm arno, gan mai Isfoel, Alun ac ef oedd yr unig rai o'r bechgyn a oedd heb hedfan o'r nyth. Roedd Alun lawer yn iau, ac felly Isfoel, yn bennaf, a Sioronwy, i raddau llai, a fu'n gyfrifol am ffermio'r 'continent' am gyfnod hir. O fewn cyfundrefn y fferm, Isfoel oedd y gaffer a phawb a phopeth yn ei ddilyn ef. Alun oedd y ffermwr defaid ac oherwydd hynny roedd ganddo ddiddordeb arbennig mewn cŵn, diddordeb a amlygir gan ei saga a'i gywydd i Moss. Siors oedd y ffarier, a chymerai ddiddordeb yn y ceffylau, a châi plant Fred Jones (yn ystod eu gwyliau) farchogaeth yn ddyddiol ar rai o'r ceffylau gwedd. Un tro, ar gais ei fam, anfonodd Dafydd Rhagfyr (mab Fred ac Eunice Jones) lythyr at Siors i ddiolch am gael reid ar gefn yr hoff 'Darby', ac yn wir anfonwyd llythyr mewn arddull ddealladwy plentyn yn ôl gan Siors er syndod i bawb.

Etifeddodd Sioronwy hefyd y dalent farddonol yn ogystal â'r hwyl a'r ffraethineb a oedd mor nodweddiadol o'r teulu. Yn ei arddegau roedd yn barod iawn i ymddangos ar lwyfan eisteddfodau a chyrddau ieuenctid Capel-y-Wig i ganu ac adrodd, ond yn ei ganol oed gwell oedd ganddo gystadlu a chuddio dan ffugenw wrth ysgrifennu erthyglau. Wrth fynd i eisteddfod Rhydlewis (lle'r oedd ennill cadair neu gystadleuaeth yr englyn yn fwy clodfawr nag ennill yn y Genedlaethol), arferai dynnu'r sedd sbâr allan o'r gambo er mwyn gwneud lle i'r gadair roedd e neu ei frodyr i'w hennill.

Ysgrifennai gryn dipyn o ryddiaith ar ffurf erthyglau i'r 'Teifi-Seid', *Y Faner* a'r *Darian*, a chyhoeddai farddoniaeth yn *Y Geninen*, y *Weekly News* a'r papurau lleol. Dechreuodd ysgrifennu i'r *Herald Cymraeg* ac wele'r cyfeiriad ar un o'r amlenni:

At y GOHEBYDD brysia,
Yn nrws yr HERALD cnocia;
Cais CASTLE SQUARE mewn hyder,
A CHAERNARFON mewn chwyrn yrfa.

Daeth yn agos i'r brig yng nghystadleuaeth y Goron yn yr Eisteddfod Genedlaethol yng Nghaernarfon ym 1921.

Unwaith, heriwyd Sioronwy i lunio pennill ar y pryd i beiriant dyrnu, 'Ehedydd y Bore', ar glos fferm Ffynnonlefrith, ger Penbontrhydarfothe. Dyma bennill Sioronwy:

Beth yw'r sŵn a glywaf heddiw?
Peiriant dyrnu Penlon-las;
Mae ei whît fel hwter Dowlais
Yn atseinio'r awyr las.
Tomos Griffiths,
Plentyn anfarwoldeb yw.

Yn *Y Geninen*, rhifyn Awst 1912, cyhoeddwyd englyn gan Siors i 'Comet Halley'. Enillodd â'r englyn hwn mewn cystadleuaeth fyrfyfyr yn erbyn ei frodyr a beirdd lleol mewn 'steddfod yn Mryn Moriah, Brynhoffnant:

Ysblennydd dduwies blaned—a neidia'n
Gyfnodol i bared
Y nen,—trwy wybren y rhed
Ag eirian gwt agored.

Er bod englyn Thomas Richards i'r 'Ci Defaid' yn enwocach, credai T. Llew Jones 'fod englyn Siors yn well. Ei frawd S. B. Jones oedd yn beirniadu'r englyn yn Eisteddfod Genedlaethol Pen-y-bont-ar-Ogwr. Dewis creulon oedd hwnnw gan fod ei frodyr a'i berthnasau am gystadlu ar bwnc mor agos at eu calonnau. Y gorchwyl cyntaf i S.B. oedd ceisio dod o hyd i englynion ei frodyr a'u gwthio nhw i lawr i'r ail ddosbarth. Ond ofnai wedyn fod un neu ddau o'r rheiny wedi dod i'r brig ar waetha' popeth. Felly dyma a ddywedai ar ddiwedd ei feirniadaeth: 'Dymunaf gydnabod imi ddangos y deuddeg englyn uchod i'r Athro T. H. Parry-Williams. Dewisodd yntau yr un un yn orau'.' Dyma englyn Sioronwy:

Ar glos y Cilie. O'r chwith i'r dde: Alun, Ianto'r Postman, Sioronwy a Gerallt, mab Fred, a fu'n gwasanaethu yn y Cilie am gyfnod. Tynnwyd y llun tua 1930-31.

Y CI DEFAID
Ei gabol ddysg a'i wybod—yn awr hel
Y praidd sy'n rhyfeddod;
Lle'u llechu a ŵyr, lle lluwch ôd,
Hebddo ef ni bydd hafod.

Rydym eisoes wedi darllen tair soned o waith Sioronwy ('Mam', ''Nhad', 'I Tom, fy Mrawd') yn y gyfrol hon. Ond trwy garedigrwydd Beryl Davies, Tremle, Pontgarreg, deuthum o hyd i bedwar englyn ar ddeg o waith Sioronwy wedi eu hargraffu ar gerdyn caled gan B. Abner Davies, Printer & Stationer, Ogmore Vale. Roeddynt wedi eu fframio a'u cyflwyno fel . . . 'Myfyr Hiraeth am y diweddar William Davies, Penralltceri-Isaf, Castellnewydd Emlyn, gynt o Gapel-y-Wig, Llandysilio-gogo'. Priodolir yr englynion i E. George Jones, Cilie.

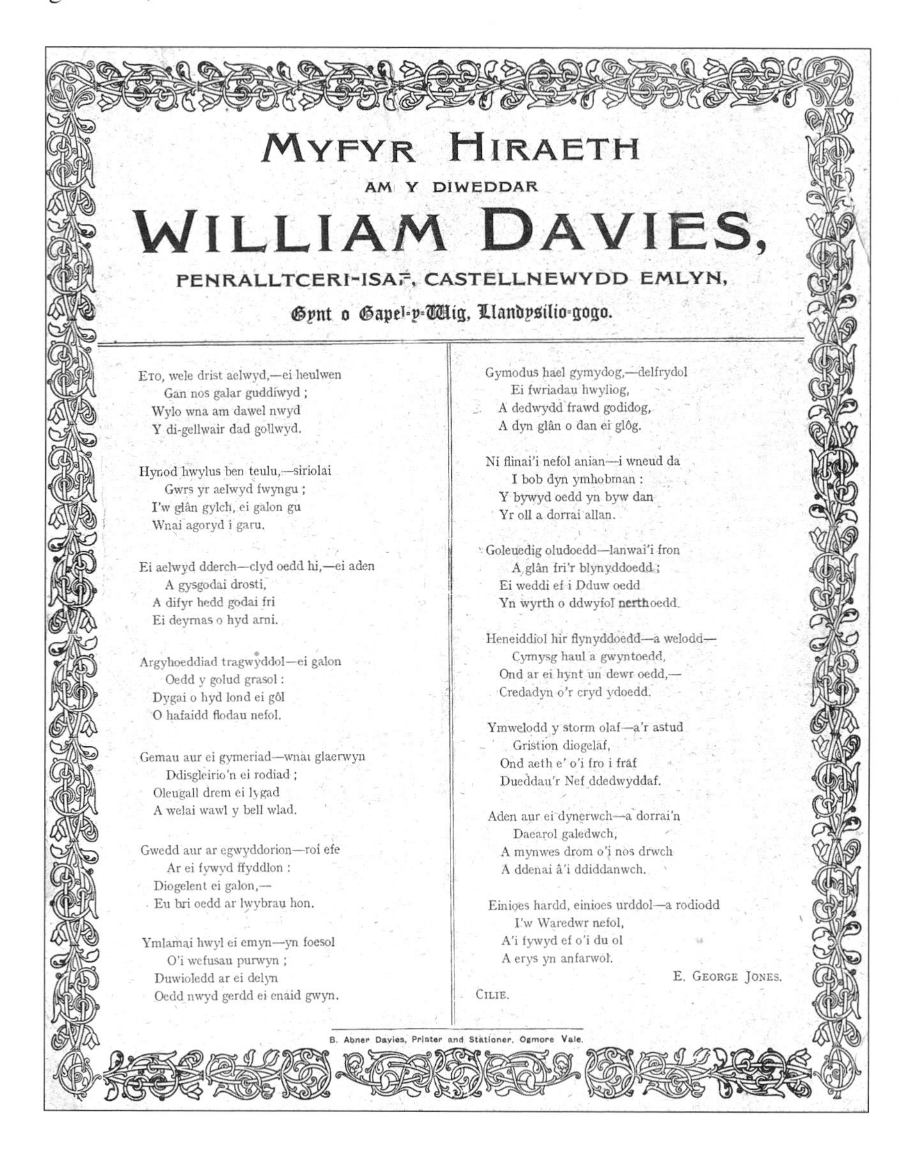

MYFYR HIRAETH
AM Y DIWEDDAR
WILLIAM DAVIES,
PENRALLTCERI-ISAF, CASTELLNEWYDD EMLYN,
Gynt o Gapel-y-Wig, Llandysilio-gogo.

ETO, wele drist aelwyd,—ei heulwen
Gan nos galar guddiwyd ;
Wylo wna am dawel nwyd
Y di-gellwair dad gollwyd.

Hynod hwylus ben teulu,—siriolai
Gwrs yr aelwyd fwyngu ;
I'w glân gylch, ei galon gu
Wnai agoryd i garu.

Ei aelwyd dderch—clyd oedd hi,—ei aden
A gysgodai drosti,
A difyr hedd godai fri
Ei deyrnas o hyd arni.

Argyhoeddiad tragwyddol—ei galon
Oedd y golud grasol :
Dygai o hyd lond ei gôl
O hafaidd flodau nefol.

Gemau aur ei gymeriad—wnai glaerwyn
Ddisgleirio'n ei rodiad ;
Oleugall drem ei lygad
A welai wawl y bell wlad.

Gwedd aur ar egwyddorion—roi efe
Ar ei fywyd ffyddlon :
Diogelent ei galon,—
Eu bri oedd ar lwybrau hon.

Ymlamai hwyl ei emyn—yn foesol
O'i wefusau purwyn ;
Duwioledd ar ei delyn
Oedd nwyd gerdd ei enaid gwyn.

Gymodus hael gymydog,—delfrydol
Ei fwriadau hwyliog,
A dedwydd frawd godidog,
A dyn glân o dan ei glôg.

Ni flinai'i nefol anian—i wneud da
I bob dyn ymhobman :
Y bywyd oedd yn byw dan
Yr oll a dorrai allan.

Goleuedig oludoedd—lanwai'i fron
A glân fri'r blynyddoedd ;
Ei weddi ef i Dduw oedd
Yn wyrth o ddwyfol nerthoedd.

Heneiddiol hir flynyddoedd—a welodd—
Cymysg haul a gwyntoedd,
Ond ar ei hynt un dewr oedd,—
Credadyn o'r cryd ydoedd.

Ymwelodd y storm olaf—a'r astud
Gristion diogelaf,
Ond aeth e' o'i fro i fraf
Dueddau'r Nef ddedwyddaf.

Aden aur ei dynerwch—a dorrai'n
Daearol galedwch,
A mynwes drom o'i nos drwch
A ddenai â'i ddiddanwch.

Einioes hardd, einioes urddol—a rodiodd
I'w Waredwr nefol,
A'i fywyd ef o'i du ol
A erys yn anfarwol.

E. GEORGE JONES.

CILIE.

B. Abner Davies, Printer and Stationer, Ogmore Vale.

Roedd Wil Ifan wedi llwyddo i gael Fred, Simon, Isfoel ac Alun i gyfrannu i raglen am eu gwaith a'u diddordebau. Ni allai ddarbwyllo Sioronwy.

"O, dewch wir, George," erfyniai Wil Ifan arno.

"Na, dim tro 'ma, byddai'n well gyda fi beidio. Gadwch i'r lleill fynd gyda chi—maen nhw'n leicio cael eu gweld". Ac roedd hyn ar raglen radio cyn dyfodiad teledu. Oherwydd swildod Siors penderfynodd Alun ddarllen englyn ar ei ran, ac yn ei dyb ef, un o'i oreuon:

TROI'R BANC

Er mor ddiffaith yw weithian—daw rhyw hwyl
Wrth droi'r hen fanc druan,
Ust tir a môr a 'stwyrian
Ar bob ochr i grib y ban.

Pan ddarlledwyd y rhaglen radio *Cegin y Cilie* wedi ei threfnu gan Wil Ifan, roedd yna ddisgwyl mawr i'w chlywed. Aeth Isfoel, Tom, Simon a Fred i fyny i'r stiwdio yng Nghaerdydd. Cynhelid Eisteddfod Pantycrugiau ar yr un noson a bu'r gynulleidfa gyfan yn gwrando ar y rhaglen yng nghynteddau'r capel, ond roedd Siors adre'n glyd a diddos â'i glust wrth gorn y radio.

Ceir cerdd o'i waith, 'Ysbrydion', yn y gyfrol enwog *Cerddi Ysgol Llwyncrwys* a hefyd yn *Cerddi Gwlad ac Ysgol*:

Aent yng ngherbyd y toilïod. Ar hyd y nos.
Credent ym modolaeth gwrachod.
Jac y Lantern mewn siglennau,
Ladi Wen yn gwylio'r llwybrau
Gyda Channwyll Gorff yn olau. Ar hyd y nos.

Pentan Efail gof Blaencelyn. Ar hyd y nos.
Am storïau i godi dychryn:
Hen storïau am ysbrydion
Dybiwn gydiai yn fy nghynffon
Wrth fynd adre'—O, mor wirion! Ar hyd y nos.

Yn nhawelwch gwledig Gaerwen roedd enaid synhwyrus Sioronwy mewn cytgord clòs ag elfennau craidd byd Natur—cân yr ehedydd, cri'r gwylanod, blodau'r eithin, dawns y gornchwiglen, y petris, a phanorama'r machludoedd yn ei gynefin. Dyma rai enghreifftiau o'i waith:

AREDIG

Daeth gwanwyn i'r meysydd eto,
A'r aradr sy'n loyw ei graen
Yn datrys y braenar garw
I osod yr had ar daen.

Mae'r gwylain yn llu o'n hamgylch
Yn hedfan i fyny ac i lawr,
Ac Alun ar ben y dalar
Yn rhwydo'i delyneg fawr.

Rhwng deucorn y 'Chill' neu'r 'Dwbl'
Mae'r talcwaith yn mynd ar ffo,
A chryndod y tes uwch y cwysi
Yn gwahodd yr had i'r gro.

IONAWR 17, 1926

Eira'n do ar ein daear—a golwg
Ddigalon ar adar;
Tawelwch dros bob talar—lleddf eu tôn
Yw acenion yr oenig cynnar.

GWYMON

Tw lloriau tywyll Iwerydd,—bonion
Is rhubanog ddeunydd;
I gwr y traeth ar grwydr rhydd
Daw i mewn yn domennydd.

Y CRUD

Anwyliaid bach dynoliaeth—ynddo ef
Gaiff nawdd a hun helaeth;
Ail côl mam i'w dinam; daeth
Hyd aelwyd yn hudoliaeth.

Y GLOCSEN

Trwy graffter cobler y'i caf,—i draed oer
Y dwg wres trwy'r gaeaf;
Â dwy glocsen bren mor braf
I labro yr ymlwybraf.

CYNGHRAIR Y CENHEDLOEDD

Tywys i heddwch tawel—a phob gwlad
Hoff heb gledd i'w arddel;
Ei ddelfryd hyfryd a wêl
Fyd braf o hyd heb ryfel.

CWMSGÔG

(neu Gwm-sŵn-y-gog a chartref un o ddeiliaid y Cilie, y crydd, Siencyn Lewis)

Mae cwmwd a'm cymell yn hapus nid nepell,
Un annwyl yn hunell ei gafell—Cwmsgôg;
Awn yno tan hinon i rodle afradlon
Ei wylltion waelodion goludog.

Nid oes cyfrol o waith Sioronwy erioed wedi ei chyhoeddi ond ymddengys ei farddoniaeth mewn cylchgronau, papurau wythnosol, ac ati.

DIM WYAU

Ieir ar streic, rhyw aros trwy—y cyfnod
Y cefnant, ond fwyfwy
Ceir bod ar eu cribau hwy
Addewidion am ddodwy.

DANNEDD GOSOD

Dannedd yn lle'r rhai dynnwyd,—yn addurn
Celfyddyd fe'u ffitiwyd;
Ddiboen ddwyres! Fe blesiwyd
Genau y bardd i gnoi bwyd.

AR ENEDIGAETH TYDFOR
(oedd yn faban mwy na'r cyffredin)

Yn adfyw y ganed Tydfor,—ei fam
Oedd rhy fach i esgor;
Yn 'actif' bu dau ddoctor
Yn tynnu swrth blentyn Siôr.

Dyn y ddyfais beiriannol oedd Isfoel; dyn â chariad at geffylau oedd Sioronwy; roeddynt fel plant iddo, ac efallai yn mynegi ac yn adleisio'i athroniaeth ar sut y dylai dyn ymddwyn at ei gyd-ddyn.

TYNNU'R EBOL BACH
(oddi wrth laeth ei fam)

Pedwar neu bumis
O ddilyn ei fam;
Sugno a gorwedd,
Rhyddid a llam.

Nid rhyddid hefyd
I gyd ychwaith—
Cynhaeaf sy'n galw'r
Fam at ei gwaith.

Ond tynnu'n y diwedd
A chau yn y stâl,
Gweryru a cheibio
A'r byd ar chwâl.

Y fam yn rhuthro
Trwy'r clos at ei thlws,
A dwyn cusanau
Dros ben y drws.

Tynnu, gwahanu
A thynnu ynghyd:
Yr un yw cariad
Trwy fywyd i gyd.

Priodwyd Evan George Jones a Hetty Griffiths, o ardal Talgarreg, ar 28 Medi, 1932, a phluwyd y nyth gyntaf yn Nolwylan, Cwmtydu, lle y ganed Tydfor, cyn i Siôr gymryd fferm Gaerwen pan symudodd ei chwaer Esther allan. Roedd yna hynodrwydd personoliaeth yn perthyn i Hetty, ond calon fawr a charedigrwydd y tu hwnt i unrhyw

Tydfor, tua phedair oed, ar gae'r cynhaeaf yn gwylio'i dad (Sioronwy) yn trwsio'r beinder.

Sioronwy a'i fab Tydfor.

haelioni cyffredin, ynghyd â hiwmor afieithus. Gyda thalent a swildod Siors a'i athroniaeth am fywyd gwerinol Cymreig yn gefndir iddo, nid rhyfedd i'r cyw Tydfor arddangos y talentau a wnaeth. Ni châi ymwelwyr fynd i mewn i Gaerwen hyd nes yr oedd Hetty wedi golchi'r llawr a gosod y ford â phob mymryn o'r danteithion a oedd ar gael yn y tŷ. Wedyn torrai ddigon o fara i fwydo byddin ac efallai, yng nghanol y gwledda, y ceid tonc ar yr organ gan Siors. Un tro galwodd y Parchedig F. M. Jones a ffrind iddo a oedd yn athro ym Mhrifysgol Cymru yno, ond fe'u cadwyd ar y clos yn parado 'nôl a 'mlaen am hanner awr tra oedd Hetty yn paratoi'r wledd—'Fydda' i ddim yn hir nawr. Cewch ddod i mewn ymhen c . . . d'.

Nodweddiadol iawn o garedigrwydd a chalon fawr Hetty, ac yn wir o'r gymdeithas wledig Gymreig yn gyffredinol, oedd ei gweithred ar ôl i Tydfor sicrhau saith neu wyth neu ragor o bynciau yn y 'Senior'. Yn ôl Hetty, W. R. Jones, yr athro Cymraeg, oedd yn gyfrifol am ei lwyddiant ym mhob pwnc, gan mai W.R. a gâi'r sylw mwyaf gan Tydfor ar sgyrsiau'r aelwyd. Aeth i lawr â dau ffowlyn a dau bâr o slipyrs yn gydnabyddiaeth i 'Hinata', cartref W.R. yn Aberteifi. Gadawodd hwy ynghlwm wrth y drws gan nad oedd W.R. gartref ar y pryd, gyda nodyn o ddiolch iddo, ac esboniad fod un pâr o'r slipyrs yn fwy na'r llall o ran maint, rhag ofn na fyddai'r pâr arall yn ffitio.

Gwibiodd Tydfor drwy ei gwrs addysg gan ennill anrhydedd yn y 'Senior' a'r 'Higher'. Ond roedd galwad i wasanaeth milwrol ar y gorwel a bu hyn yn wasgfa fawr ar ei dad. Mae'n debyg iddo ddweud wrth ffrind, "Pe na bawn i yma, fe gâi Tydfor aros yma i ffermio Gaerwen". Fe'i cafwyd yn y llyn wedi boddi. Yr oedd ei atgasedd at ryfel a militariaeth wedi ei lethu'n lân. Bu Tydfor yn rhannu'r aelwyd gyda'i fam hyd 28 Mawrth, 1978, pan briodwyd Tydfor ac Ann yn Eglwys Llandysiliogogo. Ond nid aeth Tydfor ymhell oddi wrth ei fam, oherwydd fe adeiladodd fyngalo newydd iddo'i hunan a'i wraig ar gyrion y clos yn y Gaerwen. Bu perthynas agos iawn rhwng Tydfor a'i fam, roedd y ddau yn ffrindiau mawr ac yn gytûn drwy barch mawr at ei gilydd. Pan fu hi farw lluniodd ef y cwpled hwn i'w osod ar ei bedd:

> Yn naear ein galaru
> Y mae'r fam orau a fu.

Ar ôl ei farwolaeth, ymddangosodd y deyrnged ganlynol i Siors mewn papur lleol: 'Roedd yn frawd a chyfaill cydnaws, tawel a diymffrost, a ddirmygai wagedd a seremonïau gwag. Cyfrifai bomp a rhialtwch yn sothach, ond carai ddifyrrwch a llawenydd naturiol â'i holl galon. Ni fynnai ei wthio ei hun i'r sedd flaen. Cymeriad annwyl ydoedd. Mynnai ei ffordd ei hun yn ôl ei argyhoeddiad ac ni warafunai i neb ei syniadau. Safai ar sylfaen egwyddor mewn dadl, yn ddiysgog fel realydd. Roedd yn llenor graenus ac yn ddarllenwr mawr. Ysgrifennodd lawer am y dyddiau cynnar ac enillodd edmygedd a llawryfau'.

Meddai T. Llew Jones am Sioronwy: 'Un peth sy'n drawiadol wrth ddarllen ei ysgrifau yw yr aml gyfeiriadau at Tydfor, ei fab. Y mae'n amlwg iddo dreulio rhan helaeth iawn o'i amser yn rhoi addysg a hyfforddiant i'w fab, yn arbennig mewn llên ac amaethu . . . Tybiaf y byddai Sioronwy, a roddodd ei holl fywyd i wneud y pethau bychain oedd o fewn ei gyrraedd yn ei filltir sgwâr, yn hapus o wybod fod Tydfor wedi cyfoethogi ei fro â'i ddawn fel arweinydd noson lawen, beirniad eisteddfod, digrifwr, cerddor a bardd'. Ac fel hyn y coffawyd Siors gan T. Llew Jones:

'Adar Tydfor', parti adloniant, ar ben yr odyn yng Nghwmtydu.

Hen lenor mwyna'i linach—a gro'r Wig
Ar ei raen byth mwyach,
A'i Awen, na fu'i hoywach,
Dan ddi-ystŵr bentwr bach.

Ar y Foel y trafaeliodd,—trwy ei oes
O sŵn trin y ciliodd,
Am Ryddid y gofidiodd—
O'n hynod fyd—mynd o'i fodd.

Carodd hedd y banc a'r ddôl—a mwynhau
Rhin cwmnïaeth ddethol:
Y Gaer Wen sy'n wag ar ôl
Y Sior difalais, siriol.

Af yr haf i rodio'r fro—uwch y môr,
Ni cha'i mwy mo'r croeso;
Chwilio'r graig uchel a'r gro,
Heb ei gael, er pob gwylio.

Troi ymaith wedi'r tramwy—heb ei weld,
At y bedd diadwy;
O'i lawr mud, ni chlywir mwy
Lais yr annwyl Sioronwy.

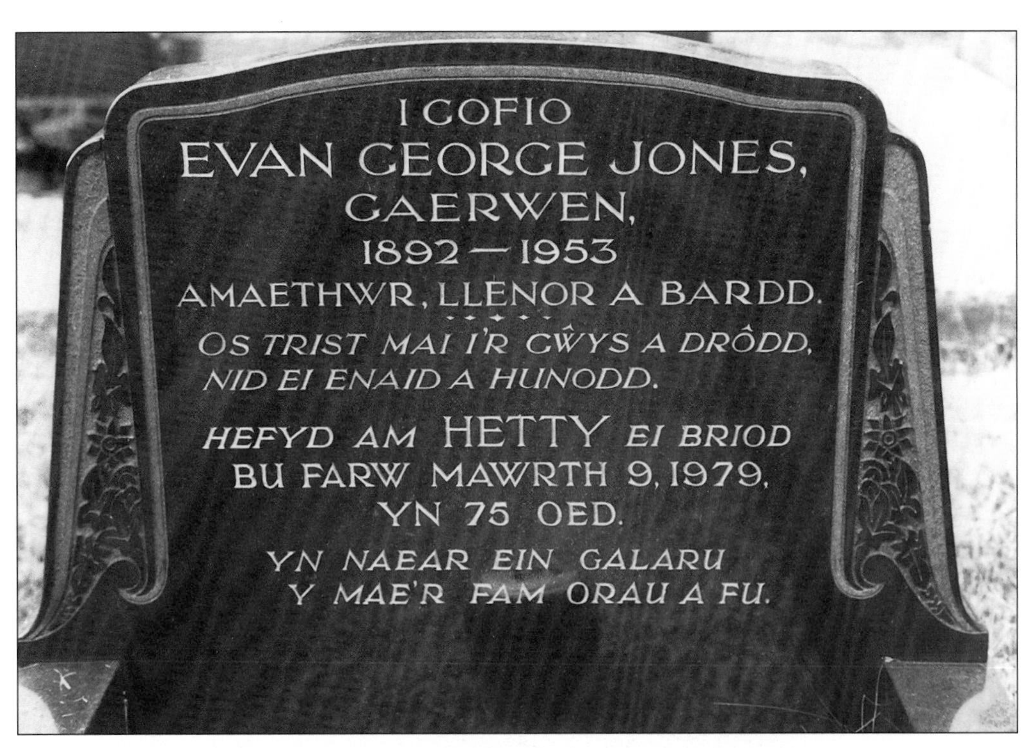

Carreg fedd Sioronwy a Hetty ym mynwent Capel-y-Wig.

LLINACH GEORGE (SIORONWY)

Evan George
Hetty

Tydfor

Simon Bartholomew

(5.5.1894–27.7.1964)

Yr Unfed Plentyn ar Ddeg

Cymeriad y cam araf.

Isfoel

Roedd ganddo enw fel petai wedi ei ragordeinio i fod yn weinidog—'Simon' ar ôl brawd ei fam a 'Bartholomew' ar ôl tad-cu ei fam. Adwaenid ef fel S.B. mewn cylchoedd cenedlaethol ac o fewn y teulu fel 'Wncwl Seimon', neu'r 'hen Beb', fel y'i gelwid gan ei frodyr. Ond roedd gan ei frawd Isfoel gyfarchiad arall—'yr Efengyl' neu'r 'Sensor o Beniel'—gan mai Simon a wnaeth ddetholiad o'i gerddi ar gyfer ei gyfrol gyntaf o farddoniaeth a hawliai Isfoel iddo beidio â chynnwys rhai o'i gerddi gorau am eu bod yn rhy fentrus a thalentog!

Meddai Isfoel: 'Rwy'n cofio am eni Seimon fel doe, yn faban graenus a chry', yn ffitio yn y rhes yn ddi-ffys a di-lol . . . yn gyw pen-golau a golwg ddigon addfwyn a diniwed arno. Cafodd ddigon o chwarae a maldod hyd oni ddaeth y cyw pen-goch i wneud dwsin, a chymryd ei le, a hwnnw yn gyw tipyn yn fwy taranus . . . Dioddefodd Simon bwl o'r pâs pan oedd yn ifanc iawn ac yn wir wedi un ymosodiad o beswch diddiwedd credwyd ei fod wedi marw . . . ond wedi ei daro ar ei gefn a'i godi i freichiau ei fam dychwelodd ei liw i dir y byw . . . Yr oedd yn getyn o rôg er yn ifanc iawn, a llwyddai i dwyllo'i dad â'i ymadroddion ffraeth, a châi ffafr a childwrn a phob mwyth, yn wahanol i'r hyn a gâi ei frodyr a'i chwiorydd . . . Cerddai i'r ysgol ddyddiol ym Mhontgarreg, ac ni fu hanes iddo ragori ar ei gyd-ddisgyblion chwaith. Collodd ei dad pan oedd yn wyth oed ond trefnodd ei fam . . . na fu diffyg ar na hau na medi ac nad oedd dim yn garwhau'r ffordd rhwng y cartref a'r cysegr yng Nghapel-y-Wig . . . Nid oedd yn orawyddus fel gweithiwr ar y fferm ond yr oedd yn abl i gymryd unrhyw orchwyl yn ei gategori—megis dilyn ceffylau yn aredig a llyfnu, a 'handlo' holl offer gwaith y fferm, chwynnu tato, mangls a swets a phopeth felly'.

Ac nid rhyfedd fod Simon yn hoffi mynd i'r Ysgol Sul yng Nghapel-y-Wig oherwydd Isfoel oedd un o'r athrawon, ac yn unol â'i ddireidi arferol byddai yn gosod cynnwys llawer o'r gwersi o storïau'r Beibl ar gân. Gofynnwyd i Seimon gan yr arolygwr mewn cwrdd plant am hanes Elias yn Nyffryn Cerith, ac atebodd:

Bara a chig y bore
Bara a chig brynhawn,
Ac yfai ddŵr o'r afon
Nes bod ei fola'n llawn.

Roedd ei fywyd cynnar yn llawn o hwyl a sbri, fel y cofnodwyd yn ei gân, 'Direidi':

Pe cawn i eto fynd yn ôl
  I'm dyddiau hoywon 'slawer dydd,
Mi awn i waelod gallt Cwmsgôg
  I godi ofn ar Siencyn Crydd.

Mi ddynwaredwn John Cnwc-gwyn
  Yn cerdded yn ei gamau bras,
A neidio'n ddewr wrth Bont-y-rhyd
  Ar gefen Dafi Ffynnon-las.

Mi daflwn gerrig ar do sinc
  Beudy Wiliam Troed-rhiw-fach,
Mi brociwn wenyn Cilie-hwnt,
  A chlymu Alun yn y sach.

Mi fwriwn flodau'r eithin aur
   Ar ben y saint o'r seddau top,
A wincio ar Arthur a Dai Wil
   Pan godai bygwth Capten Siop.

Mi redwn fel llucheden dân
   Rhwng mur y capel mawr a'r wal,
A thaeru nad y fi own i
   A John y Llety wedi 'nal!

Daeth teulu'r Cilie dan ddylanwad y Parchedig Lewis Evans pan symudodd o Foreia Hendy-gwyn i fod yn fugail yn y Wig o 1896 hyd 1922. Roedd yn ŵr galluog, diwylliedig ac yn weithgar iawn yn y gymdeithas. Ym mlynyddoedd Jeremiah Jones roedd y gweinidog a'r gof yn gyfeillion mawr. Dau frawd o Sir Benfro oeddynt, a theimlai'r 'patriarch' i'r byw drosto pe câi'r gweinidog ei feirniadu. Bu cyfaredd y pulpud o fewn dim i rwydo pedwar o fechgyn y Cilie i'r weinidogaeth, Fred, Simon, John ac Alun.

Pan oedd S.B. tua deunaw oed daeth chwant arno i fynd i'r môr, a chafodd le fel 'deck-hand' trwy gymorth Capten Williams, Fronant, Nanternis, o gwmni Lampart and Holt, Lerpwl. Yr oedd erbyn hyn yn slasyn o gorff talgryf, cyhyrog a mentrus. Llong fasnach 4186 tunnell oedd yr S.S. *Tripoli*, yn eiddo i gwmni E. C. Thin Co. Ltd, a'r Capten Charles Turner yn feistr arni pan ymunodd Simon â hi yn Llundain ar 5 Ebrill, 1911. Cychwynnodd y llong ar y fordaith yn Antwerp ar 1 Ebrill, 1911, cyn galw yn Llundain. Dywed Isfoel: 'Euthum gydag ef i Lundain i gwrdd ac i uno â'r llong. Doeddwn i, mwy nag yntau, ddim wedi bod mor bell o gartre o'r blaen. Ffair Llanarth, Ffair Aberteifi a Ffair Gynon oedd pen draw ein pellterau! Wrth drafaelu mewn tacsi o Paddington i orsaf Fenchurch Street, cofiaf synnu gweld y fath dyrfa anferth o bobl, a'r tacsi yn gyrru trwyddynt fel cyllell, a heb fwrw neb i lawr. Cafwyd llety mewn sefydliad morwrol ar ôl i ni reportio ein hunain ar y llong yn y Royal Albert Dock':

Brigwe rigin mewn niwloedd oer,
A rhes o lampau fel rhithion lloer,
Yn wincio golau ar gangwe'r bad
I dderbyn breuddwydiwr diniwed o'r wlad.
Minnau a'm pwn ar f'ysgwydd bwerus
Yn dringo i'r dec, â chalon hyderus,
I ganol y nef a luniaswn mor glir
Tu hwnt i ffiniau a hualau'r tir . . .

'Tua deg o'r gloch, yn brydlon i'r funud dyma Simon yn ei oferôl a'i 'sou'wester' a'i 'sea-boots' newydd o waith Dafi Owen, crydd Hawen Castle, Pontgarreg, yn cerdded yn fras i'r dec. Roeddwn innau fel llipryn o'r wlad yn ei ddilyn, ac yn ateb cwestiynau drosto i'r Capten Turner . . . Ymhen dau ddiwrnod fe euthum i'r llong eto cyn troi am adre i weld sut roedd y morwr yn ymdaro. Gwelais ef cyn iddo fy ngweld i. Yno yr oedd yn gwylio'r gweithwyr yn llwytho, ac yntau a golwg digon llipa arno, yn edrych i lawr yr howld. Gofynnais iddo, "Beth amdani a pheth wyt yn wneud?"

"Dim ond watsho'r rhain yn llwytho a rhifo'r pwnne! Pryd wyt ti'n mynd adre?" gofynnai, a minnau'n ofni y dywedai ei fod yntau yn dod'.

Simon yn ei wisg bregethu a'i goler 'Bala-Bangor'.

Dyma sut mae ei bryddest 'Rownd yr Horn' yn disgrifio ei noson gyntaf fel morwr ifanc ar y llong:

Pan elo Mot ac Alun
   I edrych hynt yr ŵyn,
Sy'n pori ar Fanc Llywelyn
   Uwch dyfnder mawr Pwll Mwyn,
Bydd hwyliau gwyn Tripolia
   Yn agor dros ei gwar,
A minnau'n mynd o Walia
   I'r byd sy' dros y bar.

A phan fo'r heulwen lachar
   Yn llathru aradr Siôr
(A swch f'un i ar dalar
   Yn rhwd uwchben y môr):
Bydd erwau glas y Sianel
   Yn rynnau ar bob llaw,
A thalar bell y gorwel
   Yn ffoi drwy'r gwynt a'r glaw.

Pan ddelo golau Enlli
   Ar gylch i sgubo'r bae,
Rhag mynd o longau'r cenlli
   Yn gandryll yn eu gwae,
Bydd llongwr-un-diwrnod
   Dan wybren faith yr Iôr,
Yn claddu ei freuddwydion dellt
   Yng ngolau mellt y môr.

Dywed Isfoel eto: 'Daeth y llythyr cyntaf o Las Palmas gan adrodd am y 'stormydd a'r ofnau'—am y gwahanol fwydydd, y cwmpeini a'r gorchmynion . . . "Rwy'n meddwl yn aml am y cawl blasus y mae Moss a Bing yn ei fwyta bob dydd ar ôl cinio a'r ffwrn ar y cwrt. Byddem yn falch o gael gosod fy mhen yn y ffwrn rhwng y ddau gi".'

Deuddeng niwrnod trwy Ogledd Iwerydd,
   Yng ngafael y môr a'r gwynt;
Dysgodd fy nghalon dan ddwrn y cerydd
   Fod lle i bob tywyll hynt.
Mae'r wybren glaf yn araf sirioli,
   A'r machlud yn oedi'n hir—
A'm calon innau yn dechrau holi:
   "Ai gau fy mreuddwyd, ai gwir?"

Yr Hospital Britanico, lle bu S.B. am naw mis ar ôl ei ddamwain ar y llong.

Dôi llythyrau i'r Cilie o borthladdoedd fel Las Palmas, Pernambuco, Rio de Janeiro, a Bona Seirus (Buenos Aires). Cyrhaeddodd y *Tripoli* Montevideo (Uruguay) ar 10 Mai ac ymlaen i Buenos Aires lle bu'n dadlwytho a llwytho hyd 27 Mehefin. Ar 26 Mehefin digwyddodd y ddamwain erchyll pan ddisgynnodd Simon i howld y llong a thorri ei ddwy goes a chael dolur i'w ben. Trosglwyddwyd ef i'r 'Hospital Britanico de Buenos Aires' gyda'i eiddo a'r £3-7s-6d a oedd yn ddyledus iddo. Hwyliodd y *Tripoli* ymlaen i Santos, Rio de Janeiro, New Orleans a Galveston yn Texas.

Tra gorweddai yn nistawrwydd y caethiwed hwn clywodd, gyda grym newydd, lais yn ei alw i gyhoeddi neges y Groes, a daeth yn 'Cape Horner ysbrydol'. Meddai, yn ôl cof ei nai, y Parchedig F. M.

Jones: 'Gyda drws fy ystafell ynghau ni welwn ddim, gyda'r drws led y pen ar agor ni welwn ddim, ond gyda'r drws yn gil-agored gwelwn glos y Cilie, y 'sgubor, yr ieir, y domen a'r whilber, y ceffylau a'r Bois yn gwneud eu gorchwylion beunyddiol'. Yma y plannwyd hedyn y bryddest 'Rownd yr Horn' siwr o fod. Yna, yn nes ymlaen, fe'i cawn yn disgrifio'r storm, ac yntau'n forwr profiadol erbyn hyn!

"Furl the royals!" ac ymhen bachigyn,
Roedd chwech ohonom fry yn y rigin
Yn dringo a chroesi fel brain ar goed
Yng nghanol gaeaf, ac yn ddi-oed
Roedd Mac a minnau ar y *Misn* praff
Yn datod a chlymu rhaff am raff.
Prysurai Fritz ar y *Main* yn chwim
(A'r dago yn edrych heb gyffro dim!),
Y Second Mêt a Pat ar y *Fore*
Rhyngom a'r nefoedd bob yn ail â'r môr.
"Leggo!" medd Mac, a dyna'r hwyl i lawr,
Minnau yn gorwedd arni yn awr,
Gan ymladd â'r cynfas uwchben yr aig,
A hwnnw'n torchi fel cynffon draig;
Cydiwn fel gele, ddwylo a thraed,
A Mac yn clymu; fe saethai gwaed
O dan fy ewinedd gan lifo'n ffrwd
Drwy rew yr iard, a chronni'n y rhwd.
Ac i gyfeiliant y storm a'i sain,
Chwibanai Mac yr *Auld Lang Syne*.

Wedi glanio yn Lerpwl a threulio noson mewn Cartref Morwyr bu bron iddo chwythu'r lle i ebargofiant wrth ymbalfalu am y matsys ar ôl troi'r nwy ymlaen. Aeth i chwilio am y cartref flynyddoedd wedyn pan aeth yn weinidog i Lerpwl ond methodd ei ganfod.

'Bu llawenydd mawr wrth dderbyn y morwr undaith yn ôl i'w gynefin, a llawer o dynnu coes a fu wrth ddannod iddo fod wedi cysgu a hepian cyn ei gwymp. Ond wedi dychwelyd, yr oedd wedi byrhau tua thair modfedd yn ei daldra ond yr oedd wrth ei fodd yn cael cyd-gyfranogi â'r cŵn yn y ffwrn a'r cawl! Bu am ysbaid ar bwys ei ffon ac wrth ei fodd yn cyd-fyw, cyd-fwyta a chyd-chwarae â ni fel yn y dyddiau gynt yn y 'pethe' i gyd, a chyd-brydyddu,' meddai Isfoel, a luniodd hefyd y cyfarchiad hwn i'w frawd:

Ieuanc y mab, yn froc môr—i Walia'n
  Dychwelyd o'r cefnfor;
 Yna drwy'i oes yn llestr Iôr,
 Yn y rheng bwrw ei angor.

Wedi i Simon gyflwyno ei bregeth gyntaf o bulpud Capel-y-Wig ar 8 Rhagfyr, 1913, safodd y cyhoeddwr-ddiacon, John Jenkins, Cnwc-gwyn, ar ei draed gan ddiolch i S.B. am ei bregeth a dymuno'n dda iddo yn y coleg a'r weinidogaeth. Trodd at Isfoel, a oedd yn eistedd i'r dde o'r côr mawr, a gofynnodd iddo,

"Beth y'ch chi, Dafydd Jones, yn 'i feddwl am bregeth gynta'ch brawd?"

"Beth wy'n feddwl?" atebodd Isfoel â'i lygaid yn llawn direidi . . . "bachan, fi na'th hi!"

Yn gynnar ym 1913 aeth S.B. i Ysgol Baratoi'r Ceinewydd, Ysgol D. C. Jones B.A. 'Bu'n cadw ysgol ym Mhenarth cyn dod i'r Cei ym 1909 a daeth â dau Sbaenwr, dau Roegwr a dau fab Dr Naunton Morgan, Senghennydd. Ef oedd y meddyg a roes ymgeledd i'r glowyr yn y pwll adeg y danchwa ofnadwy . . . Ar y dechrau cynhelid yr ysgol mewn goruwch-ystafell ger siop Davies, y fferyllydd, gyferbyn â Thraeth y Dolau. Symudodd yr ysgol wedyn lle mae Terrace Uchaf yn dod i fewn i Water Street . . . Yr oeddem tua deugain mewn rhif—yn dorf gymysg anghyffredin, yn ferched a bechgyn rhwng pedair ar ddeg a phump neu chwech ar hugain. Nod y rhan fwyaf oedd paratoi ar gyfer Welsh Matric, London Matric, Oxford Senior, arholiad i fynd i'r banc ac ati. Un o'm ffrindiau penna' oedd Simon Bartholomew Jones o'r Cilie,' meddai D. R. Davies, Beckenham, Caint, yn *Y Gambo* (rhif 30, 1985).

Yr adeilad presennol lle gynt y cynhaliwyd Tiwtorial y Cei.

Byddai Simon wrth ei fodd yn treulio oriau ar Ben y Glap yn y Ceinewydd yn edrych dros yr eigion, yn gwylio llongau mawrion a bychain ac yn siarad â'r hen 'sea-dogs', yn enwedig y 'Cape Horners', a oedd gartref am egwyl, ac yn adrodd eu profiadau hwy ac eraill:

Stôr a gaem o'u storïau gynt,—glew weilch
Cnwc y Glap a'u helynt;
'Cape Horners'—cael cip arnynt,
Hudai'r haid i wrando'r hynt.

Simon yn ei ddyddiau ysgol.

Cadair Eisteddfod Myfyrwyr Bangor, 1920.

Aeth i Goleg Bala-Bangor ym 1915 ond yr oedd rhyfel yn y tir, a chan na chymerai gledd i ladd ei frawd, cafodd fynd yn llafurwr, i aru'r ddaear ac i gymhennu coed. Bwriodd gyfnod yn gweithio i'r YMCA yn Sandwich a Deal yn Swydd Caint. Wedi dychwelyd i'r Coleg, enillodd Gadair Eisteddfod y Myfyrwyr ym 1920 gyda'i awdl, 'Trannoeth y Drin'. Dyma sylwadau S.B. am ddylanwad athrawon y coleg yn ei ysgrif 'Tua'r Gogledd':

> Cefais y fraint fawr o fod dan gyfarwyddyd meistr yr iaith, Syr John Morris-Jones, am dair blynedd. Gwrandawaf arno eto, ar draws deng mlynedd ar hugain, yn moldio'r rhain ar ei wefusau cain:
>
> Eryr gwyllt ar war gelltydd
> Nid ymgêl pan ddêl ei ddydd,
> A'r pysg a fo 'mysg y môr
> A ddwg angau'n ddigyngor.
>
> Yna'r 'i', yn feinach nag y medr un deheuwr ei hynganu:
>
> Henffych well, Fôn, dirion dir,
> Hyfrydwch pob rhyw frodir.
>
> . . . pe gofynnid i mi am y tulathau a gynnal fy adeilad fel Cymru-garwr, atebwn mai Syr John a'r cywyddau yw un, a Syr Ifor a'r Mabinogion y llall . . . Y Dr Hudson-Williams yn cynnal fy rhyfeddod wrth fwrw ataf bum neu chwe gair Saesneg am bob gair Groeg yn Amddiffyniad Socrates. Y Dr Witton Davies, yn peri imi feddwl fy mod yn ysgolor Hebraeg gorffenedig tua'r ail wythnos yn ei ddosbarth. Yr Athro James Gibson yn agor plygion cyfundrefnau'r athronwyr mor hawdd â digroeni oraens (a gwasgu'r sudd ohonynt hefyd); ac er mai deheuwyr oedd Thomas Rees a John Morgan Jones, byddant byth i mi yn rhan o gadwyn mynyddoedd Eryri.

Mwynhaodd fywyd coleg ac roedd yn boblogaidd iawn ymhlith ei gyd-fyfyrwyr, yn enwedig oherwydd ei allu i gyfansoddi sgript, pennill neu englyn ar fyr rybudd. Dyma ddau englyn o'i gyfnod yn y coleg:

SILI WEN

Hen deml oed! Aml i Eden—a welwyd
Yng ngolau y lloerwen;
Lluoedd o ddeuoedd llawen
A roes lw ar Sili Wen!

MENAI

O! lefn, ŵyl afon heli,—ir ei thôn
Ar ei thaith tan dderi;
Pan ddaw'r nos dawel trosti
Erys y lloer is ei lli.

S.B. ar gwrt y Cilie
ar ôl iddo raddio.

Graddiodd yn y coleg ym Mangor ond roedd wedi diflasu ar waith academaidd ac ni chafodd radd gystal ag y disgwylid. Er hynny, dychwelodd eto gan feddwl ychwanegu'r B.D., ond daeth galwad o Great Mersey Street, Lerpwl, ym 1923. Ymhen ychydig roedd wedi dewis gwraig, Miss Annie Jones, merch ysgolfeistr Glynarthen. Priodwyd y ddau ar 15 Awst, 1923.

Capel hardd oedd Great Mersey Street oddi mewn, a daliai oddeutu pum cant neu ragor pan fyddai'r llawr a'r oriel yn llawn yn ystod cyfarfod pregethu. Dyn ifanc o'r wlad oedd S.B. ac nid ymgartrefodd yn y ddinas er mor gyfarwydd â'r môr ydoedd:

Lle unig yw'r gell heno,—oered yw
Er i dân ei thwymo;
O ferw'r dref ni fu ar dro
Im gymar i ymgomio.

Dywedodd Pedrog rywbeth fel hyn pan ymadawodd S.B. â Lerpwl: 'Ni ŵyr neb ond fo'i hun paham y mae'n symud oddi yma'.

Priodas Simon ac Annie. Mae teulu'r Cilie ar y chwith.

Eglwys yr Annibynwyr, Great Mersey St., Lerpwl.

Ymwelodd y Capten Jac Alun â Chapel Great Mersey Street tua diwedd Ebrill 1925 a cherddodd bentigili i fyny o'r Sandon Dock yn Lerpwl i glywed ei ewythr yn pregethu. Cofiai S.B. am yr ymweliad: 'Gwelais lencyn swil yn camu'n betrusgar i'r cyntedd a het gantel troi i lawr am ei ben . . . a chyn hir dyma ysgwyddau a phen fel lleuad fedi yn codi o'r grisiau i'r llofft'. Meddai Jac Alun: 'Roedd S.B. fel brân fach yng nghanol y crandrwydd a'r diaconiaid yn eu du parchus yn edrych i mi fel bodau aruchel a chyfoethog'.

Cofnodir atgofion amdano gan aelodau o'r Gymdeithas Gymraeg yn Lerpwl: 'Roedd fy rhieni yn aelodau selog iawn ac yn meddwl y byd o S.B, meddai N. A. Williams, Crosby, Lerpwl. 'Roedd fy nhad yn ddiacon ac yn un o'r swyddogion a aeth i Garno i siarad yng nghyfarfod sefydlu S.B. pan symudodd o Lerpwl. Myfi oedd yr eneth gyntaf i S.B. ei bedyddio ym 1923'.

'Roedd yn mynd yn aml i'r Pier Head i edrych ar y llongau ac i gasglu syniadau a breuddwydio, a'r cyfan yn ddefnyddiol pan ddaeth testun 'Rownd yr Horn'. Meddai ar lais soniarus iawn, ac roedd ei gyflwyniad o 'Bugail Aberdyfi' yn chwedl ar lannau Merswy . . . Roedd yn actor dawnus ac yn 'farnwr' llwyddiannus mewn prawf ffug yn y Gymdeithas Lenyddol,' meddai'r Parchedig Erastus Jones, Tŷ Toronto, Porthmadog.

Yn ôl *Y Gadwyn*, misolyn Annibynwyr Glannau Merswy: 'Yn ystod rhyfel 1939-45 chwalwyd nifer o gapeli a berthynai i bob enwad yn y cylch. Un ohonynt oedd capel yr Annibynwyr yn Great Mersey Street. Chwalwyd ef yn llwyr mewn cyrch awyr. Ond yr hyn oedd yn wyrthiol oedd i'r organ bib osgoi'r cyrch yn ddianaf a hefyd y Beibl Mawr oedd ar y pulpud. Symudwyd yr organ i gapel Merton Road a oedd hefyd wedi ei niweidio a daeth y Beibl yno hefyd, yna o Merton Road i Hawthorne Road pan agorwyd y capel newydd. Ein bwriad ydyw anfon y Beibl Mawr i'r Llyfrgell Genedlaethol yn Aberystwyth. Mae stori dihangfa y Llyfr Mawr yn wyrthiol. Daeth hwn yn llythrennol drwy y tân ond heb ei ddifa. Balch oeddym hefyd o ddeall fod yr organ drydan hardd a oedd yn Salem wedi ei symud i gapel y Bedyddwyr yn Seven Sisters ger Castell-nedd'.

Trech nag atyniad y ddinas fu galwad y wlad, ac yn Hydref 1925, symudodd ei babell i 'Wlad y bryniau mân'—i Faldwyn. Ardal Seisnig gan fwyaf, er bod Ceiriog yn gorwedd gerllaw, oedd Seion Llanwnog, a mynych y cyfeiriai at y 'Dear Christian Friends' yno, ac yntau heb bregethu yn Saesneg yn Lerpwl am dair blynedd. . . 'Dyma'r olwg gyntaf i mi gael blas llawn ar fywyd canol gwlad, a bywyd ardderchog ydyw,' oedd ei sylwadau.

Yn ystod y weinidogaeth ar gapel Creigfryn yng Ngharno aeth S.B. ati i sefydlu 'penny readings' ac eisteddfodau, cynyrchiadau o ddramâu a pherfformio'r cantata *Joseff*, ac yn wir ef oedd yr unawdydd mewn un perfformiad o'r *Messiah* (Handel) pan aeth yr unawdydd gwreiddiol yn sâl.

Ni allodd Lerpwl ei gadw yn hir, na mwynder Maldwyn chwaith, ond buont yn gyfle iddo fagu adenydd. Yn ôl Berllanydd: 'Yn ystod ei weinidogaeth yng Ngharno a Llanwnog aeth S.B. yn 'eilun yr uchelwyliau'. Naturiol oedd dotio at ddisgleirdeb ei ddoniau a ffresni ei driniaeth o'r Ysgrythur. Holltai'r floedd bersain y llen, a throes bulpud y Creigfryn yn Fynydd Duw'. Erbyn cyrraedd Peniel a Bwlchycorn, yn Sir Gaerfyrddin, ym 1932, yr oedd megis yn ei lawn dwf. Sefydlwyd y Parchedig S.B. Jones yn weinidog ar Beniel a Bwlchycorn ar 27-29 Chwefror, 1932. Ni ellir mesur llwyddiant y blynyddoedd

Capel Annibynwyr y Creigfryn.

Seion, Llanwnog, ger Carno: un o gapeli S.B.

1932-1962: 'Yn ei bulpud ffrwynai bob dawn a gollyngai bob brawddeg yn rhydd megis gwennol ar adain osgeiddig. Gallai godi i'r uchelion a saethu wedyn o'r entrychion i ysgymo wyneb y dŵr,' meddai E. Lewis Evans, ei gyd-olygydd ar *Y Genhinen*.

Pan bregethai Simon am Grist y cosmos cyfan, fe'i pregethai mewn ymgom â Sacheus yn Jerico, ac â Seimon Pedr ar lan Môr Tiberias, ac yr oedd y 'publican a'r disgybl a'r Arglwydd ei Hun yn cyfrif'. Roedd S.B. yn weddïwr eneiniedig a'i weddïau gystal â phregeth cyrddau mawr yn ôl Elwyn Davies, Rhiwbeina. 'Tybiaf ei fod yn pregethu'n well ym Mheniel a Bwlchycorn nag yn unman arall. Yr oedd yn adnabod ei bobl ac yn gweld—â llygaid digon caredig—yr odrwydd a'r plygion yn eu cymeriadau. Mewn pregeth angladdol ni chlywais ef yn gwyngalchu neb nac yn dannod ffaeleddau ychwaith. Ond teimlwn yn siŵr fod y tragwyddol yn amgylchu bywyd y fro a'i thrigolion,' meddai'r Parchedig W. B. Griffiths.

Enillodd Goron Eisteddfod Genedlaethol Cymru yn Wrecsam ym 1933 ar y testun 'Rownd yr Horn'. Yn ystod seremoni'r coroni cafodd y gynulleidfa weld rhywbeth na ddigwyddodd na chynt na chwedyn—Bardd Coron Lloegr, y *Poet Laureate*, John Masefield, yn llongyfarch Bardd Coron Eisteddfod Genedlaethol Cymru, y ddau yn 'Cape Horners' ysbrydol a'r ddau wedi gweu eu profiadau o'r bywyd morwrol i'w cerddi. Ar ôl y seremoni cafodd Cynan, S.B. a John Masefield seiad ddiddorol. Beirniaid y Goron oedd Gwili, Cynan a'r Athro W. J. Gruffydd. Ymgeisiodd saith ar hugain. Cyflwynwyd y Goron i Amgueddfa Werin Sain Ffagan ym 1971 gan ei weddw. Daeth y bryddest fuddugol yn enwog trwy Gymru gyfan a bu adrodd mawr ar ddarnau ohoni mewn eisteddfodau ar hyd y blynyddoedd. Mae'n llawn o brofiadau S.B. yn ystod ei gyfnod fel morwr, ac o ramant a chaledi'r bywyd morwrol.

Gofalwraig bresennol Capel y Creigfryn, Mair Eluned Williams, gyda llun o S.B. a oedd yn hongian yn y festri.

Daeth cynulleidfa gref i Gapel Peniel ar nos Fawrth wedi'r Eisteddfod dan lywyddiaeth L. D. Lewis, Bryn-glas. Cyflwynwyd iddo ffon gerfiedig o waith W. Evans, Ffosygest, ar ran aelodau'r capel. Ailgrewyd defod a seremoni'r coroni gan y Parchedig J. Dyfnallt Owen, gyda chymorth Gwallter Dyfi, a chanwyd cân y cadeirio gan Tom Williams, Dafen. Daeth llu o feirdd lleol i gyfarch S.B.

Bu S.B. yn cystadlu ar bryddest ar y testun 'Y Gorwel' yng Nghastell-nedd (1934) ar fesur Madog. Yn ôl Waldo Williams: 'Ffens pyst a gwifrau a phob dim yn fesuredig yw mesur Madog, ond clawdd cerrig yw'r mesur go iawn lle mae pob carreg wedi ei dewis am ei bod yn gweddu i'r man o ran ei maint a'i siâp'. Wedyn daeth o fewn trwch blewyn i gipio'r dorch yn Eisteddfod Caernarfon (1935) â'i awdl i'r 'Unben', pan oedd y testun yn agored. Cyhoeddodd S.B. lyfryn o'r awdl gyda J. D. Lewis a'i Feibion, Gwasg Gomer, Llandysul, yn Awst 1935. Dywed yr awdur yn y broliant: 'Bu'r Awdl hon yng nghystadleuaeth y Gadair yn Eisteddfod Genedlaethol Caernarfon, a rhestrwyd hi yn y dosbarth cyntaf gan y tri beirniad: Gwili, yr Athro T. Gwynn Jones a'r Athro J. Lloyd Jones. Byr-a-thoddaid wedi ei ganu'n ddi-odl yw'r mesur—y toddeidiau yn nechrau a diwedd y pennill, a'r cwpledau yn y canol, yn llunio chwe churiad. Cyhoeddir yr Awdl oherwydd amlygrwydd presennol y math hwn o ddyn'. Ond torchodd ei lewys at sialens y flwyddyn olynol a gwelwyd mai ef oedd *Llanina* a'r buddugol yng nghystadleuaeth y Gadair yn Abergwaun. 'Tyddewi' oedd y testun a bu yno rhwng yr adfeilion yn clywed:

Melys, soniarus eiriau—yr heniaith
  Ar win y gwefusau,
 A leinw'r Glyn, a rhugl enwau
 Ir y Gymraeg, a'u mawrhau.

Cadair Eisteddfod Genedlaethol Abergwaun, 1936.

Eisteddfod Genedlaethol Wrecsam, 1933: S.B. gyda John Masefield.

Coron Eisteddfod Genedlaethol Wrecsam, 1933.

Dyma ran o feirniadaeth Tom Parry ar yr awdl yn *Y Faner*:

> Wrth ddisgrifio adeiladau'r eglwys a'r addoli ceir dechrau gwych ryfeddol; dyma Dafydd Nanmor yr ugeinfed ganrif yn canu:
>
> Myneich yn cario meini—o'r moroedd
> I'r muriau a chodi
> Nodded i'w cysegr gweddi
> A chuddfan Llan ger y lli.
>
> . . . Llawn ymatal mawreddog yw araith Dewi hefyd ac mae englyn fel hwn yn llinach Wiliam Llŷn a Robert ap Gwilym Ddu:
>
> Eithr amser ei hun a erys—yn hwy
> Na'r holl ferw ymgiprys;
> Ei law dawel a dywys
> I'r glyn heb resyn na brys.
>
> A dyma bedair llinell orchestol o ran crynoder a gwrthgyferbyniad:
>
> Rhoes pob canrif i'm prifiant
> Awydd a sêl crefydd sant;
> A minnau oedd rym anwel
> Ym mhrifiant y sant a'i sêl.
>
> Cytunir, mi gredaf, fod hon yn awdl ragorol iawn.

Rhodd Cymry Uganda oedd y Gadair, a'r beirniaid oedd yr Athro J. Lloyd Jones, G. J. Williams a Gwenallt.

Dathlu llwyddiant S.B. ar ôl iddo ennill Cadair Eisteddfod Genedlaethol Abergwaun.

Gweinidog a Diaconiaid Bwlchycorn, 1937.

Yn ystod ei gyfnod ym Mheniel a Bwlchycorn bu ei gyfraniad i ddiwylliant yr ardal a Chymru yn fawr iawn fel lluniwr barddoniaeth gystadleuol, lluniwr cyfarchion i gyfeillion a cheraint a chymdogion, lluniwr darnau cydadrodd i blant, cyfansoddwr emynau i'r ysgol leol ar gais Ernest Evans (yr ysgolfeistr) a chynhyrchydd drama. Bu cwmni Peniel yn llwyddiannus yng nghystadleuaeth ddrama'r Eisteddfod Genedlaethol, a byddai'r cwmni hefyd yn crwydro cefn-gwlad i berfformio mewn neuaddau pentref. Lluniai ddarnau adrodd digri, yn enwedig ar gyfer D. J. Lloyd, a oedd yn ddiacon ym Mwlchycorn. Lluniodd S.B. bregeth un Sul ar 'Gariad', ac wrth sôn am gariad mab a merch, edrychodd i lawr ar D. J. Lloyd, a oedd yn hen lanc ac yn ddiacon, ymestynnodd dros ochr ei bulpud a dweud, "D'ych chi'n gw'bod dim byd amdani!" Ateb D. J. Lloyd wedi'r oedfa wrth un o'i ffrindiau oedd, "Roeddwn i'n gw'bod mwy na wêdd e'n feddwl!" Un o'r darnau mwyaf poblogaidd i'r adroddwr a'r gwrandawr oedd 'Colli'r Cwrcyn'. Cofir am D. J. Lloyd yn adrodd y darn hwn yn y Babell Lên yn Eisteddfod Genedlaethol Aberteifi ym 1976:

Un du wêdd e, du fel y blac,
Ac yn dod miwn bob amser trwy ddrws y bac.
Wêdd e'n gwmni mowr i ni ac i'r cathe,
A byse raid mynd ymhell cyn gweld 'i fath e.
Dou lygad melyn, pan o'n nhw ar agor,
Fel blode manal wrth dalcen y sgubor.
Blew slic fel melfed ar hyd 'i gefen,
A byse'i dra'd e i gyd mewn trefen . . .
A wêdd hi'n werth i chi glŵed e'n canu grwndi
Ambell nos Sul ar y sgiw gyda Mari . . .

Mae'n ddirgelwch mowr i ni 'co i gyd
Pam 'r a'th e o 'co,—o gistal byd;
Neb yn gas iddo, a digon o ligod
I blesio unrhyw gwrci, a 'mbach o faldod . . .
Ond gofid yw, lle ma' fe heno
A ninne i gyd yn disgwyl amdano. . .
Os daw e'n ôl, fe geith groeso brenin—
Fish a chwstard a bara menyn; . . .
A'r ffordd rydw i yn cysuro'r cathe
Yw gweud daw e'n ôl—am yr un rheswm ag 'r a'th e!

S.B. a'i wraig Annie, ar y chwith, gyda ffrindiau, ar wyliau.

A cheir enghraifft arall o'i hiwmor yn yr englynion i'r ffliw:

Yn sâl a thrwsial a throsi—a gwael
Yn y gwely'n soddi;
Nid yw'r bîr *elderberry*
Na bwyd mam ddim byd i mi.

Bwyta nac yfed o botel—ni chaf
Nes i'r chwys ymadel;
Rhowch de i mi, un ddracht, a mêl
Yn fy mhoenau ym Mheniel.

Bu hefyd yn athro dosbarth trafod WEA dan nawdd efrydiau allanol. 'Roedd S.B. fel brenin rhadlon ymhlith ei bobl ei hun. Yr oedd e yn ei afiaith y noswaith hynod honno—y plant yn ei anwesu, yr ieuenctid yn ei addoli, yr hynafgwyr yn ei lwyr gefnogi, y cwmni drama yn gyfan gwbl tan ddisgyblaeth ei ddychymyg, ac yntau'r gweinidog yn ymfalchïo yn y cyfle hwn i ddangos i fardd o'r gogledd ddoniau ei braidd mewn canu ac adrodd ac actio. Ac rown innau ar ben fy nigon yn y fath gymdeithas,' meddai Cynan ar ôl mynychu un o'i ddosbarthiadau.

Bu'n feirniad cenedlaethol a lleol. Roedd yn un o'r beirniaid pan ataliwyd y Gadair yn Eisteddfod Genedlaethol Caerdydd ym 1960, gyda Gwenallt a Meuryn hefyd yn beirniadu. Lluniodd Isfoel y llinell ganlynol ar draws llun a oedd ganddo o'r tri uchod, 'Dau gorryn a Meuryn Mawr'. Un o sylwadau bachog S.B. am yr awdl orau oedd: 'Mi glywais i yr awdl hon mewn pregeth, ac yr oedd y bregeth yn well na'r awdl'.

Ar wyliau yng Ngwlad Canaan. S.B. yw'r trydydd o'r chwith, ac Annie, ei wraig, yw'r ail o'r dde.

Golygodd S.B., ynghyd â'i gyfaill Dr E. Lewis Evans, Pontarddulais, ddwy gyfrol werthfawr o bregethau, gweddïau a barddoniaeth, *Ffordd Tangnefedd* a *Sylfeini Heddwch*. Yn ôl E. Lewis Evans, gollyngwyd y ddwy gyfrol hyn i ganol gorffwylledd y Rhyfel ac yr oedd ei wroldeb yn heintus. Ni faliai ddim petai eu cyhoeddi'n golygu tymor ym Mhlasau'r Brenin. Trwy drugaredd ni chafodd ei erlid gan y gwaetgwn.

Bu'n olygydd teyrngar ac ymroddgar i'r *Genhinen* o'i chychwyn, ac meddai Meuryn ei gyd-olygydd: 'Cefais ef yn ŵr cywir iawn, ffyddlon i'w air bob amser, ac yn gymeriad cryf, nad ofnai fynegi ei farn yn groyw pan fyddai galw am hynny. Yr oeddem yn un a chytûn, galon wrth galon, ynglŷn â phopeth yn ein cywaith. Ni fu hanner gair erioed o anghytuno ar ddim oll yn ystod tymor go faith ein cyd-olygu. Yr oedd popeth yn serchog'.

Yr oedd S.B. wedi etifeddu ffraethineb a hiwmor y 'tyl', er bod ei gyflwyniad efallai yn dawelach ac yn fwy treiddgar:

A thonna iach ffraethineb
O'i fwyn air heb frifo neb.

Dyma enghreifftiau o'i hiwmor:

Unwaith rhuthrodd ei wraig i mewn i'w stydi â'i gwynt yn ei dwrn . . . "Glywsoch chi am y fenyw 'na sy'n byw yn y tŷ pella'? Mae moto-beic wedi ei bwrw i lawr a mynd dros ei phen ond mae'n olreit." Tynnodd S.B. ar ei getyn gan edrych i fyny i'r nenfwd ac meddai'n bwyllog (gan wybod mai cloncen go enwog oedd y ddynes): "'Na drueni na fuase wedi mynd dros ei thafod hi hefyd!"

Ac yna un flwyddyn, yn un o'i gapeli roedd taliadau a chyfraniadau tuag at y weinidogaeth yn araf yn dod i mewn ar ddiwedd y flwyddyn i ddwylo'r trysorydd. Trosglwyddwyd pryder y trysorydd i'r gweinidog ac meddai S.B., "Gadewch i'r hen dap ddripian am damed bach 'to." Yn aml pan fyddai'r gweinidog newydd yn symud i mewn i'r Mans, gwerid llawer o arian i adnewyddu'r lle. Roedd rhai o'r aelodau yn pryderu y byddai S.B. yn symud yn fuan ar ôl gwario yr holl arian. "Gobeithio y byddwch yn aros gyda ni am dipyn nawr wedi i ni wario yr holl arian ar y Mans," meddai un ddynes wrtho. A'r ateb a gafodd: "Rwy'n gw'bod beth wna' i. Pan symuda' i rywbryd mi adawa' i'r tŷ ar ôl i chi!"

Unwaith cyfeiriodd rhywun at waith ei frawd Tom, sef tafarnwr y Pentre Arms, Llangrannog. "Sut y'ch chi, Seimon Jones, yn cyfiawnhau eich bod chi yn weinidog yr Efengyl a'ch brawd yn cadw tafarn yn Llangrannog?" "Wel," meddai S.B. "tra fydd yna dafarndai yng Nghymru, 'run man i chi ga'l y bobol ore i edrych ar 'u hôl nhw!"

Cadwodd Berllanydd ar gof fod S.B. wedi galw yn ei gartref, Llysteg, a chwyno am frefiadau aflafar asynnod gerllaw a oedd yn aflonyddu ar hedd oedfaon y Sul (mewn englyn wrth gwrs):

Pregethwn yn sŵn asynnod—a'u bloedd
Blwng yn creu byddardod;
Ai efengyl i fulod—
Ai Sul i ful oedd i fod?

Fe'i disgrifiodd ei hun mewn un Eisteddfod Genedlaethol wedi cilio i'r Babell Lên pan oedd honno'n wag i gael egwyl o orffwys. Ar ôl eistedd yn un o'r seti cefn sylwodd fod gŵr arall yn un o'r seti blaen. "Ydych chi'n fardd?" gofynnodd y dieithryn. "Na, go brin," ebe S.B. yn wylaidd, "ydych chi?" "Ydw, debyg iawn," oedd yr ateb. "Beth sydd gennych ar y gweill?" gofynnodd S.B. "Rwy'n llunio englyn i gystadleuaeth yr englyn byrfyfyr." "Felly, a sut mae e'n dod?" Ac yna'r ateb syfrdanol gan y dieithryn, "Rhagorol, mae gen i naw llinell yn barod."

Galwai S.B. yn aml gyda'i frawd Fred ym Maesmor, Talybont. Mae Nest Humphreys (merch Fred) yn cofio am S.B. yn adrodd hanes y digwyddiad rhyfedd canlynol. Wrth deithio yn eu modur rhoddodd S.B. a'i wraig Annie wahoddiad i ffawd-heglwr i gyd-deithio â hwy i Aberystwyth. Ar y ffordd, gorfodwyd i'r car stopio pan sylwodd heddgeidwad nad oedd un o'r goleuadau coch yn gweithio. Cymerodd y gwas fanylion yn ei lyfryn poced ac aeth S.B. ymlaen â'i ddau deithiwr. Roedd yn ofidus iawn ar y ffordd y byddai dirwy ac efallai ymddangosiad mewn llys yn dilyn. Ond wedi gollwng y gŵr ifanc i lawr, meddai hwnnw drwy ffenestr y modur: "'Sdim ishe i chi fecso. 'Ddaw dim o'r mater hwn!" A chyda hynny o eiriau, trosglwyddodd lyfryn poced yr heddgeidwad i S.B., a diflannodd mor sydyn ag y daeth!

Wrth goffáu cyd-olygydd, dywedodd y Parchedig E. Lewis Evans amdano:

S.B. ar ei wyliau mewn beret a ''sgidiau dwyn 'fale', chwedl Isfoel.

> Ni ellir edrych ar ei ddawn heb weld un o aelwydydd mwyaf anghyffredin Cymru o'r tu cefn iddi. Ond heblaw bod yno noddfa a magwrfa i'r hen ddiwylliant Cymreig a Chymraeg, yr oedd i'r hen gartref hwnnw enw am ei groeso. Byddai'r hyn a ddywedwyd am frenhindy arall yn ddisgrifiad cywir ohono:
>
> Anfynych iawn fu yno
> Weled na chlicied na chlo.
> (Iolo Goch, Sycharth)
>
> Yr oedd ei chwaeth lenyddol yn gwbl ddiogel. Gallai flasu syniadau, a dywedyd ar unwaith os caffai gam-flas. Dengys ei bennod ar Thomas Rees 'Y Golygydd', yn y Cofiant hwnnw, neu ei ddetholion, 'Rhai Ysguboriau' y Parchedig Tom Davies (1953), nad âi byth ar goll wrth ddewis. Uwchlaw pob dim, ni all neb fesur y gwaith a fwriodd i'r 'Genhinen', rifyn ar ôl rhifyn er ei chychwyn ym 1950. Diau ein bod yn byw yn rhy agos iddo i sylweddoli uchder a dyfnder ei ddoniau, na hyd a lled ei bersonoliaeth, oherwydd y mae'n rhaid i amser ein pellhau oddi wrtho cyn bo modd gwneuthur hynny. . .

Yn y rhagymadrodd i un o'i lyfrau, *The True Voice of Feeling*, mae Herbert Read yn cyfeirio'n fyr at yr Eisteddfod Genedlaethol ac yn ei chymryd fel enghraifft o'r modd y difethir barddoniaeth trwy ofyn am 'ymarferiadau' ar destunau penodedig. Ni ellir cael dim gwell i'w wrthbrofi nag ymwneud Simon B. Jones â'r Eisteddfod fel bardd. Meddai Waldo Williams: 'Yr oedd yn rhaid cael 'Rownd yr Horn' yn destun cyn y canodd ef ddarn o'i brofiad a oedd, y mae'n debyg, yn bur bwysig ganddo. Ni allai ond un bardd ei ganu yn ddigymell ac yn ddiymdrech, oblegid y tu ôl i'r mannau mwyaf cynhyrfus y mae pob llinell yn dweud yn dawel—'yr oeddwn i yno'—mae ei fydrau amrywiol yn ei wasanaethu'n rhwydd . . . Gwelir yn ei gerddi i'r misoedd . . . ei ymhyfrydiad yn y wlad ac yn ei grefft fel amaethwr, a mynych ddeheurwydd sydd weithiau'n ffansi brydferth, ac weithiau'n ddychymyg dwfn a gafaelgar. Po agosaf y daw at y ffynhonnell, a'i brofiadau personol, sicraf yw ei ddawn'.

S.B. ar Ynys Enlli.

Ceir pump o emynau S.B. yn *Y Caniedydd*: rhifau 67, 433, 505, 763 ac 878. Er mai emyn 433 sy'n cyhoeddi athrawiaeth y diwedd—eschatoleg—mae wedi ei gyfansoddi mewn ffordd rymus a gafaelgar, ac mae'r delweddau, mi gredwn, yn lleol iawn. Dyma un o'n hemynau cyfoethocaf sy'n cynnwys mwy o ansoddeiriau lluosog nag un emyn Cymraeg arall, mae'n debyg. Mae hyn yn ychwanegu at urddas ei saernïaeth. Cofnodir stori ddiddorol am gyfansoddi'r emyn hwnnw. Dychwelai S.B. o ysbyty Aberystwyth yn ei fodur a yrrid gan D. J. Lloyd, y cyfeiriwyd ato'n barod. Roeddynt wedi ymweld â Fred Jones a oedd ar ei wely angau. Ym mlynyddoedd diweddar S.B., pan oedd ei lygaid yn pylu, gyrrai D. J. Lloyd ef yn aml ar ei deithiau. Trwy'r daith bu Seimon yn dawedog y tu hwnt, yn swp meddylgar, a Lloyd yn ei holi bob hyn a hyn a oedd yn teimlo'n iawn. "Cer di 'mla'n; gei di w'bod pan gyrhaeddwn ni ben y daith," oedd ei ateb. Fel yr addawodd, datgelwyd y rheswm am ei dawedogrwydd, a llifodd emyn 'mawr' S.B. o'i enau:

> Llifa ataf, fôr tragywydd,
> Gyr dy ddyfnder oddi draw;
> Cuddia'r ogofeydd a'r creigiau
> Sy'n fy mygwth ar bob llaw:

Sŵn dy ddyfroedd yw fy ngobaith
Pan ddymchwelont, don ar don,
Ac nid oes ond Ti a'm cyrraedd
Ar y draethell unig hon.

Gwelaf dros dy lanw nerthol
Oleuadau'r tiroedd pell,
Lle mae Duw yn troi machludoedd
Yn foreau gwynion, gwell:
Datod Di fy ofnau trymion
Sy'n fy nal â chadwyn gref,
Ac anturiaf ar dy fynwes
Hollalluog tua thref.

Dywed rhai fod ei gyfieithiad o garol Christina Rossetti yn well na'r gwreiddiol:

Ganol gaeaf noethlwm
Cwynai'r rhewynt oer,
Ffridd a ffrwd mewn cloeon
Llonydd dan y lloer.
Eira'n drwm o fryn i dref,
Eira ar dwyn a dôl,
Ganol gaeaf noethlwm
Oes bell yn ôl.

S. B. Jones, y cynhyrchydd drama, gydag aelodau o gast y cwmni buddugol yn Eisteddfod Genedlaethol Llandybïe ym 1944, pan berfformiwyd y ddrama un act, *Ffrois*, gan D. T. Davies.

Dim ond dwy flynedd fer o ymddeoliad a gafodd Simon wedi iddo roi'r gorau i'w fugeiliaeth ym Mheniel a Bwlchycorn. Ymgartrefodd gyda'i wraig ym Marffo, Glynarthen, tŷ a enwyd ar ôl maes y gad 'Marveaux', yn Ffrainc, lle lladdwyd ei frawd-yng-nghyfraith adeg y Rhyfel Byd Cyntaf. Claddwyd gweddillion Simon ym mynwent Glynarthen. Lluniwyd sawl cerdd goffa iddo gan feirdd a pherthnasau, cyfoedion a chyfeillion:

Mae ei arweiniad tadol,—ei wybod
Diball a'i ddadl gabol,
Ei dirion air di-droi'n-ôl
A'i ddistawrwydd ystyriol?
Dic Jones

Mae'r wên? Mae dawn y llenor?—a thyner
Ddoethineb ei gyngor?
Fe ddaeth gorffwys dwys—a dôr
Rhy drwm a roed ar hiwmor.

Y gŵr bonheddig, araf,—storïwr
Y straeon doniolaf;
Elor aeth cyn cilio o'r haf
 thalent i'w thŷ olaf.
T. Llew Jones

Mawredd ar gamau araf,—athrylith
Yr hwyliau iachusaf,
Gorff annwyl bedd Gorffennaf—
Dyna chwith, ei weld ni chaf.

Yn y llain ymhell heno—disymud
Yw Seimon, ond eto,
Mae'i orffwys gerllaw Marffo,
Ei annwyl fan olaf o.
Tydfor

Nwyfus ŵr yn y cof sydd,
Yn ei wyneb llawenydd:
Y mawr hoen, digymar hud,
Y cyfaill â'r jôc hefyd;
Ei gyfiawn ddig, fwynaidd wên
A'r hwyl oedd fel yr heulwen. . .
Ei ymennydd—fflam yno,
Byw a llym ei grebwyll o,
A llegach os bu'r llygaid,
Cannwyll ei bwyll yn ddi-baid;
Yn gwyro osgo'r ysgwydd—
Uniawn ei gam yn ein gŵydd.
Ŵr difyr—mae'r myfyr mawr?
Yn ddidramwy'r wedd dramawr.
Fred Williams

Marffo, Glynarthen.

Ar achlysur ymddeoliad S.B. fel gweinidog capeli Peniel a Bwlchycorn.

Meddai D. J. Davies amdano: 'Bydd Ffordd y Môr yn agored o hyd i'r neb a fyn gael cwmni'r bersonoliaeth fawr, ddewr a diofn hon. Ac o fynd gydag ef ar hyd y Feidir Sant i Dŷ Ddewi fe welir fod ei fywyd wedi cael ei feddiannu gan ddau hoffter mawr. Y mae'n caru ei genedl o ddyfnder ei awen ac Eglwys Dduw â'i holl enaid a'i holl nerth'.

Carreg fedd Simon B. Jones a'i wraig Annie ym mynwent Glynarthen.

Alun Jeremiah

(4.3.1897–1.3.1975)
(Alun Cilie: Alun 'Y cyw melyn ola')

Y Deuddegfed Plentyn

Teyrn ydlan yn trin odlau.
Fred Williams

Hyd yn oed yn y 'sgwâr adail gysegredig' yng Nghapel-y-Wig roedd yna ryw hynodrwydd yn perthyn i 'Wncwl Alun'. Eisteddai yng nghôr y Cilie, a thrwy'r oedfa, ac eithrio yn ystod y canu, cadwai ei lygaid ynghau a'i ben yn grwm yng nghwpan ei law. Tynnai ei aeliau bob hyn a hyn, ac os deuai perl o ddatganiad o enau'r 'proffwyd', codai ei ben am ennyd. O oedd, roedd yn gwrando ar bob gair, ac efallai yn barddoni ar yr un pryd.

Meddai'r Parchedig D. J. Roberts: 'Sylwais ar Alun yn agor yr emyn, ymsythu ychydig . . . yna ei osod ei hunan i sefyll hanner ar yr ale, a hanner ym mhen y sedd gyfyng. Yr oedd yn lleisiwr cryf, sicr ei glust a'i nodyn, ond ni chlywid ei lais uwchlaw'r lleisiau eraill. Nid oedd 'Ysbryd y Diwygiad' wedi gafael yn ei deimladau. Yr oedd y bardd ynddo yn ei ddisgyblu i wrando geiriau'r emyn yn synhwyrus a deallus'.

Pan ofynnwyd i'r Prifardd Dic Jones fwrw trem feirniadol dros farddoniaeth Alun, dywedodd fod ei berthynas ag Alun fel un o'r 'camp followers' yn hanes Fyrsil gynt, ac ni fyddai'n mentro bwrw llinyn mesur dros ei waith. Iddo ef, Alun, o'r deuddeg o'r plant, oedd 'disgybl annwyl' duwies yr Awen. Yr un iaith a ddefnyddiai'r brodyr a'r un ffordd oedd ganddynt i fynegi eu syniadau; ond yr oedd mwy o ddwyster telynegol yn perthyn i farddoniaeth Alun. Dyna oedd ei ragoriaeth. Canai'n gynnil bob amser bron, a gwyddai i'r dim pa bryd i ymatal. Wrth lunio'r soned isod (mesur sy'n cynnwys fel rheol bedair ar ddeg o linellau), fe ddaeth y cyfan a oedd ganddo i'w ddweud i ben ar ôl cyrraedd deuddeg llinell. Gadawodd yntau hi ar hynny. Gwyddai na fyddai ychwanegu dwy linell i orffen soned yn gwneud dim ond andwyo'r pictiwr.

Yr un yw calon hael y ddaear hen
Er pob cyfnewid ar rodfeydd ei phlant;
Tros glwyfau'r bladur tynnodd gynt ei gwên
A rhannu inni ei rhin o goffrau gant.
Chwyrnwch, beiriannau oerion, ar eich rhawd
A rhwygo'i bronnau maethlon dan eich dur;
Fe wea newydd wisg dros greithiau'i chnawd
A llunio gwlith y wawr o ddagrau'i chur.
Mae rhaid ei phlant yn cuddio'u stranciau oll,
Ceidw ei chyfamod â hwynt yn ddi-lyth;
Teganau newydd eto a ddaw'n ddi-goll—
Pryd hau a medi—hyn ni pheidia byth.

Yr oedd yn ŵr llawn hiwmor a gwreiddioldeb, yn storïwr da, ac, yn ôl ffasiwn y cyfnod, yn barod i ymestyn tipyn bach weithiau! Adroddai Alun stori amdano yn dychwelyd o eisteddfod Llandysul yn oriau mân y bore, pan alwodd mewn bwthyn yn Ffostrasol lle trigai hen gymeriad o'r enw Cynfelyn Benjamin. Yr oedd hwnnw yn eistedd ar y sgiw o flaen magïen o dân. Ac meddai Alun, "Diawch, fe boerais i'r tân, a fe ddiffoddodd!" Adroddai stori wedyn am yr amser pryd y cysgai allan yn y storws gyda'i frodyr. "Bryd hynny," meddai, "fydden ni byth yn gorfod torri ewinedd ein traed. Fe fydde'r llygod mawr yn gwneud hynny tra bydden ni'n cysgu!" Cofnod arall sydd am T. Llew, Alun a'r Capten Jac Alun yn mynd i Abertawe i ymryson yng nghar newydd Capten Dafydd Jeremiah. Nid oedd hwnnw'n enwog am gadw ei ochr, fel aml i gapten. Credai mai llong oedd ganddo ar fôr mawr. Wrth fynd o amgylch y gylchfan y tu draw i'r bont yng Nghaerfyrddin aeth yn glwriwns i mewn i ben ôl car rhyw weinidog. Cyn bo hir daeth cyd-deithiwr yn y modur hwnnw allan ac roedd yn digwydd bod yn blismon, ac roedd Alun yn ei adnabod yn dda. Wrth iddo agosáu at y car gwelwyd fod y llyfr bach a'r pensil yn ei law, Agorodd Alun y ffenestr ac meddai wrth y P.C., "Diawl, Twm, ble gest ti'r pensil mowr 'na?" Ni chlywyd rhagor am yr achos.

Roedd Alun yn enwog am ei gynganeddu cywrain. Byddai'n chwerthin wrth adrodd yr englyn isod oherwydd gorchest gynganeddol y cwpled ola'!

Y DDRAENEN WEN

Ym Mehefin chwerthinog,—yn yr haul
Ar oledd y fawnog,
Saif fel duwies flodeuog
A phersawr ffres ar ei ffrog.

Ysgol Pontgarreg, 24 Chwefror 1909. Alun yw'r trydydd o'r dde yn yr ail res o'r cefn.

Roedd ugain mlynedd o wahaniaeth rhwng Frederick Cadwaladr (yr hynaf) ac Alun Jeremiah (y cyw melyn ola') ac ef a arhosodd yn y Cilie ar ôl i'r lleill gefnu. Oherwydd hynny roedd Alun wedi profi holl ehangder y newid a fu ym mywyd y ffermwr yn ystod ei oes ef. Bu'n rhan o'r hen fedel ac o deyrnasiad urddasol y ceffyl; gwelodd ddadfeiliad y gymdeithas glòs ar ddyfodiad y beinder a'r 'Combine Harvester'. Ond er iddo weld defnyddio'r 'Combein' ar dir y Cilie breuddwydio a dyheu am hen oes a wnâi'r bardd wrth ddychmygu ei fod yn gweld yr hen Fedel yn crynhoi unwaith eto:

Dacw hwy'n dod unwaith eto
  O'r cwm ar doriad y wawr,
Ar alwad claer y corn medi
  I'r ydfaes yn fedel fawr!
A minnau'n hogyn yn gwylio'u swae
A gwrando'u hymddiddan ym mwlch y cae.

Ac yno'n ceisio dyfalu
  Pam yr oedd bysedd y crydd
Yn edrych mor ddu a cheimion
  Ar awr mor gynnar o'r dydd;
Heb gofio'i fod neithiwr wrth ei fainc yn hwyr
Yn troi y pwyntrhedyn a thrin y cŵyr.

Ac fel hyn y disgrifia'r hen bladurwyr gynt wrth eu gwaith.

Ergyd a byrgam, a thusw o rawn
Pendrwm yn llithro o'i gadair lawn.

. . . A'r haul yn fflachio ar bob gloyw lafn
Rhwng llanw toreithiog a thrai yr hafn.

Pob corff yn codi a gostwng fel bad
Rhwng tonnau melynion môr yr ystâd.

. . . Hwyl ffraeth y Pen Medi, un tusw ar ôl
Yn aros i'w dorri ar ganol y ddôl.

. . . Ac ambell dywysen syfrdan ddi-sôn
Ar byst y bwlch ac ar lwyni'r lôn.

Ond mae'r breuddwyd yn cilio, a gwêl beiriannau lle bu pobol; mae'n mynegi ei ddicter fel hyn:

Chwyrnwch, beiriannau oerion, ar eich hynt,
A rhwygo'r grynnau maethlon yn eich grym;
Ni theimlwch falchder y medelwyr gynt
Wrth ado'r maes a haul prynhawn ar drum.

Ac am na luniwyd chwi o gig a gwaed,
Ni theimlwch ludded wedi hirddydd maith;
Ni theimlwch rin y ddaear dan eich traed,
Ni ddaw gorfoledd o'ch gorchestion chwaith.

Eiddoch y maes! Ewch, mynnwch ichwi'n brae
Y cynaeafau: chwi ydyw cewri'r dydd;
Ond oedaf ennyd eto wrth adwy'r cae
I wahodd, er na ddaw na'r gwëydd na'r crydd.

Collodd Alun ei dad pan oedd bron yn bump oed a chymerodd Isfoel ofal o'r Cilie gyda'i fam. Yn ddiau, fel cyw melyn ola'r teulu, cafodd Alun fwy o sylw na'r cyffredin gan ei fam, ei chwiorydd a'i berthnasau a bu yn darged dychan a thynnu coes gan ei frodyr hŷn. Gadawodd ei frodyr a'i chwiorydd y nyth bob yn un ac un, a gwelodd Alun adeiladu'r ffermdy newydd, ac ef, gyda'i fab Dylan a chyda chymorth rhai aelodau o'r teulu a gweision a morynion, a fu'n gyfrifol am ffermio'r 'continent' yn ystod yr hanner can mlynedd diwethaf. Collodd ei wraig yn nyddiau cynnar y briodas, ond ysgwyddodd y baich â phenderfyniad a phendantrwydd, a pharhaodd yn y Cilie nes iddo symud i 'Bentalar'—byngalo yng nghanol pentre' Pontgarreg, ar 7 Chwefror, 1970.

Nid confensiwn mo'r elfen hiraethus yng nghanu Alun, oherwydd trwy ei fywyd yn y Cilie bu nid yn unig yng nghanol y chwalu teuluol naturiol ond hefyd y chwalu cymdeithasol. Yn ôl yr Athro Bedwyr Lewis Jones: 'Roedd hanfod canu beirdd y Cilie yn hwyl a sbort, yn hoffter o drin geiriau ond yn y bôn yr hyn sy'n rhoi unoliaeth i'r cyfan yw'r mawl i gynghanedd y bywyd gwledig amaethyddol fel yr oedd o ar ei orau yn rhan gyntaf y ganrif yma—ffordd o gyd-fyw lle'r oedd ffermwyr a chrefftwyr a cheffyl a chi'n gwneud eu rhan, yn creu harmoni cymdogol, Cymreig braf. Mae'r canu i gyd wedyn yn gymar cyfwerth â rhyddiaith D. J. Williams yn *Hen Dŷ Fferm*'.

Cystadleuaeth codi pwysau ar glos y Cilie, Siors a Simon yn codi, Alun a'r gwas yn rhyfeddu.

Mae'r ymwybod hiraethus â'r newid yn dod i'r golwg yn glir iawn yn y soned enwog a luniodd ar ôl i hen sipsi o'r enw Mosi Warrell fod yn y Cilie yn casglu sgrap.

SGRAP

Bu casglu relics doe o bob rhyw fan
Yn ddolur llygaid drwy'r prynhawn i mi;
Hen geriach nad oedd iddynt mwyach ran
Na lle'n hwsmonaeth ein hoes fodern ni.
Allan o'r stabl a'r cartws aeth y cwbl—
Y certi cist, y gambo fach a'r trap,
Erydr ceffylau o'r ffald, ungwys a dwbl,
Yn bendramwnwgl ar y domen sgrap.

Ond er i'r bois gael hwyl yn eu crynhoi
Wrth gwt y tractor mor ddi-ots o chwim,
Ac i minnau daro'r fargen, heb din-droi
Na hocan, am y nesaf peth i ddim—
Aeth rhywbeth mwy na sgrap drwy iet y clos
Ar lori Mosi Warrell am y rhos.

Ychwanegodd yr Athro Bedwyr Lewis Jones y sylw canlynol: 'Am fod y lle'n ymgorffori'r 'rhywbeth mwy na hwnnw' ar ei orau diwylliannol, mae i'r Cilie ei le byth mwyach ymhlith cartrefi cysegredig Cymru'. Yr hyn a oedd wedi mynd trwy iet y clos y diwrnod hwnnw, wrth gwrs, oedd hen ffordd o fyw ac o amaethu.

Un o'r erthyglau mwyaf cofiadwy a threiddgar a ysgrifennwyd am Alun yw 'Chwedl a Choel' yn rhifyn Rhagfyr 1976 o *Barn* gan Dic Jones. Ynddi mae'r awdur yn cyfaddef fod y cysylltiad rhyngddo ef a'r teulu yn bennaf o achos un gŵr—Alun y Cilie. 'Yr oedd yn ŵr a ddenai gwmni, ac a'i ceisiai. Ple bynnag yr oedd ef, fe deimlid fod y cwmni'n llawn. Rwy'n credu fod y llacio amlwg a fu yn y gyfeillach wedi ei fynd ef yn brawf gweddol sicr o wirionedd fy mhwynt. Am y tro cyntaf, bu angen ymdrech ymwybodol i drefnu cwrdd ac yn y blaen, lle gynt byddent yn digwydd ohonynt eu hunain, rywsut . . . ef oedd yr olaf o genhedlaeth gyntaf teulu'r Cilie, ac oherwydd hynny, a'r ffaith mai ef oedd y nesaf ataf o ran oedran (ac o ran anian, efallai), ac mai ag ef y bu fy ymwneud cyntaf ac amlaf ym myd llên, daeth ef i mi i fod yn ymgorfforiad o'r chwedl neu'r myth a adwaenir fel Bois y Cilie. A minnau, gobeithio, i'm cyfrif yn gyfaill ganddo yntau'.

Pan gyhoeddwyd cyfrol o farddoniaeth Alun Jeremiah ym Mai 1964, roedd yn ddigwyddiad llenyddol o bwys. Bu disgwyl hir amdani ond cafodd y bardd ei hun sioc pan ddywedodd ei gyfaill, T. Llew Jones, wrtho ei bod yn hen bryd casglu ei weithiau barddol at ei gilydd i'w cyhoeddi.

Erbyn heddiw mae cyfundrefn hysbysebu a marchnata soffistigedig ar gael i werthu llyfrau, ond pan gyhoeddwyd *Cerddi Alun Cilie* roedd yna gynlluniau unigryw ar gael i gyflwyno'r llyfr i'r cyhoedd! Byddai Alun ei hun, T. Llew Jones a'r Capten Jac Alun, yn mynd i eisteddfodau, marchnadoedd, i'r mart, i oedfa, i ocsiwn, a hyd yn oed i siopa

Picnic ar draeth Cwmtydu: Alun yng nghanol y merched glandeg.

yn y dref ac i lan y môr â llond 'bŵt' eu ceir o lyfrau Alun. Caent gymorth parod Gerallt, Derec, Jeremy, Dafydd Jeremiah a Dic Jones hefyd. Gwerthwyd dros naw cant o lyfrau yn y dull yma oherwydd roedd y werin am eu prynu a'u trysori. Roedd yr awdur, Alun, yn chwedl yn ei oes ei hun, ac roedd gwrthrychau ei ganu yn adnabyddus i'r cyhoedd. Roedd yn y gyfrol ganeuon i'r oes a fu, sonedau i'w hoff geffylau, cywyddau, marwnadau, telynegion i ryfeddodau natur, englynion i ddyfeisiadau modern, cadwyn o bymtheg i gysegr y teulu, sef Capel-y-Wig, a theyrngedau i gewri'r gymdeithas werinol.

Ond roedd y gyfrol wedi taro deuddeg mewn mannau y tu allan i'w filltir sgwâr. Dyma'r datganiad a wnaeth Bobi Jones (ar ran yr Academi Gymreig a'i gyd-feirniad, John Gwilym Jones): 'Mae'r Academi Gymreig wedi dyfarnu Gwobr Gruffydd John Williams 1964 a phum punt ar hugain i Mr Alun Jones, Cilie, Blaencelyn, Ceredigion, am ei gyfrol *Cerddi Alun Cilie* . . . Yn ein barn ni, saif gwaith Alun Cilie ar frig y traddodiad hwn. Mae graen crefft y meistr ar ei fydryddiaeth, bywiogrwydd dychymyg sy'n rhydd rhag y 'cliches' a fydd yn or-drwm ar waith cynifer o'n beirdd gwlad eraill, ac mae'n effeithiol hyddysg yng ngweithiau clasurol ein gorffennol . . . Gellid cymharu ei gywydd Coffa i Moss a'r llall i'r Pwdl â'r goreuon ymhlith Beirdd yr Uchelwyr, ac y mae ei englynion achlysurol . . . yn dywysogaidd . . . Gwelir ychydig o ddylanwad rhamantwyr dechrau'r ganrif ar beth o'i ganu rhydd, ond y mae naws traddodiadol mwy uniongred, gwrthrychol a ffraeth sy'n hŷn ac yn dwyn i ni atgof o nerth Edward Richard neu 'Anonymous' Blodeugerdd Rhydychen, ar ei ganu caeth. Un yw Alun Cilie o deulu mawr ei fri, a lwyddodd yn eu gweithiau i ymryddhau rhag sentimentaleiddiwch beirdd gwlad dechrau'r ganrif hon . . . Cyflwynasant i ni ddidwylledd eu cymdeithas, gydag agwedd at fywyd sy'n iachus, ffraethineb ysgafn a chaled eu hymennydd, a gorchestwaith cerdd dafod. Dyma lyfr o'r safon uchaf, a braint yw hi i'r Academi Gymreig wrth ddechrau gwobrwyo'n rheolaidd lyfr y flwyddyn ddewis eleni hwn fel y cyntaf'.

Er i lawryf yr Academi Gymreig ddod i'w ran, mae rhai'n amau a fyddai hynny wedi digwydd oni bai am adolygiad Saunders Lewis, 'A Member of our Older Breed', yn y *Western Mail*. Dyma rai dyfyniadau o'r erthygl honno:

> If you publish poetry to-day in any of the major languages of Europe or in any of the European-derived languages of America, you are implicitly laying claim to genius. You may be the most modest of men, but you have published a book of verse; it is an act of immense self-assertion . . . We still have poets of the romantic tradition, who will seek the mescalin experience in order to write the poetry of unique vision. Such poets, most of them under 40, are busy to-day in Welsh . . . But there still exists in Wales another breed, an older breed. These are the heirs of Taliesin, of the court poets of Llywelyn the Great, of the country house poets of the 15th century. We have a name for these poets of aristocracy today; we call them 'beirdd gwlad' . . . In the Welsh Areas of Wales, poetry has still a social function. People actually like it . . . A local poet . . . is quintessentially a member of his community, planted in it like an elm. He belongs, as Taliesin his ancestor belonged to the court of Urien. He writes and reads or recites his verses as part of the social life and entertainment of his group. He needs no marijuana. He cultivates, not his personality, not even his hair, but his craft; not an ecstasy, nor yet a guitar, but an 'englyn'! . . . Among the very good ones, among the masters, is one whose friends have recently collected his occasional verse and made a book of it and published: *Cerddi Alun Cilie* . . . Alun Jones is a master craftsman. First in language. He is simply, simply right and sure he knows his language as he knows his fields. He was brought up in it and them. His Welsh is not a glove he puts on. It is the skin of his mind . . . This 'bardd gwlad' is disarmingly unassuming. No tragic attitude: no apocalypse. Only the human note and a Greek acceptance. Some of the things in this book should find their way to any future edition of *The Oxford Book of Welsh Verse*.

'Wrth astudio lawer gwaith ei gyfrol o ganeuon, mi'i rhoddwn i ef ar yr un tir â Homer a'r mawrion,' meddai Gwenallt amdano. 'Yr oedd efe i'r beirdd hyn oll megis cysgod craig fawr yn yr anialwch,' meddai golygydd *Y Cardi* yn rhifyn Calan 1977. Llongyfarchwyd Alun ar dderbyn Gwobr yr Academi Gymreig am ei gyfrol gan Fred Williams:

Hen law, enwog englynwr,—dewinol
A dawnus gywyddwr;
Yn gâr Awen, yn grëwr—
Ei gwin a gawn gan y gŵr.

Rhoed iddo anrhydeddau,—ced amaeth,
Academig urddau;
I'n llonni ei gerddi'n gwau—
Teyrn ydlan yn trin odlau.

Mewn cyfweliad tâp ag 'Wncwl Alun' unwaith o flaen y tân ym Mhentalar, ac yntau yn ei glocs yn tynnu ar ryw fath o sigaret flêr yr olwg, a'i het wellt ar ei ben, hyd yn oed yn nyfnder hydref, cafwyd y sylwadau canlynol—'Ni ddangosodd neb i fi sut i farddoni erioed. Roedd y 'bois' yn esgus barddoni a finne yn treial eu dilyn. We' nhw'n mynd â blacled a thamaid o bapur i'r gornel a finne'n 'neud yr un peth. Ac i ddeall tamed bach o'r rheolau we' ni wedi darllen llyfr Dafydd Morganwg yn ifanc iawn'.

Alun eto yng nghanol merched bröydd Llangrannog a Chwmtydu.

Ar fy nghais, er iddo nodi'r anhawster, dewisodd wyth o'i hoff englynion unigol. Fe'u darllenodd, ac roedd clywed Alun yn darllen ei waith yn wefr arbennig. Dyma nhw.

YR HIRLWM

Adeg dysgub ysgubor,—hir gyni
A'r gwanwyn heb esgor;
Y trist wynt yn bwyta'r stôr
Hyd y dim rhwng dau dymor.

YSGUB

Tusw aur o'r tywys yw hi—a throm wyrth
Ar y maes ym Medi;
Y grawn a geir ohoni
Yw maeth ein cynhaliaeth ni.

ERW DUW

O'i chôl nid oes dychwelyd,—daear Duw,
Wedi'r daith drwy fywyd;
Ac yn nyfnder ei gweryd
Cawn dawel gornel i gyd.

CENNIN PEDR

Mawrth a'i stôr ger ein dorau,—a deiliaid
Olaf hen anheddau;
Aroglus aur firaglau
Eto'n sôn fod ha'n nesáu.

Y MELINYDD

Un â'i nefoedd mewn afon—a sŵn rhod,
Sïon yr haidd cyson;
Myn o'r llwyth, a mwynair llon
A llaw deg, dolli digon.

Y PENTAN

Caer ddu o bob tu i'r tân,—man teulu,
Rhamant aelwyd gyfan;
Oeda hedd hir a diddan
Chwedl o'i gylch a hudol gân.

YR ARADR

Lle tyr awch ei chwllwr hi—groen y tir,
Bydd grawn teg yn tonni;
A maes o aur trwm ei si
Yma adeg y medi.

Y GŴYS

O'i throi hi ces ffrwyth yr haf—a medi
Fy mwyd ddydd cynhaeaf;
O dalar fy rhawd olaf
I lawr hon yn ôl yr af.

Teulu'r Cilie yng Nghwmtydu, ar Ddydd Iau Mawr.

Roedd Capel-y-Wig yn annwyl iawn ganddo ac roedd y dirywiad cyson yn nylanwad y cysegr ar y gymdeithas yn peri gofid iddo. I ddathlu can mlynedd a hanner sefydlu'r capel, canodd Alun yr englynion isod ymhlith eraill. Roedd yn ddiacon, er y dewisai eistedd yng nghôr y teulu, ac nid yn y Côr Mawr, a bu yn arweinydd y gân ac athro cerdd am flynyddoedd.

Sgwâr adail cysegredig,—a godwyd
    Gan gedyrn deheuig
  Yn falchder coed a cherrig—
  Pa le fel Capel-y-Wig? . . .

Gloyw annedd i Dduw'r goleuni,—a grym
    Y graig ddisyfl dani;
  O'r hen oes daeth lawr i ni,
  Ei ddeiliaid, i'w addoli.

Tŷ moli'r Oen, teml yr hwyl—a'r weddi
    Ac i'w braidd yn breswyl;
  Man y gân, cymun a gŵyl—
  Er yn hen pery'n annwyl.

Pan oedd Alun yn ifanc cysgai gyda Siors a'r gweision yn llofft y storws, ac addaswyd y lle i gynnwys mân ddodrefn a silffoedd cryfion i ddal llyfrau a chylchgronau. Fel ei frodyr roedd Alun yn ddarllenwr awchus. Hoffai ddarllen barddoniaeth yn naturiol, ac un o'r cerddi a wnaeth argraff fawr arno oedd awdl 'Yr Haf' gan R. Williams Parry. Ffolodd arni a'i dysgu ar ei gof mewn amser byr ac yntau yn ifanc iawn.

Er mai Siors ac Isfoel oedd y darllenwyr mwyaf, efallai, yr oedd Alun hefyd yn hyddysg yn y 'Pethe'. Yn rhyfedd iawn, nes i gyfeillgarwch Alun a T. Llew Jones ddatblygu nid oedd Alun wedi meddwl erioed am gystadlu yn y Genedlaethol, ac i Eisteddfod Dolgellau, 1949, y gyrrodd englyn am y tro cyntaf erioed. Aeth ef a T. Llew Jones i'r Eisteddfod honno gyda'i gilydd yn 'Austin' Alun. Y tro hwnnw nid oedd 'clyts' y modur yn gweithio i berffeithrwydd a bu'n rhaid i T. Llew wthio ar sawl rhiw ac Alun y tu ôl i'r olwyn. Wedi cael digon mewn un man ar wthio'r car, protestiodd T. Llew a gofyn am ei help i wthio. Ac medde Alun—"Mae'n rhaid cael rhywun i gomando!"

Roedd Alun yn gwmnïwr wrth reddf, ac wrth ei fodd yn cyfarfod â beirdd amlwg a chyfoedion yr Awen ar faes yr Eisteddfod. Cafodd gwmni Rolant o Fôn yn union ar ôl i hwnnw ennill y Gadair â'i awdl 'Y Graig', a chael mwynhad mawr yn sgwrsio â'r bardd-gyfreithiwr. Fel bardd a oedd wedi darllen llawer o weithiau gwŷr llên blaenaf Cymru roedd ganddo awydd gweld rhai ohonynt yn y cnawd. Ac yn Eisteddfod Abergwaun ym 1936, yn ôl ei dystiolaeth ef ei hun, bu'n dilyn Dyfed drwy'r dydd o gwmpas y maes. Y bardd a enillodd yn eisteddfod Ffair y Byd yn Chicago am ei awdl 'Iesu o Nasareth' oedd Dyfed, a phan glywodd Alun ef yn dweud ei fod wedi gorfod tynnu mil o linellau allan ohoni cyn ei hanfon i'r gystadleuaeth, roedd yn llawn syndod ac edmygedd! Yng ngŵydd rhai fel Dyfed, ni chyfrifai Alun ei hunan yn ddim ond tipyn o fardd gwlad dibwys iawn. Ond ei wyleidd-dra naturiol ef oedd yn gyfrifol am hynny. Roedd yr un peth yn wir amdano yn ei fro a'i ardal hefyd. Er ei fod yn fardd o fri ac yn ffermwr cefnog, ni chyfrifai ei hun yn uwch nac yn well na'r distatlaf o'i gyfoedion. A dyna pam na fynnodd eistedd un waith yn y Côr Mawr yng Nghapel-y-Wig er iddo wasanaethu yno fel diacon gwerthfawr am flynyddoedd maith. Yn ei dyb ef byddai mynd i'r Côr Mawr yn rhoi'r argraff ei fod yn ei osod ei hun yn uwch na'i gydaddolwyr cyffredin, ac ni fynnai ef hynny o gwbl. Iddo ef yr oedd pawb o fewn y gymdeithas y maged ef ynddi yn gydradd. Wrth gwrs, yr oedd rhai'n fwy cefnog na'i gilydd, ond dyletswydd y rheini oedd helpu'r rhai llai ffodus pan fyddai'n galed arnynt. Ac un yn helpu'r llall oedd hi yn y gymdeithas amaethyddol y codwyd Alun Cilie ynddi.

Y tro cyntaf y bu i T. Llew Jones gyfarfod ag Alun Cilie roedd ef ar ei ffordd at gymydog a oedd wedi colli buwch. Roedd ganddo bum punt yn ei law ar gyfer digolledu'r ffermwr. Byddai cymdogion eraill hefyd yn dod â'u cyfraniadau ac yn y diwedd byddai'r golled wedi ei dileu a dolennau'r cyfeillgarwch cymdogol wedi eu tynhau. Bu Alun yn gymwynaswr trwy ei oes. Mewn dull diymhongar, a chyfrin yn aml, y gweithredai, heb ddisgwyl cydnabyddiaeth o unrhyw fath. Roedd teulu'r Cilie yn rhan o'r 'gymdogaeth dda' a oedd yn bod y pryd hwnnw. Cyfeiriodd Alun at y gymdogaeth dda honno yn ei soned, 'Calennig'.

Rhyw ddeuddydd cyn y Calan dros y sticil
'Rhen Bet bob blwyddyn oedd y cynta i ddod
A'n denu ninnau ati, er ein picil,
A'i llaw riwmatig, arw yn plymio i'w chod;
Gan smalio anwybodaeth byddai'n holi
Ein hynt a'n helynt ni bob un, a'n hoed,
Cyn brysio'n sionc ei cham i'r tŷ i'n moli
A'i chwdyn dan ei ffedog fel erioed.

Nid cynt y caeai'r drws na chlywid brolio
A chyfarch gwell wrth dân y gegin fach;
Er na wnâi hynny i Mam roi mwy—na tholio
Yr aing o gaws na'r fflŵr yng ngenau'r sach.
Pan giliodd Bet i beidio â galw mwy,
Fe giliodd y gymdogaeth dda o'r plwy.

Ac er mai teulu gwerinol oedd teulu'r Cilie, mae yma elfen o dalu gwrogaeth i bendefiges y Cilie gan yr hen Bet. Roedd canmol y plant a'r fam fel yna yn rhan o hen draddodiad.

Byddai Alun yn mwynhau ymweld â'r Eisteddfod Genedlaethol bob blwyddyn a châi hwyl anghyffredin wrth grwydro'r Maes a chwrdd â chymeriadau lliwgar y cyfnod, Llwyd o'r Bryn, Bob Owen, Crwys a Wil Ifan ac eraill. Byddent i gyd yn ei 'nabod ac yn falch o'i weld. Un tro cyfarfu Llew ac yntau â'r Prifardd a'r cyn-Archdderwydd Crwys ar y maes. Ac meddai Crwys mewn llais uchel a llawn brwdfrydedd, "Wel, dyma'r Llew wedi cyrraedd!" ac yna gan droi at Alun, "a'r Teiger!"

Ar achlysur arall cyfarfu Alun a T. Llew ag Ifor Rees ar gae yr Eisteddfod Genedlaethol, ac fe'i cyfarchwyd ar gae gwlyb iawn yn Y Barri, "Ifor Rees in heavy rain!" A phan glywodd Alun fod Dilwyn Miles wedi penderfynu cael ceffyl i'w farchogaeth yng ngorymdeithiau'r Orsedd, ebe fe ar amrantaid, "Dilwyn Miles yn dilyn march!"

Alun a'i wraig Elizabeth Mair.

Priodas Alun ac Elizabeth Mair, 1936. Yn y llun y mae Simon, Tom, Isfoel, Fred, Mary Hannah, Esther a Gerallt Jones.

Un Medi roedd Alun yn torri llafur ar ben beinder â Chapten ac un ceffyl arall yn tynnu. Fel y digwyddodd, wrth i nyrs yr ardal yrru heibio i'r clawdd yn ei modur, methodd newid gêr gan wneud sŵn cratshian ofnadwy. Yn sydyn bant â'r 'Capten' a'r beinder gan glindarddach ac Alun yn halio'r raens a lliw ei wyneb yn gochach na'i wallt a'i iaith yn lasach na'r nen. Wrth i'r ceffylau raso trwy'r sofl deuai darnau ohono yn rhydd gan hedfan i bob cyfeiriad. Wrth stopio'r 'runaways' daeth llais swynol y nyrs o ben clawdd trwy'r clawdd eithin, "Is everything all right?" Ni ellir cyhoeddi ateb Alun ar bapur!

Un o hoff fannau Alun oedd y tir comin ar ben odyn galch Cwmtydu; yno y bu'n chwarae pan oedd yn grwt, a than yn weddol ddiweddar cynhelid darlith flynyddol arno gan Waldo pan ddeuai llu o gyfeillion llengar at ei gilydd i seiadu a mwynhau picnic yn yr haul. Ond penderfynodd rhyw Sais ymffrostgar hawlio'r darn cysegredig a'i berchnogi. Bu'n ddigon haerllug i ddod â pheiriant torri porfa i ben yr odyn pan oedd Waldo'n darlithio! Ni allai Alun ddioddef y fath haerllugrwydd a'i ffordd effeithiol o gael gwared â'r 'misdemaners' yma oedd gosod yr eithin a oedd o amgylch yr odyn ar dân (trwy ddamwain, wrth gwrs!) Wedyn gosodwyd arwyddion 'Private' ar y ddau lwybr a arweiniai i ben yr odyn, ond diflannai'r rheiny cyn gynted ag y rhoddid nhw i fyny. Erbyn hyn, mae'r darn tir yn rhydd i bawb unwaith eto.

A'i hoff gerdd, 'Cwmtydu', ar y mesur tri-thrawiad, yw'r gerdd gyntaf yn ei gyfrol gyntaf:

Y lluoedd yn bloeddio, a'r odyn yn gwrido,
  Iach afiaith a chwifio eu croeso i'r criw,
Yr helynt a'r hawliau, rhu'r offer a'r rhaffau,
  Y chwedlau a'r dadlau di-edliw . . .

Nid oes fan dewisol im heno'n ddymunol,
  Na chwmni egnïol na rhigol ar ro,
Na nwyfiant cynefin yn nhangnef Mehefin
  Na gwerin a'i chwerthin iach wrtho.

Na disgwyl am hwyliau tros orwel y tonnau,
  Huodledd na chwedlau na golau'n y gwyll;
Diramant yw'r rhimyn, a mwrllwch yw'r morllyn,
  A phenrhyn yr odyn yn rhidyll.

A'r wylan o'r heli a'i hadain ddioedi
  Yn araf gau llenni yr hwyr am y traeth,
Af eilwaith i felys, deg hafau atgofus—
  Yr enfys a erys ar hiraeth.

Byddai Alun yn gartrefol mewn unrhyw fath o gwmni ac yn medru cynnal sgwrs ar bob pwnc dan haul. Yn wir, yn aml byddai yn hawlio sylw pawb ac os byddai 'greenhorns'

Alun yn ennill cadair Eisteddfod Pontrhydfendigaid ym 1965.

ifanc yn y llys byddai yn ymestyn ei geinciau o storïau 'tal'. Braint oedd gwrando ar Alun yn adrodd am orchestion Moss, hyd yn oed pe baech yn eu clywed am yr ugeinfed tro. Taerai Alun fod Moss, y ci defaid, yn medru cyfri yn well na'i fab Dylan. Wedi dod o hyd i ddefaid y Cilie dan luwch o eira arhosodd y ci wedi crafu 'exit' iddyn nhw nes i'r pedair dafad ar ddeg ar hugain ddod allan. Siglai ei ben i fyny ac i lawr fel petai'n cyfri. Wedyn ar y ffordd i farchnad Llandysul diflannodd deg o ddefaid Alun ar hyd rhyw lôn gul. Wedi amser maith daeth Moss yn ôl â naw dafad . . . ond roedd un ar goll. Wedi edrych i lygad y ci gorchmynnodd Alun i Moss chwilio am y ddafad golledig. Bu i ffwrdd yn hir ond fe ddaeth y ci yn ôl â'r ddafad. Ond doedd Alun . . . "ddim yn siwr hyd heddi dafad pwy oedd hi!"

Yn ôl Alun, Simon ei frawd oedd y saethwr mwyaf anghelfydd yn Sir Aberteifi, os nad yng Nghymru. Wrth hela ar ei wyliau, "byddai Seimon yn anfon Moss i godi cwningen, a'r hen gi fel Jehu ar ei hôl. Yna codai Seimon ei wn a thanio. Ond disgynnai'r plwm, yn ddieithriad," yn ôl Alun, "nid yng nghorff y gota—ond ym mhart ôl Moss". Arferai'r gainc orffen fel hyn: "Roedd Moss yn dod adre' bob amser â'i dîn yn goncrit o shots: ond fe fydde'n mynd gyda Seimon drannoeth wedyn".

Dywedwyd i Alun ddechrau llunio ei gywydd i Moss ar y noson y cyflawnwyd yr 'euthanasia' ar ei gyfaill o gi.

Mor anodd a fu boddi
Ffrind addas a gwas o gi;
A rhoi heddiw o'r diwedd
Yr hen 'Foss' druan i fedd;
Rhoi terfyn i'w rawd hirfaith
Wedi oes galed o waith.

Gwas i bawb â'i goesau byw,
Y didwyll mwy nid ydyw . . .

Ac mae'r cwpled olaf, â'i dinc o hiraeth, yn ôl T. Llew Jones yn ddigon i ddwyn deigryn i lygaid unrhyw un sy'n caru anifeiliaid:

Unig yw'r Cilie heno,
Mae'n wag heb ei gwmni o;
Wedi cael cyd-rodio cyd
Nos da, yr hen was diwyd!

Fel y gwyddys, cadwai Tom, brawd Alun, dafarn y Pentre Arms yn Llangrannog ac ar nos Sadwrn, cynhelid seiat prydyddion a beirdd yr ardaloedd, ac Alun yn y 'gadair'. Hyd yn oed ym mhrysurdeb yr haf, roedd aml i gyfarfod yn rŵm bach y dafarn. Yma byddai ef a'i gyfeillion yn barddoni, beirniadu a thrafod y 'pethe'. Dywedodd Dic Jones mai 'ennill gwerthfawrogiad y gymdeithas hon a'i bath yw'r uchaf gwobr mewn llenyddiaeth'. Dyna athroniaeth gyffelyb Caradog Prichard yn *Afal Drwg Adda*: 'Ac ni bu ynof gymhelliad cryfach wrth ysgrifennu un gerdd, nac unrhyw ddarn arall o lenyddiaeth o ran hynny, nag ennill cymeradwyaeth y rhai anwylaf ymhlith fy nghydnabod'.'

Ar achlysur cyhoeddi *Cerddi Isfoel* yn Eisteddfod Aberteifi, 1965, gyda T. Llew Jones, y Parch. D. J. Roberts, R. Bryn Williams, y Capten Jac Alun, ac eraill.

Yn ôl y diweddar Athro Bedwyr Lewis Jones: 'un peth difyr wrth ddarllen cerddi cylch y Cilie yw sylwi ar fwy nag un ohonynt yn canu i'r un testun ac achlysur—yn union fel Beirdd yr Uchelwyr. Mae cywyddau ymryson T. Llew, Dic ac Alun ynghylch pa aderyn du oedd pencerdd holl fwyalchod Cymru yn enghraifft amlwg, ac yn un o bethau disglair barddoniaeth Cymru. Mae cywyddau marwnad Isfoel, Alun a Dic yn enghraifft arall'. Dyma ddetholiad o gywyddau'r 'aderyn du':

Draw'n y gwŷdd yng nghyfddydd ha'
Geilw'r wawr â'i glir aria.
Dyry ei alaw lawen,
Geriwb yr allt, o'i gaer bren;
Teilwng o'r llwyfan talaf
Ei gerdd O, Garuso'r haf!
T. Llew Jones

Y siliwét tlws ei lais,
Afradlon ei hyfrydlais,
Cain ei sgôr, denor y dail,
A'i sol-ffa o'r silff wiail . . .
Os yw'n swil fe roi Gigli
Gwrs dwym i'th Garuso di.
Dic Jones

Ni chafodd un ferch ifanc
Hardd ei llun, yng ngherdd ei llanc
Serenâd mor gariadus
Ag alaw hwn o'i deg lys
Ar y sgêl yn cwafrio'i sgôr
I'w wejen yn E Major.
Alun Cilie

Byddai tad Dic Jones yn sôn am 'Fois y Cilie' yn yr un ysbryd ag y byddai'n sôn am yr arweinwyr corau a'r gwŷr meirch a'r cewri eraill o gymeriadau a rodiai wyneb y ddaear 'slawer dydd. Ac mae'n debyg mai mewn ocsiwn y cyfarfu tad Dic ag Alun a dweud wrtho: "Ma'r crwt co'n dachre whare gweitho penillion". Ymateb parod Alun oedd: "Bachgen! Halwch e lan 'co i ni ga'l gweld be' sy' 'dag e". Ac medde Dic, wrth edrych yn ôl dros chwarter canrif a rhagor: "A gweld be' sy' 'dag e a fu hi wedyn ar aml i nos Sul yn 'Siberia', ys galwai ef rŵm ffrynt y Cilie. A gallaf dystio â'm llaw ar fy mrest, faint bynnag a ddysgais wrth droed y Gamaliel hwn, i mi wneud hynny yn hollol ddiarwybod'.

Ai ysgogiad cymdeithas farddol a fu'n gyfrifol fod Alun yn cystadlu mwy yn y pumdegau, yn enwedig yn y Genedlaethol? Enillodd Alun gadair 'Steddfod Lewis Lerpwl ychydig ar ôl marwolaeth ei wraig, Lizzie. Y testun oedd 'Gelynion', ei ffugenw oedd *Dôl Nant,* a'r beirniaid oedd Cynan a William Morris. Yn ôl y feirniadaeth: 'Pryddest gynganeddol gan fardd dawnus sy'n hen feistr ar y gynghanedd, ac yn feistr ar gyfoeth iaith . . . Cerdd yn llawn rhin amaethu ydyw, cerdd yn datgan yn syml arwriaeth . . . yn brwydro . . . â gelynion yr amaethwr ar dir sâl'. Cyfeiriwyd at y pennill hwn:

Lle'r barrug a'r ysgall, nid lle'r brig a'r ysgub,
A fu hanes ei wndwn a'i rwn erioed;
Hen le â'i wyneb ar ŵyr tua'r Dwyrain
Anniben, â gwynt yn ubain o'i goed.

Ond llafuriodd Wil ac Elin (arwyr y gerdd) yn hir a digleddyf ar dir yr Hafod i orchfygu'r gelyn:

Yn y gwyrdd ir, gwyrthiol gorwedda'r gwartheg,
A'r eidionnau braf lle bu rhedyn a brwyn;
Ânt hwy i besgi lle gynt y bu ysgall,
Hyd ochrau y rhyd y chwery ŵyn.

A thonna'r gwenith yn nhir y gawnen,
A'i gnydiog wair wrth gennad y gwynt;
Daw haf haelionus â'i hud i felynu
A storio'r aur pan fo Awst ar ei hynt.

Yn sicr, roedd y gerdd yn adlewyrchu'i brofiadau amaethyddol ar dalcen caled y Cilie . . . 'cerdd aeddfed ac ôl llaw feistraidd ar ei chynllun a'i chynghanedd'. Yn ôl y feirniadaeth, dan deitl y gerdd gwelid y geiriau canlynol: 'Choose your enemies' (Emerson).

Bu hefyd yn llwyddiannus yn eisteddfod Rhys Thomas Pontrhydfendigaid pan enillodd y gadair ym 1965. Bu'n llwyddiannus dair gwaith yn y Genedlaethol yn y pumdegau.

Derbyniwyd Alun a'i frawd Isfoel i'r Orsedd fel aelodau anrhydeddus a chyflwynwyd Urdd y Wisg Wen iddynt, ond ni fu'r naill na'r llall yn y wisg draddodiadol wedi'r seremoni gyflwyno.

Wrth i radio a theledu ddarganfod athrylith y Cilie fe'u gwahoddid i gymryd rhan mewn rhaglenni ymhell o'u cynefin yn Abertawe a Chaerdydd. Yna penderfynodd Ifor Rees fynd â'r camerâu i'w milltir sgwâr hwy. Roedd y darllediad teledu o'r Cilie yn ystod Awst 1960 yn un arbennig iawn am ddau reswm. Dyna oedd y tro cyntaf i deledu a'i baraffernalia ddod i glos y Cilie a hefyd roedd y darllediad yn garreg filltir hanesyddol yn hanes teledu yng Nghymru. Mae'n gywir dweud mai hon oedd y rhaglen deledu Gymraeg gyntaf i'w gosod ar dâp fideo gan y BBC. Yn ôl Ifor Rees, y cynhyrchydd: "Yn Llundain yn unig roedd yr offer tâp—a chafwyd caniatâd i'w defnyddio—dim ond i ni recordio o ddeg o'r gloch y nos ymlaen! Rhaid oedd goresgyn llawer o broblemau arbennig. Nid oedd cyflenwad trydan ar fferm y Cilie ac roedd yn rhaid mynd â'n 'generators' ein hunain yno. Gofynnwyd i weithwyr y Cyngor Sir ledu'r lonydd i'r Cilie, megis torri'r perthi, er mwyn cael lle i'r faniau mawrion gyrraedd y fferm. Rhaid oedd cael 'radio links' arbennig i daflu'r llun o Cilie i Lundain. Ni chofiaf faint o'r 'radio links ' oedd gennym ond bu'n rhaid eu cael. Ond cofiaf fod y llun yn cael ei daflu i ddechrau'i linc ar Bencarreg (ger Llambed), yna i Cockett (ger Abertawe) yna i Gaerdydd ac ymlaen i Lundain".

Ar y noson, eisteddai S.B., Isfoel ac Alun ar sgiw gyda Tydfor, Gerallt, T. Llew a Dic Jones ar y bêls gwellt, ac Alun Tegryn gerllaw wrth ei delyn, a'r cwbl yn y sgubor. Oherwydd ansawdd gynnes yr hin a chryfder y llif-oleuadau, tynnwyd pryfed y greadigaeth tuag at y meicroffonau a oedd yn hongian o nenfwd y storws uwchben. Ychydig cyn i'r rhaglen ddechrau aeth un technegwr ifanc ati i chwistrellu'r gwybed â hylif cemegol gan eu bod yn amharu ar ansawdd y sain. Gyda'r dryll 'Flit' a ddaeth o rywle, llwyddodd i ffiwsio'r sistemau 'meics' i gyd! Dyna dalent wedyn! Rhegfeydd a rhedeg o gwmpas, ond wedyn rhyw lonyddwch disgwylgar a'r cynhyrchydd fel pob capten da â'i gyneddfau yn ddisgybledig ac yn hunanfeddiannol ym mhob peth a wnâi. Ymhen munudau byddai'r rhaglen yn mynd allan i Lundain. Rhuthrwyd ar hyd y lle a chafwyd hyd i 'feics eraill'. Achubiaeth, a hefyd, mewn winc, cyfle i'r criw athrylithgar lunio englyn (a ddarllenwyd ar y rhaglen):

Manwfers y bomers bach—a halodd
Yr hol lot yn ffradach;
A 'fflit' wnaeth bethau'n fflatach -
Aeth 'meic' ar streic, dyna strach!

Yn ystod y rihyrsals ar gyfer y rhaglen fyw roedd S.B. wedi gollwng y frawddeg ganlynol: "Ges i well gwobr na chi bois yn 'Steddfod Rhydlewis! Enilles i wraig yno!" Ond wedi cadw'n dawel yn ystod y prynhawn, roedd ei frawd, Isfoel, wedi cadw ei ateb ergydiol yn ôl tan y rhaglen fyw—"Doedd neb yn cystadlu, gwlei!"

Rhaglen *Cynhaeaf y Cilie*, 1960, yn y 'sgubor o flaen y camerâu. O'r chwith i'r dde: Gerallt Jones, Dic Jones, Isfoel, Alun, Simon B., Alun Tegryn, T. Llew Jones a Tydfor.

Ifor Rees, cynhyrchydd y rhaglen *Cynhaeaf y Cilie*, ar glos y Cilie.

Ymryson y Beirdd, Plas y Cilgwyn, Ffair yr Urdd: T. Llew Jones, Dic Jones, Eifion Lewis ac Alun.

Y rhaglen *Bois y Cilie*, 14 Medi, 1966, yn 'sgubor fferm yr Hendre. O'r chwith i'r dde: T. Llew Jones, Alun Tegryn, Dafydd Jones, Ffair Rhos, Dic Jones, Donald Evans, Alun, Gerallt Jones a Tydfor.

Roedd Alun yn aelod o amryw dimau answyddogol o Ymryson y Beirdd, ond efallai mai'r enwocaf oedd tîm Ceredigion, gyda T. Llew Jones, Dafydd Jones (Ffair Rhos) ac Evan Jenkins. Credir iddynt fod yn ddiguro dros gyfnod o flynyddoedd mewn gornestau radio ac yn y Babell Lên yn yr Eisteddfod Genedlaethol. Unwaith, yn un o eisteddfodau Pantyfedwen, daeth y tîm canlynol at ei gilydd—Donald Evans, Alun y Cilie, Dic Jones, y Capten Jac Alun a T. Llew Jones. Y beirniad oedd W. R. Evans, Bwlch-y-groes, ac yntau wedi anghofio'i sbectol. Cafodd fenthyg sbectol Waldo a gosododd 'Sbectol Waldo' yn destun ar gyfer yr englyn ar y pryd. Dyma'r englyn a gafwyd:

Wil annwyl! a weli heno—oes aur
Y saint trwyddi'n pefrio?
Nid yw'r byd i gyd o'i go'
O'i weld drwy sbectol Waldo.

Dros gyfnod o ryw hanner can mlynedd bu Olwen, merch Myfanwy a Gruffydd Phillips, Helygnant, yn gymorth mawr i Alun ar aelwyd ffermdy'r Cilie. Bu yno yn 'roces' ysgol iau yn helpu Mary Hannah, chwaer Alun, ond pan symudodd ei modryb i fyw i'r Ceinewydd, arhosodd yn y Cilie nes i Alun briodi. Parhaodd i helpu Lizzie, gwraig Alun, a phan fu hithau farw yn gymharol ifanc, arhosodd Olwen eto. Hyd yn oed wedi i Olwen briodi crefftwr lleol, Wyn Lloyd, parhaodd i fod yn gymorth mawr i Alun ac i Dylan (wedi i'w dad ymddeol i Bentalar) trwy ymweld â'r Cilie bron yn ddyddiol i baratoi bwyd ac i wneud gorchwylion angenrheidiol yr aelwyd.

POLYN TELEDU PENTALAR

Y mast sy'n hir ymestyn—o dŷ'r bardd
A daw'r byd i'w declyn;
Wedi eirlaw daeth darlun—
Siôr a Llew gânt siâr o'r llun!

Ym 1970 symudodd Alun i Bentalar, Heol y Beirdd, Pontgarreg, i fod yn gymydog i T. Llew a 'Magi' Jones a'u teulu a'r Capten Jac Alun. Ond ni symudai'r Capten o annibyniaeth ei angorfa yng Nghilfor er iddo godi dau dŷ yn y pentref. Er i Alun symud y bwces a'r llyfrau, y nob, ychydig ddodrefn eraill a deunaw o ieir, arhosodd ei galon yn y Cilie. Bu yno am bum mlynedd yn treulio'r rhan fwyaf o'r dydd yn ôl yn y Cilie yn helpu ac yn cynghori ei fab, Dylan. Daeth yn aelod poblogaidd o'r gymdeithas bentrefol ac roedd ei seiadau beunyddiol â Rhys Etna, Jim 'Ranialwch a'r Capten George Evans yn ddihareb ac yn rhan o chwedloniaeth y pentre, cymdeithas gwin ola'r haf.

Pan fyddai Alun yn sâl, yn rhyfedd iawn tueddai i wneud sbort am ei ben ei hunan, megis amser ei salwch yn Ysbyty Bronglais, Aberystwyth:

Hospital yw'ch lle, Alun,
Dileu raid y dolur hyn.
Gwely a hoe i'r galon,
A'r pris am raparo hon—
Mis o orwedd, dim siarad
Os y'ch chi eisiau iachâd.

Ond nid oedd y bwyd wrth ei fodd, ac meddai, â'i dafod yn ei foch:

A'r bali lot di-brotin
Wedi'i roi mewn sgwâr diwrîn
Yn denau dameidiau mân
Ar 'dray' i'r henwr druan.

Ond daeth tro ar fyd, ac aeth adre yn well:

Yn Awstin Llew o'r tristyd
A minnau'n gotiau i gyd,
Yma'n ôl—nid mewn elor,
I sawr y maes a su'r môr.

Hyd yn oed yn ei waeledd olaf, lluniodd yr englynion hanner cellweirus isod:

Yn yr annwyd yn rhynnu—yma'r wyf
A fy mrest yn canu;
O dywyll awr—gweld y llu
Angylion gylch fy ngwely.

O'r llyn ni ddaw'r lli heno,—mae'r rhaeadr
Oedd mor hoyw yn llifo
Yn y tap—wedi stopio;
Yma nawr mae'n 'dominô'.

T. Llew Jones a'i wraig Margaret yn Heol y Beirdd, Pontgarreg. Yn y cefndir gwelir Tawel Fôr (tŷ a adeiladwyd gan y Capten Jac Alun), Dolnant (cartref T. Llew Jones), Pentalar (a adeiladwyd gan Alun), Pentir (a adeiladwyd gan y Capten Jac Alun), a Phennant (a adeiladwyd gan y Capten George Evans).

Peswch a ffaelu piso,—yn 'toilet'
Pentalar yn gwingo;
Ar dân am ei wared o
Yn bistyll, a bron bosto!

Ofnaf fod awr i gefnu—wedi dod,
Y daw Duw i'm casglu
O dir y frwydr adre' fry
I'w Nef fawr cyn yfory.

Lluniodd ei linell olaf o gynghanedd pan ofynnodd T. Llew iddo a gymerai gwpanaid o de â mêl i'w felysu. Roedd wedi gwrthod popeth arall yn ei waeledd olaf. Ac wedi i'w lygaid glas chwilio am y trawiad, meddai, "Iechyd i mi fydd drachtio mêl," . . . ac mae Dic Jones wedi addasu a chynnwys y llinell yn un o'i englynion coffa:

Ŵyl Ddewi, wele ddiwedd—anwylaf
Un y teulu rhyfedd;
Ein gŵyl yw, ond beth yw gwledd
A'r hen gawr heno'n gorwedd?

Am 'y nghyfaill mae 'ngofid—a hen ffrind
Cwmni ffraeth tan gwrlid;
'Mawrth a ladd', mae wrth ei lid,
A hirlwm wedi'i erlid.

Mae fy athraw yn dawel,—y galon
Am 'rhen Gilie'n isel,
"Iechyd i mi yw drachtio mêl",
Iechyd ei grefft aruchel.

Dic Jones

YN ANGLADD ALUN
(gan gofio'i soned 'Sgrap')

Bu hebrwng arch hen gyfaill tua'r llan
Yn ddolur calon drwy'r prynhawn i mi,
Hen grefftwr nad oedd iddo mwyach ran
Na lle'n llenyddiaeth ein hoes fodern ni.
Allan o ddrorau'r cof y daeth y cwbwl—
Arabedd iach a soned, mydrau dwys,
Cynghanedd gain, telyneg, odlau dwbwl
Ac ymadroddi persain dan y gŵys;
Ac er i fois Pontcanna a'r BBC
Wneud eu gorau i dalu iddo barch,
Ni welsant hwy mo'r llun a welais i
Wrth glywed sŵn y grafel ar ei arch.
Aeth rhywbeth mwy na chorff o dan y gro
Pan gaeodd Dydd Gŵyl Ddewi'i lygaid o.

Dic Jones

PENTALAR

Dim traed ar gwr y mamplis,
Dim mwg o'r sigarét
A'i fonyn ar ei hanner
Ger blerwch gwellt yr het.

Gwag becyn ffags ar agor
Ac englyn ar ei draws,
A phwt o bensel ddira'n
Gerllaw—tai rhywun haws.

Ac nid oedd llef yn ateb
Pan waeddais ger y ddôr,
Ond adlais o'r hen fwrlwm
Fan draw dros donnau'r môr.

Gerallt Jones

ALUN Y CILIE

'Mawrth a ladd. . .', llaw'r morthwyl hen—a gwympodd
Arch-gampwr llys awen;
Arlwywyd sgubor lawen
A grawn llawn ein gwron llên.

Fo'r diweddaf o'r deuddeg—a'n swynodd
Â seiniau ei dechneg;
'Does lais trwm, rhigwm na rheg
Yn lluesty'r coll osteg. . .

Tydfor

ALUN
(MAE'R NOS YN OLAU)

Ias maeth yr hen amaethu—yn y cwm
Megis cân yn tyfu;
Yr haidd a'r hen fydryddu—
Bywyd y gelfyddyd fu.

Doe bu ffrwythlondeb awen—yn y tir,
Treigl y twf anorffen;
Oeddet Gynfardd y gardden—
Llewyrch o hil Llywarch Hen.

Had bywiol o'r farwolaeth—a gyfyd,
Hen gof o gynhaliaeth,
Su'r ysbryd ar hyd dy draeth—
Su Cwmtydu'r dreftadaeth.

Donald Evans

'Nid oes gangen bwysicach o Lenyddiaeth Gymraeg na'r cerddi portread mewn cywydd ac englyn a soned fel ag a gafwyd ym Mlodeugerdd Goffa Alun. Ac ni chanodd neb yn amlach am ei gymdogion ac er eu clod nag Alun y Cilie. Ef ei hun fu'r testun y tro hwn,' meddai'r Parchedig D. J. Roberts amdano. Ac fel hyn y galarodd T. Llew Jones ar ôl ei hen gyfaill:

O ddiwedd dawn, o ddydd du,
Rhoi Alun i'w hir wely;
Gwae rhoi i lawr i'r garw lwch,
Gawr afiaith a digrifwch,
A gwae ym Mawrth gau ym medd
Athrylith o'i hir waeledd;
Colli'r hwyl a'r cellwair iach,
Pallodd ffraethineb bellach!
O roi Alun i huno,
Doethur y grefft aeth i'r gro;
Aeth y blaenor o'r fforwm
A bydd ein Llên hebddo'n llwm;
Ys truan mwy'r Gynghanedd
O roi meistr y mydrau ym medd—
Y gŵr, o'i sawdl i'w gorun,
A fu yn ddeddf ynddo'i hun!

O gloi'n y Wig ei lon wedd
O fewn ei olaf annedd,
Hiraeth a wna ei gweryd
Yn ddaear hoff, a'i gro'n ddrud.

Yn llon daw arall wanwyn
I roi cynnes des ar dwyn,
A rhoi'i wisg werdd i'r ysgaw
A'i liwiau drud i'r Foel draw;
Daw'r ŵyn i fawndir honno
A'u newydd ddawns . . . *ni ddaw o.*

Ym Mai daw'r ceiliog mwyalch
I danio'r gwŷdd, bibydd balch,
A'i gerdd lawen i'r fenyw—
O nos y glyn ef nis clyw;
Ac i'r 'Graig' daw'r grug a'i wrid,
Ni ddaw ef. *Hyn sydd ofid*!

'Pe bai raid dewis rhwng y cywydd neu'r delyneg rwy'n credu mai dewis y delyneg a wnawn i,' meddai T. Llew Jones wedi iddo lunio telyneg er cof am Alun hefyd:

Y CEILIOG MWYALCH
(ar ôl ei glywed yn canu fin nos yn ymyl Pentalar, hen gartref y diweddar Alun Cilie, a ganodd sawl cywydd ac englyn o fawl i'r un aderyn)

Canodd dy geiliog neithiwr
  O'r dderwen ger Dôl Nant
Ag afiaith hafau'r oesoedd
  Ar ei gyforiog dant.

Canodd a'r cwm yn astud
  Yn gwrando'i euraid grwth,
Fel pe i'th ddenu eto
  I'w wrando wrth ddôr dy fwth.

Canodd fel petai'n disgwyl
  Dy gywydd mawl fel cynt,
Heb wybod dim am elor
  A'r hen, ddiddychwel hynt.

Canodd dy fwyalch neithiwr
  Anfarwol fawl i ti,
A thalu'r pwyth, hen gyfaill,
  Megis na fedraf fi.

Wedi ymadawiad Alun Jeremiah Jones cododd penbleth ynglŷn â'i feddargraff, ac ar lywydd y llys, T. Llew Jones, y disgynnodd y cyfrifoldeb. Gwaith pwy oedd i'w ddewis a'i dorri ar y garreg fedd? Pwy oedd yn mynd i benderfynu? A fyddai tegwch yn y dyfarniad? Roedd y beirdd lleol i gyd am lunio englyn neu gwpled addas a chael yr anrhydedd o osod ei waith ar garreg fedd Alun.

Wedi hir betruso a thrafod daethpwyd i'r dewis cywir ac addas. Oherwydd diffuantrwydd hiraeth y geiriau, ac am mai eiddo Alun oeddynt, daeth ei gwpled enwog i 'Moss' yn naturiol i'r brig a hwnnw a ddewiswyd:

Unig yw'r Cilie heno,
Mae'n wag heb ei gwmni o.

Gwelir y cwpled uchod ar ei garreg fedd ym Macpela'r teulu, sef mynwent Capel-y-Wig.

LLINACH

Lizzie

Dylan

Rhyfeddod

Digwyddodd rhyfeddod ar aelwyd y Cilie yng nghyfnod Jeremiah Jones oherwydd nid oedd unrhyw draddodiad llenyddol arbennig yn yr ardal cyn ei ddyfodiad. Ef yw'r ffigwr allweddol, yn faledwr ac yn englynwr talentog, yr un a fu'n bennaf cyfrifol am sefydlu'r Cilie fel un o aelwydydd enwocaf Cymru. Ef hefyd oedd y cyfrwng. Fel dywedodd yr Athro Bedwyr Lewis Jones: 'trosglwyddwyd yr ymhél hwn â diwylliant lleol a thrin geiriau i'w feibion'. Roedd llinach y gofaint yng nghyndeidiau Jeremiah Jones yn rhan o wythïen gyfoethog o gelfyddyd, a'i gwreiddiau yn nhraddodiad y Gogynfeirdd a Beirdd yr Uchelwyr. Yng ngweithdai'r crefftwyr y cyfarfu'r werin, ac yn enwedig yn efail y gof.

Ac i ddeall safle ac arwyddocâd Jeremiah Jones rhaid taflu trem yn ôl. Wrth i uchelwyr yr unfed ganrif ar bymtheg Seisnigeiddio yn dilyn y Ddeddf Uno ym 1536 a 1542, peidiodd y nawdd i'r beirdd proffesiynol. Nychodd y canu clasurol ond ni ddiflannodd crefft unigryw'r gynghanedd. Lle bu'r beirdd llys yn creu celfyddyd dan nawdd y pendefig nid anghofiodd y gwerinwyr syml y grefft. Yn eu bythynnod unllawr a'u crefftai, a hwythau yn byw ar eu bwyd eu hunain, buont yn meithrin ac yn cadw'r gynghanedd mewn ynys o wareiddiad. Hwy fu beirdd y trawsnewid, y rhai a warchododd y canu caeth, ac, yn ei sgîl, yr iaith Gymraeg. Trosglwyddwyd y grefft i feirdd y ganrif hon, fel y medrai glewion fel T. Gwynn Jones a Syr John Morris-Jones ei gwisgo eto ag urddas clasurol.

Yn fy meddiant y mae llyfr o waith barddonol Wordsworth ac oddi fewn i'r clawr ceir y geiriau—'Prynwyd oddi wrth J. Holman, Llyfrwerthwr a Gemydd, Glyn Ebwy'. Llofnodwyd—'David Jones (Isfoel), Cilie. Oct.30, 1904.' Gweithred reddfol, naturiol oedd prynu'r llyfr i Isfoel. Newydd groesi ei ugain oed yr oedd, ac eto roedd yn ysu am wybod mwy am fardd mawr a ganodd am fywydau pobl gyffredin ac ar themâu prydferth a theimladwy. Roedd Isfoel wedi tanlinellu'r rhagair—'Nid yw ei farddoniaeth yn gyfyngedig i'r prin, y newydd a'r pell—ond llifa'n helaeth o'r pridd a'r ffurfafen; disgleiria o'r blodeuyn mwyaf unig, a dengys gysegredigrwydd mewn bywydau tawel'. Roedd Wordsworth yn fardd dynoliaeth, yn dysgu parch tuag at Natur yn gyffredinol ac yn chwalu'r ffiniau ffug rhwng calonnau dynion. Hefyd hoffwn gofnodi profiad a ddaeth i ran y Prifardd Donald Evans pan ymwelodd â'r Cilie i weld Alun un tro. Yn y gegin, yn gorwedd ar wefus y seld fel petai wedi ei ddefnyddio yn ddiweddar, gwelodd gopi claerwyn â theitl coch o waith Guto'r Glyn. 'Dyma un o Feirdd yr Uchelwyr—a theimlais fod y cynoesoedd a'r Cilie yn cwrdd â'i gilydd yn y fan honno'. Roedd John Tydu yn hyddysg iawn yng ngwaith Robert Burns, ac mae ei gwpled enwog ar fwa'r Siambr Goffadwriaethol yn Nhŷ'r Cyffredin yn Ottawa, Canada, yn adleisio arddull arwr arall iddo, Wordsworth, fel y dywedwyd eisoes.

Roedd darllen gwaith Wordsworth a Robbie Burns, ac astudio arddull a syniadaeth Guto'r Glyn, bardd Abaty Glyn Egwestl, yn beth naturiol yn y Cilie ac yn rhan o'i hanianawd. Rhyfeddod yn wir!

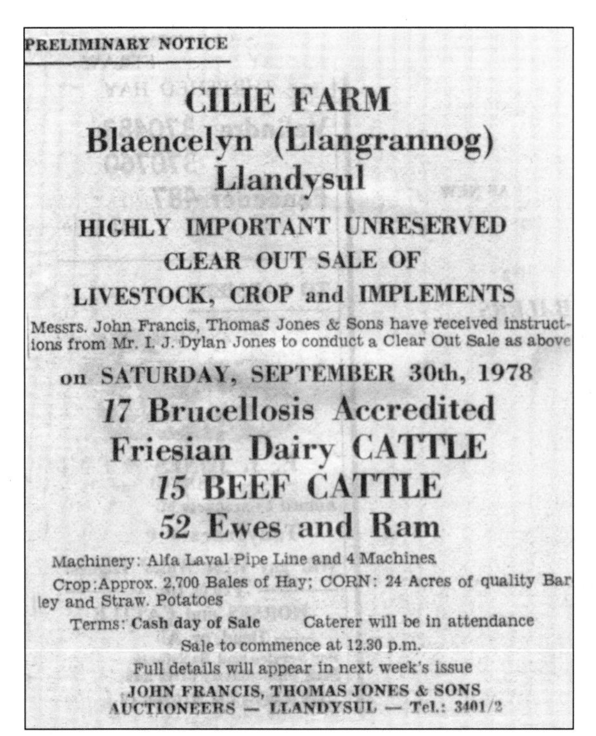
PRELIMINARY NOTICE

CILIE FARM
Blaencelyn (Llangrannog)
Llandysul

HIGHLY IMPORTANT UNRESERVED
CLEAR OUT SALE OF
LIVESTOCK, CROP and IMPLEMENTS

Messrs. John Francis, Thomas Jones & Sons have received instructions from Mr. I. J. Dylan Jones to conduct a Clear Out Sale as above

on SATURDAY, SEPTEMBER 30th, 1978

17 Brucellosis Accredited
Friesian Dairy CATTLE
15 BEEF CATTLE
52 Ewes and Ram

Machinery: Alfa Laval Pipe Line and 4 Machines
Crop: Approx. 2,700 Bales of Hay; CORN: 24 Acres of quality Barley and Straw. Potatoes
Terms: Cash day of Sale Caterer will be in attendance
Sale to commence at 12.30 p.m.
Full details will appear in next week's issue
JOHN FRANCIS, THOMAS JONES & SONS
AUCTIONEERS — LLANDYSUL — Tel.: 3401/2

Diwedd cyfnod.

Dywed Donald Evans ymhellach: 'Prydyddion y werin a barhaodd gelfyddyd y beirdd uchelwrol fel y cerddai'r ddeunawfed ganrif rhagddi, ac er mor ystrydebol a thrwstan yn gyson oedd ymdrechion yr englynwyr diymhongar hyn wrth ymegnïo cadw crefft Dafydd Nanmor a Thudur Aled ysblennydd yn fyw, bu eu cyfraniad yn un sylfaenol ar gyfer diogelu rhan gynhenid o enaid y genedl Gymreig yn ystod y deucan mlynedd cyn yr un presennol'. ('Cyniwair y Cnewllyn', *Barddas* Rhagfyr-Ionawr 1989-1990). Yn yr un erthygl cyfeiria Donald Evans at Draethawd M.A. Geraint Bowen, 'Traddodiad Llenyddol Deau Ceredigion (1600-1800)': [Mae] hanfodion cerdd dafod wedi eu trosglwyddo'n dawel, yn ôl pob tebyg, o fardd i fardd yn nyffryn Teifi drwy'r ail ganrif ar bymtheg ac i mewn i'r ddeunawfed ganrif. Ymdrinir yn fanwl â gwaith Siencyn Tomos (1690-1762), Cwm Du, Llechryd. Prydydd llwyr anysgolheigaidd oedd hwn, ond eto medrai lunio englynion ffraeth a chywyddau pur loyw yn ogystal. Parhawyd ei draddodiad yn yr ardal gan feirdd syml fel ei ddau fab, Ioan a Nathaniel Siencyn a Dafydd Llwyd o Lwynrhydowen. Ffigwr arall o bwys yn y cylchoedd hyn yn rhan gyntaf y bedwaredd ganrif ar bymtheg oedd Daniel Ddu o Geredigion . . . ef oedd y cysylltydd rhwng safonau'r Eisteddfodau Taleithiol a gwaith beirdd gwlad Ceredigion. Roedd deunydd awen David Davies, Castell Hywel, hefyd, awdur *Telyn Dewi*, yn gyfuniad ystwyth o ddysg glasurol a nodweddion y prydyddion bro'.

'Cawn wybod,' meddai Donald ymhellach yn yr un ysgrif, 'gan D. J. Davies yn 'Hanes, Hynafiaethau ac Achyddiaeth Llanarth', traethawd a wobrwywyd yn Eisteddfod Llanarth, 1875, mai Daniel Ddu o Geredigion a ddysgodd reolau barddoniaeth i un Evan Thomas (Bardd Horeb), gor-ŵyr i Ifan Tomos Rhys, hen grydd Llanarth, y gwelodd Syr Thomas Parry yn dda gynnwys pennill ffraeth ddigrif o'i eiddo ym mlodeugerdd Rhydychen . . . . Rhan o'r saga hon, wrth gwrs, yw hanes sylfaenu teulu'r Cilie'.

Yna trwy ganu i gymeriadau a digwyddiadau lleol y daeth arbenigrwydd teulu'r Cilie i sylw bro, ac wrth i'r gymdeithas ddadfeilio, buan iawn, trwy gyfryngau cyfoes, y daeth doniau'r 'bois' i amlygrwydd cenedlaethol. Ond parhau i roi sylw i'r lleol a wnâi'r aelodau o'r teulu, a chyflawni gofynion plwyfol. Ni fu cystadlu yn yr Eisteddfod Genedlaethol hyd yn ddiweddar iawn yn eu hanes.

Aduniad y teulu ar glos y Cilie cyn yr arwerthiant.

Clos y Cilie, ychydig cyn yr arwerthiant ac ymadawiad Dylan â'r fferm. O'r chwith:
Beryl ac Anne Jane Jones, Pwyll ap Dafydd a Rachel Anne Jones.

Pum cefnder ar glos y Cilie cyn gwerthu'r fferm. O'r chwith: Gerallt, Tydfor, Elfan, Tom Phillips a Jac Alun.

Gerallt, Jac Alun a Tydfor.

Cyfarfod ar draeth Cwmtydu ar achlysur dathlu canmlwyddiant genedigaeth Isfoel. Yn y cart y mae Capten Dafydd Jeremiah Williams a Chapten Jac Alun, a'i wyres, Anwen Tydu.

Dywed y Parchedig D. J. Roberts yn *Y Cardi*, Calan 1977: 'Wrth dreulio'i oes yn y Cilie yr oedd Alun wedi lleoli a daearyddoli'r traddodiad arbennig. Yr oedd yn sefydliad ac iddo gymeriad byw, ac nid yn atgof balch cenhedlaeth a oedd yn heneiddio. Yn Alun yr oedd yr uchelwr yn ei lys a'r traddodiad yn fywiog. Yr oedd 'ysgweier y plas' yn breswylydd cyson, ei groeso i'w annedd yn frwd, y gynghanedd mor danbaid â'r fflamau a oleuai'r ystafell a nawdd a doethineb gwladaidd a gwerinol yn gwarchod y diwylliant Cymraeg ac yn ei fywiocáu'.

'Isfoel, Simon B. Jones ac Alun . . . yw cynnyrch godidocaf y cenedlaethau hynny,' meddai Donald Evans yn ei erthygl, 'Cyniwair y Cnewyll' '. . . a fu'n ymlafnio â'r gynghanedd yng Ngheredigion oddi ar tua 1700 . . . oni bai am waddol englynion caled y cyfarfodydd tafarn, baledi geirwon yr eisteddfodau bach a cherddi clogyrnog yr eisteddfodau mawr y tu ôl iddi, ni fyddai Dic Jones wedi bod mewn sefyllfa o gwbl i ganu ei ddwy awdl fawr 'Cynhaeaf' a'r 'Gwanwyn'. Mewn gair, yn ei awen fe adferwyd y canu caeth i'r llawn fri a feddai yn sir Aberteifi yn y bymthegfed ganrif'.

Ar eingion aelwyd y Cilie yr asiwyd cymeriad; cadernid cymeriad a fu'n meithrin annibyniaeth barn; drwy hyder y dychymyg a thrwy ymarfer dawn gynhenid, esgorwyd ar gelfyddyd; ac wrth daro haearn ar haearn tasgodd gwreichion y disgynyddion gan gynnau cymdeithas yn anrhydeddus ac yn llwyddiannus. Ac er mai Gerallt Jones, Fred Williams, y Capten Jac Alun a Thydfor a adwaenir fel disgyblion yr Awen, amlygodd eraill eu harbenigrwydd mewn meysydd gwahanol, megis y weinidogaeth, y gyfraith a gwasanaeth dyngarol ym myd meddyginiaeth a nyrsio. Daeth eraill i'r brig fel arloeswyr a phenaethiaid addysg, morwyr, peirianwyr, amaethwyr, cantorion, actorion ac areithwyr, gwŷr busnes a bancwyr ac arweinwyr llywodraeth leol a chenedlaethol.

Fred Williams, mab Marged y Cilie, ac awdur y gyfrol *Codi'r Wal*, bardd gwlad a chynganeddwr medrus, ac enillydd llawer o lawryfon eisteddfodol.

Bu gwarchodaeth barhaus Jeremiah Jones a'i deulu ar draddodiad y canu caeth yn un hanesyddol a phwysig. Fel y canodd Donald Evans:

Yn ei hôl aeth ffynnon iaith
O Gilie i'r graig eilwaith
Nes treiddio eto'n ddi-wall
O lawr rhyw Gilie arall.

Cerddi i'r Cilie

CILIE

Y dyddiau gwag, nid oedd gynt
Ond man yng nghnoad meinwynt;
Tŷ ar ros uwchben y traeth
A'i wylanod diluniaeth;
Hen dŷ o bryd di-nod braidd
A'r hen erwau aniraidd . . .

Ond rhywfodd fe darddodd dŵr,
Hen oleuddawn o loywddwr
I'r garn yn serog ei wedd
Ac i'r Foel â gorfoledd;
Gwythïen o awen oedd
Yn torri i'r pentiroedd
Yn drwch o ddyfnderau iaith—
Haenau canrifoedd heniaith:
Diwel dros Fanc Llywelyn
A chwr Cwmbwrddwch ei hun
Ag enaid, mewn direidi;
Yn swil, â charlamus si
O'i gofer gydag afiaith
Yr hen feirdd yn ei rhin faith;
Yr hen feirdd, a gwerin foes
Y Gaer-wen, gorau einioes:
Swynodd ei bro dros ennyd
Ac â'i su Gymru i gyd . . .

Heddiw gwag fel yr oedd gynt
Yw'r man yn sychder meinwynt:
Yn ei hôl aeth ffynnon iaith
O Gilie i'r graig eilwaith
Nes treiddio eto'n ddi-wall
O lawr rhyw Gilie arall.

Donald Evans

Y CILIE

(Ar garreg fedd Jeremiah Jones torrwyd y geiriau, Gof, Amaethwr, Bardd)

Oherwydd i ryw of fegino'r tân
A thasgu o'r gwreichion byw o'i eingion ef,
Fe gydiwyd harn wrth harn yn ddi-wahân
Yn sicr dreftadaeth ei ddeheulaw gref.
Oherwydd i'r amaethwr droedio'r tir
Âi bâr ceffylau'n medi, trin a hau,
Mae'r Foel a Pharc y Bariwns eto'n ir,
A'r waddol yn y ddaear yn parhau.
Oherwydd wylo o'r bardd uwch tynged dyn,
A chawraidd chwerthin uwch rhyfeddod gair
Neu dorri strôc, mae'r gân a'r gelf yn un,
Y mae i arwyl ing, mae hwyl i ffair.
Mae'r Cilie'n Gymru, a Chymru'n Gilie i gyd,
A thrai a llanw'r ddwy yw cwrs y byd.

Dic Jones

DETHOLIAD O ENGLYNION 'Y CILIE'

Y rhain oedd Cymru uniaith—y galon,
Gwehelyth ein gobaith;
Y rhain a anwylai'n hiaith,
A'r rhain oedd Cymru unwaith.

Un teulu'n Gymru i gyd;—un aelwyd
Yn ddynoliaeth hefyd;
Un tŷ'n ymgyfannu'n fyd:
Ewinfedd yn gyfanfyd.

Lle bu mawrygu rhigwm,—a'r Gaerwen
A'r Cilie'n creu cwlwm,
Lle bu teulu ers talwm
Yn mydru cerdd, mud yw'r Cwm.

Tawodd yr ymadrodd mwys,—yr afiaith
A'r digrifwch cyfrwys:
Tydfor yr hiwmor amwys
Yn Dydfor dihiwmor, dwys.

Wedi'r holl gynnal, chwalu—dolennau
Chwedloniaeth y teulu:
Llinach yn dadbellennu,
Datod cyfamod a fu.

Y rhwymyn anhydyn, hir—yn dadwneud,
A'i dynhau ni ellir:
Lle y cydffinient ar bentir
Y mae rhyngddynt derfyn tir.

Alan Llwyd

Y BYD GWYRDD

Pan oedd barddas yn glasu
Y Foel yn yr oes a fu,
Trin gair, fel trin y gweryd,
Trin cefnen yr awen a'r ŷd
Wnâi hen griw'r hwsmonaeth gre'
Ag ecoleg y Cilie.

Haul yr iaith fu'n gwrteithio
Â'i dywyn hen briddyn bro,
Nes hadu o'r canu caeth
Hyd erwau ein cadwraeth,
A thir yr amaethu iach
Drwy y gerdd âi'n dir gwyrddach.

Idris Reynolds

Y TEULU (TEULU'R CILIE)

(Telyneg fuddugol yn Eisteddfod Genedlaethol Y Rhyl 1985)

Ar eigion dur y gorthrwm
Bu'r gof yn taro'i gân;
'Tair erw a buwch' oedd protest
Awen y gwreichion tân.

Yng ngefail Gwalia heddiw
Ei 'hil' sydd 'yma o hyd',
A'r faled o Foel Gilie
Yn dal i herio byd.

Idris Reynolds

Llyfrau a Chyhoeddiadau Eraill

Frederick Cadwaladr:
1977—*Hunangofiant Gwas Fferm* (Golygydd Gerallt Jones) [Gwasg Tŷ John Penry]

David Jones (Isfoel):
1958—*Cerddi Isfoel* [Gwasg Aberystwyth]
1965—*Ail Gerddi Isfoel* (ynghyd â 'Hunangofiant Byr') (Golygydd T. Llew Jones) [Gwasg Gomer]
1966—*Hen Ŷd y Wlad* [Gwasg Gomer]
1981—*Cyfoeth Awen Isfoel* (Golygydd T. Llew Jones) [Gwasg Gomer]

Simon Bartholomew:
1935—Pamffledyn 'Yr Unben' [J. D. Lewis a'i Feibion]
1938—*Hanes Peniel a Bwlchycorn* (wedi ei gasglu gan y Parch. S. B. Jones) [J. D. Lewis a'i Feibion]
1943—*Ffordd Tangnefedd* (S. B. Jones ac E. Lewis Evans)
1944—*Sylfeini Heddwch* (S. B. Jones ac E. Lewis Evans)
1953—*Rhai Ysgubau y Parchedig Tom Davies*
1966—*Cerddi ac Ysgrifau S. B. Jones* (Golygydd Gerallt Jones) [Gwasg Gomer]

Alun Jeremiah Jones:
1964—*Cerddi Alun Cilie* (enillodd wobr yr Academi Gymreig) [Gwasg Tŷ John Penry]
1976—*Cerddi Pentalar* (Golygydd T. Llew Jones) [Gwasg Gomer]

Gerallt Jones:
1974—*Ystâd Bardd* [Gwasg Gomer]
1976—*Awen Ysgafn y Cilie* (Golygydd Gerallt Jones) [Gwasg Gomer]
1980—*Hyd Hanner Dydd* (Cyd-olygyddion Gerallt Jones/Emlyn G. Jenkins)
1981—*Cranogwen—Portread Newydd* [Gwasg Gomer]
1981—*Ioan, a 'Gwragedd y Beibl'* [Cyngor Eglwysi Cymru]
1981—*Cyfres o Ddydd i Ddydd* (Myfyrdodau ar gyfer Gorffennaf/Awst/Medi 1981) [Cyngor Eglwysi Cymru]
1982—*Rhwng y Coch a'r Gwyrdd* [Gwasg Gomer]

Frederick James Williams:
1974—*Codi'r Wal* Barddoniaeth Fred Williams (Golygydd Gerallt Jones) [Gwasg Gomer]

John Alun Jones:
1984—*Y Capten Jac Alun* (Golygydd Gerallt Jones) [Gwasg Gomer]

Tydfor Jones:
1993—*Rhamant a Hiwmor Tydfor* (Golygydd Ann Tydfor) [Gwasg Gomer]

Emyr Llywelyn:
1970—*Areithiau Cymdeithas yr Iaith* [Y Lolfa]
1971—*Y Chwyldro a'r Gymru Newydd* [Gwasg Tŷ John Penry]
1976—*Adfer a'r Fro Gymraeg* [Cyhoeddiadau Modern Cymreig]
1990—*Cofio J. R. Jones* (Emyr Llywelyn a Gwyn Erfyl) [Gwasanaethau Llyfrgell Sir Gwynedd]

Dafydd Iwan:
1969—*Oriau gyda Dafydd Iwan* [Y Lolfa]
1970au—*Gee Geffyl Bach* [Y Lolfa]
Y Byd Gwyrdd [Y Lolfa]
Cant o Ganeuon Dafydd Iwan [Y Lolfa]
1981—*Dafydd Iwan—Cyfres y Cewri* [Gwasg Gwynedd]
1991—*Holl Ganeuon Dafydd Iwan* [Y Lolfa]

Iolo Ceredig Jones:
1980—*A Chwaraei di Wyddbwyll?* (Iolo Jones/T. Llew Jones) [Gwasg Gomer]

Aelodau o deulu'r Cilie a fu'n feirniaid yn yr Eisteddfod Genedlaethol

Fred Jones:
1928: Cân ddisgrifiadol; 1934: Parodi; 1940: Englyn; 1946: Dychangerdd

Dafydd Isfoel Jones:
1962: Englyn Digri
1965: Cywydd Digri
1967: Englyn Digri

Gerallt Jones:
1960: Soned

Simon Bartholomew Jones:
1937: Pryddest; 1943: Hir-a-thoddaid; 1944: Awdl; 1948: Awdl, Englyn; 1950: Cywydd Digri; 1952: Tair Telyneg; 1953: Englyn Digri; 1954: Pryddest; 1955: Barddoniaeth Elfed (traethawd beirniadol); 1960: Awdl; 1962: Cadwyn o englynion; 1964: Cywydd

Tydfor Jones:
1974: Englyn Ysgafn; 1979: Cywydd Dychan; 1981: Englyn Ysgafn

Alun Ffred Jones:
1987: Drama Fer; Sgript . . . am fardd neu lenor; 1989: Addasiad o un o nofelau Islwyn Ffowc Elis

Alun Jeremiah Jones:
1963: Englyn; 1968: Cywydd; 1976: Awdl (bu farw 1-3-75)

Dafydd Iwan:
1968: Geiriau i dair o gerddi ysgafn; 1971: Geiriau ar gyfer tair cân; 1978: Baled; 1986: Cynllunio Clawr Record, Dychangerdd; 1990: Baled

Aelodau o deulu'r Cilie a fu'n llwyddiannus mewn cystadlaethau llenyddol yn yr Eisteddfod Genedlaethol

Dafydd Isfoel Jones:
1966: Casgliad o gant o englynion digri

Gerallt Jones:
1947: Cyfieithu Libretto (*The Creation*-Haydn)—Gerallt ac Elizabeth Gerallt Jones; 1955: Ysgrif; 1956: Dychangerdd; 1970: Englyn ('Argae'); 1976: Astudiaeth fer o waith chwech o feirdd Ceredigion

John Alun Jones (Y Capten Jac Alun):
1959: Englyn ('Y Ffon Wen'); 1969: Englyn ('Cell'); 1976: Englyn ('Gwaed')—Cydradd gyntaf

Tydfor Jones:
1951: Englyn ('Y Fesen')—i rai dan 18 oed; 1982: Englyn Ffraeth ('Yr Orsedd')

Simon Bartholomew Jones:
1933: Hir-a-thoddaid ('Y Cae Gwenith'), Pryddest ('Rownd yr Horn'); 1936: Awdl ('Tyddewi')
1947: Cadwyn o englynion ('Cefn Brith')

Alun Jeremiah Jones:
1949: Englyn ('Yr Hirlwm'); 1951: Cân ar y mesur tri-thrawiad; 1954: Chwech o englynion beddargraff—Amaethwr, Morwr, Glöwr, Chwarelwr, Saer Maen, Gweithiwr Tun; 1959: Cywydd ('Y Bae')

Beddargraffiadau Barddonol Teulu'r Cilie
(ym 'Macpela'r' teulu—mynwent Capel-y-Wig)

Jeremiah Jones
(Gof, Amaethwr, Bardd)
Fy neigr aeth o fewn y gro,
Ar erchwynnau'r arch honno.

John Tydu
Garw fu rhoi'i bridd i'r briddell,
Mwyaf garw oedd marw ymhell.

Fred Jones
Oer yw rhew ar war heol
Oerach yw 'mron don yn d'ôl.—W.Ll.

Thomas Jones
Wedi'r daith a phob teithio
Dibardwn yw grwn y gro.

Margaret Williams
Ei gwên iachus gan iechyd—a giliodd
O'n golwg mewn ennyd;
Yn elfen y nefolfyd
Gwena o'i bodd, gwyn ei byd.

Rhys Thom(as)
Gyfaill hoff, mwyn yw'r coffa
Am dy wên deg, am d'enw da.—S.B.J.

Frederick James
Swil ei stad os hael ei stôr,
Rhan o werin ei oror.

Capt. David Jeremiah Williams
a Gwenllian Morwen Williams
Er i'r môr mawr ymyrryd—un oeddynt
Yn nyddiau eu bywyd;
Ac eto'n uno o hyd
Yng nghafell Angau hefyd.—T.Ll.J.

David Jones (Isfoel)
Yn y llwch gynt y llechais—oddi arno
Am ddiwrnod y rhodiais;
'Llwch i'r llwch'—clybûm y llais
I'w chwalu—a dychwelais.

Esther
Mae'r hwyl dan glo marwolaeth
A phridd ar y parabl ffraeth.—T.Ll.J.

Evan George Jones
Amaethwr, Llenor a Bardd

Os trist mai i'r gwys [y t]rodd,
Nid ei enaid a hunodd.—T.J
hefyd
Hetty, ei briod
Yn naear ein galaru
Y mae'r fam orau a fu.—T.J

Tydfor Jones
Amaethwr, Bardd a Diddanwr

Ni holaf pam yr wylwn—
Mae un hoff dan y maen hwn,
A'r rhamant gynt a'r hiwmor
Yn dawel dan ddirgel ddôr.—T.Ll.J.

Alun J. Jones
Unig yw'r Cilie heno,
Mae'n wag heb ei gwmni o.
hefyd
Mair Elizabeth Jones
Gwraig dyner biau'r gweryd
A mwyn fam sy yma'n fud.

Gerallt Jones
Gweinidog, Heddychwr, Cenedlaetholwr a Gŵr Llên

Yn niwedd y cynhaeaf—chwi wŷr llên
Ewch â'r llwyth yn araf;
Heliwch i'r helm lwch yr haf,
Hel i'r Cilie'r cae olaf.—G.Ll.O

Thomas J. Griffiths
Caled ac anodd coelio
Ei roi ef mewn cynnar ro.

Capten John (Jac) Alun Jones
Dim blodau, dagrau na dig,—ofynnaf
A hunell losgedig,
Eto i oed mynwent y Wig
I chwennych ei llwch unig.—J.A.J.
a **Sarah Ellena**
Aeth eilun ar daith elor,—a'n heulwen
O aelwyd y Cilfor;
Hyd angau buost angor
A'r gem hardd ar graig y môr!—J.A.J.

Mary Jane Davies
Egr yw'r boen ac oer yw'r byd
O roi'r gorau i'r gweryd.—J.Ll.J.

Ym mynwent Capel Glynarthen:
Simon Bartholomew Jones
Cymeriad mawr i'r llawr llwyd
Yng nghist angau ostyngwyd.

Ym mynwent Eglwys Dewi Sant, Blaencelyn:
John Etna Williams
Ton erwin yw ton hiraeth
Ond tyrr o hyd ar ein traeth.—J.Ll.J.

Achlysuron Arbennig i Goffáu'r 'Bois'

4 a 5 Awst, 1976
Eisteddfod Genedlaethol Cymru, Aberteifi. Rhaglen nodwedd ar 'Fois y Cilie' gan T. Llew Jones yn y Babell Lên, gyda chymorth Tydfor Jones, Dafydd Iwan, Dic Jones a D. J. Lloyd.

24 Tachwedd, 1976
Noson o raglen deyrnged yn Neuadd Goffa Talybont, Ceredigion, i'r Parchedig Fred Jones—wedi ei llunio gan J. R. Jones (Talybont) a'i chynhyrchu gan Ithel Jones (dan nawdd Plaid Cymru). Cymerwyd rhan gan Gôr Cerdd Dant Maelgwyn, Parti Dawns Aelwyd yr Urdd, Aberystwyth, a Merched y Wawr, cangen Talybont.

20 Mehefin, 1981
Taith gambo o efail y gof, Banc Elusendy, heibio i'r Cilie i draeth Cwmtydu—i ddathlu canmlwyddiant genedigaeth Dafydd (Isfoel) Jones. Darllenwyd gwaith Isfoel oddi ar y gambo gan ei neiaint, y Capteiniaid Jac Alun Jones a Dafydd Jeremiah Williams. Llywyddwyd y gweithgareddau ar ben yr odyn yng Nghwmtydu gan T. Llew Jones a chafwyd darlleniadau gan y Mri. Ainsleigh Davies, Wyn James, Mari Raw-Rees, Mary Davies. Yn canu baledi roedd y Parchedig Elfed Lewys ac yn adrodd, Enfys Jones. Yn yr hwyr cynhaliwyd cyngerdd yn Neuadd Goffa Pontgarreg. Yr arweinydd oedd Tydfor Jones a chafwyd eitemau gan Ferched y Wawr, cangen Bro Cranogwen, Beryl Jones, plant Ysgol Gynradd Pontgarreg, Dic Jones (yn canu baledi), Alwyn Evans, Ffermwyr Ieuainc Pontgarreg, Aelwyd yr Urdd, Sefydliad y Merched a dangoswyd ffilm *Y Fedel* (Nan Davies, BBC)—medi a rhwymo yn y Cilie yn yr hen ddull.

8 Awst, 1984
Eisteddfod Genedlaethol Cymru, Llanbedr-Pont-Steffan. Rhaglen—'Teulu'r Cilie' yn y Babell Lên. Sgript a chyflwyniad gan y Parchedig Gerallt Jones ac Alan Llwyd. Teyrngedau gan yr Athro Bedwyr Lewis Jones, y Parchedig Gerallt Jones, T. Llew Jones a Dic Jones. Darllenwyd gwaith y 'Bois' gan Huw Ceredig, Jon Meirion a Ionwy Thorne. Bu Dafydd Iwan yn canu. Dangoswyd sleidiau o'r teulu gan Adran Clyw-weled Swyddfa'r Sir Aberystwyth.

16 Gorffennaf, 1994
Diwrnod i gofio canmlwyddiant genedigaeth Simon Bartholomew Jones—taith tri thractor a threilyr i Ben Foel Gilie gydag aelodau capeli Peniel a Bwlchycorn, Sir Gaerfyrddin, eu gweinidog, y Parchedig Eifion Lewis a'i gymar, Nan Lewis. Roedd te i bawb yn festri Capel y Wig a rhaglen nodwedd yn yr hwyr yn y capel hwnnw—sgript gan Jon Meirion a'r llefarwyr oedd James Morris James, Enfys Jones, Hawen Jones a Jon Meirion. Yr artistiaid oedd Côr Bargod Teifi (Arweinydd W. S. Evans); parti adrodd Peniel a Bwlchycorn, y Parchedig F. M. Jones, T. Llew Jones, Yolande Jones, Bechgyn Aelwyd Aberporth, Ann Tydfor, Menna Brown, Meredith Davies ac Ifor Owen Evans.

23 Mai, 1995
Rhaglen deledu *John Tydu, Deryn Brith* (Ffilmiau'r Nant—cyfarwyddwr Alun Ffred Jones) yn ymddangos ar S4C. Cyflwynwyd y rhaglen gan Jon Meirion. Ffilmiwyd yn ardal y Cilie, Cwmtydu ac yn Ottawa, Montreal, a safle bedd Tydu yn Sultan, Ontario, Canada (28-4-95–5-5-95). Cymerwyd rhan gan Paul Andrew ac aelodau Clwb Ffermwyr Ieuainc Caerwedros, Enfys Jones, Ifor Owen Evans a'r poni fach yn tynnu'r trap. Swyddog cyswllt yng Nghanada—Colin Haxell.

7 Awst, 1996
Eisteddfod Genedlaethol Cymru, Llandeilo. Rhaglen ar 'Deulu'r Cilie' yn y Babell Lên. Cadeirydd: T. Llew Jones, gyda chymorth Dafydd Iwan a Jon Meirion.

7 Awst, 1998
Rhaglen deyrnged i ddathlu canmlwyddiant genedigaeth Alun Jeremiah Jones, cyw melyn ola'r Cilie (1897—1975), yn y Babell Lên, Eisteddfod Genedlaethol Bro Ogwr dan nawdd Barddas, y Gymdeithas Gerdd Dafod. Cadeirydd: Jon Meirion. Teyrnged gan T. Llew Jones. Darllenwyd cywydd o'i waith gan Dic Jones.

Rhaglenni Radio a Theledu

13 Mawrth, 1936
Rhaglen radio ar y B.B.C.: *Cegin y Cilie*, dan lywyddiaeth Wil Ifan. Cymerwyd rhan gan Fred, Isfoel, Tom, Simon ac Alun. Darlledwyd y rhaglen yn fyw yng nghanol gweithgareddau hwyrol Eisteddfod Pantycrugiau, Plwmp, i roi cyfle i bawb ei chlywed.

Chwedegau cynnar
Y Fedel yn y Cilie: ffilm a ymddangosodd ar raglen deledu'r B.B.C., *Heddiw*. Cynhyrchydd: Nan Davies. Gwahoddwyd unigolion o bell ac agos a oedd yn berchen pladur a chadair i ddod draw i Barc Tan Foel i ail-greu'r Fedel. Daeth eraill draw i gasglu ynghyd. Cafwyd te pentalar ar ddiwedd y dydd. Roedd Isfoel ac Alun yn y ffilm.

Awst 1960
Cynhaeaf y Cilie: y rhaglen deledu Gymraeg gyntaf yn hanes teledu yng Nghymru i'w darlledu yn fyw a'i gosod ar fideo gan y B.B.C. o 'Sgubor y Cilie. Cynhyrchydd: Ifor Rees. Cymerwyd rhan gan Gerallt Jones, Dic Jones, Alun, S.B., Isfoel, Alun Tegryn (y telynor), T. Llew Jones a Thydfor.

22 Awst, 1966
Rhaglen deledu: *Bois y Cilie* (Rhaglen I). Cynhyrchydd: Ifor Rees. B.B.C. Wales yn 'Sgubor yr Hendre, Blaenannerch. Arweinydd: T. Llew Jones. Cyflwynwyd y beirdd gan Dic Jones:

Wrth fy ochr, bardd y Goron
Yn awr ei fri, *Dafi'r Fron* [Dafydd Jones, Ffair Rhos)
Ac wedyn, *Alun Cilie*
Sy brins y llys, Burns y lle!
Yn y sêt nesa' ato
Gerallt ei nai, gŵr llydan o.

Tydfor ap Sior, ddansierus,—a *Donald*,
A dyna ni'n drefnus:
Alun Marian ddiddanus,
A'r *Llew* yn llywyddu'r llys.

14 Medi, 1966
Rhaglen deledu: *Bois y Cilie* (Rhaglen II). B.B.C. Wales yn 'Sgubor yr Hendre, Blaenannerch. Cynhyrchydd: Ifor Rees. Cyflwynydd: T. Llew Jones. Telynor: Alun Tegryn Davies. Cymerwyd rhan gan Dic Jones, Tydfor Jones, Alun Jones, Donald Evans, Gerallt Jones a Dafydd Jones.